JN046534

ドゥルーズ＝ガタリ　哲学、真理か、創造か

ドゥルーズ＝ガタリ
Gilles Deleuze – Félix Guattari

哲学、真理か、創造か

中田光雄
NAKATA Mitsuo

水声社

真理を求めて生涯をすごしたとき、ひとは、あるいは善を為すためにこそ生きるべきではなかったかと、自問するようだ。（ベルクソン）

――J・シュヴァリエ『ベルクソンとの対話』、拙著『ベルクソン哲学』エピグラフ

生は生きるために嘘をつく。真理は死の側にある。

――S・ヴェーユ『重力と恩寵』、プラトン『パイドン』

「真理とは何か」とピラトは問い、イエスは黙したまま十字架を背負うことによって、それに応えた。ピラトが政治的実践者としての知恵をそこから汲み出す内なる薄明の泉と、イエスが人知の言説を断念してそれに向かって自らの存在を分開させる世界の真理の輝く深淵は、われわれの識らぬどこかで、どのようにか、結びついている。われわれの哲学と常識が飽くことなく繰り返すのは、その結節点の人間世界への奪回の企てである。

――拙著『現代を哲学する：時代と意味と真理――A・バディウ、ハイデガー、ウィトゲンシュタイン』

転眞成事（真を転じて事と成す）

――空海、凝然『十重唯識瑷鑑章』

いにしえの賢者は真なるものを求めたが、今日の賢者は不条理を、思惟の最高のちから、創造力へと造り変えていく。

――ドゥルーズ＝ガタリ『哲学とは何か』

目次

第一章　哲学は「概念」を創造する………37

第二章　哲学は概念を、「内在平面」において、創造する………81

【凡例】

主な使用テクストは、つぎのとおり。今回は一著のみである。

・Gilles Deleuze, Felix Guattari, *QU'EST-CE QUE LA PHILOSPHIE?*, Ed. de Minuit, 1991.（略記号：QPh.）

邦訳に次のものがある。

・財津理訳、『哲学とは何か』、河出書房新社、一九九七年

財津氏は、ドゥルーズの最初の大著 *Différence et Repétition* と本著の初めての邦訳によって、わが国の哲学思想研究界に大きく寄与してくださった。ここにあらためて讃辞と謝意を表する。

なお、文中、ドゥルーズ、あるいは、ドゥルーズ＝ガタリの、他の諸著作にも関説すること、当然、少なくない。その場合、題名のみ日本語で示すことになるが、その原著題名もここに記しておく。

- 『差異と反覆』、*Différence et répétition*, PUF, 1968, 1976.（略記号：DR.）
- 『意味の論理学』、*Logique du sens*, Ed. de Minuit, 1969.（略記号：LS.）
- 『資本主義と分裂症』、二巻、*Capitalisme et schizophrénie*, Ed. de Minuit.
  - 第一巻、『アンチ・オイディプス』、*L'Anti-Œdipe*, 1972.（略記号：AOe.）
  - 第二巻、『千のプラトー』、*Mille Plateaux*, 1980.（略記号：MP.）
- 『皺——ライプニッツとバロック』、*Le Pli Leipniz et le Baroque*, Ed. de Minuit, 1988.（略記号：PLI.）
- 『スピノザ——実践の哲学』、*Spinoza: Philosophie pratique*, Ed. de Minuit, 1981.（略記号：SPP.）

その他は言及が少ないので、そのつど文中もしくは後注で記す。各訳者たちにも讃辞と謝意を表する。

序章　何を問うのか

第一節　哲学、真理、創造

ドゥルーズとガタリはもう一冊『哲学とは何か』[1]を共著した。われわれの問題関心から検討しよう。現代思想は近現代文明への批判であるが、それはどのような未来を創造するためになされているのであるか。

哲学とはふつう窮極的な真理への探究であるといわれる。おのおのの学問もおのおのの分野の真理の探究であるが、哲学はそれらを含むすべての問題・事象の真理、人生の、世界の、宇宙の、究極の真理の探究であると。おのおのの学問の知識など必要としない、人間であれば誰であれアプローチし、学び、納得しうる、生きとした、あるいは唯一の、真理の探究であり、その提示である、と。

しかし、ドゥルーズ＝ガタリはニーチェとともにこういう。「哲学は知る（savoir）ことにあるわけではないし、哲学をインスパイアするのは真理（vérité）ではない。そう〔した知的な問題〕ではなく、〔なにやら〕興味を引くもの（Intéressant）、刮目に値するもの（Remarquable）、重要なもの（Important）、そういったカテゴリーの主題と成果が成否を決めるのである。〔……〕大部分の哲学書についてひとは〔真ではなく〕誤りだ（faux）などとはいわない。〔……〕代わりに、〔こんなことは〕大した問題（importance）ではないし、興味あること（intérêt）でもない。新しいコンセプト（concept）を創り出しているわけでもないし、新しい発想法（image de la pensée）[2]をもたらしているわけでもなく、あえて描かなければならぬほどの人間像を産み出してくれているわけでもないではないか、という。教授先生たちなら欄外に罰点評価（faux）をメモるかもしれないが、それすらもしないか、一般読者たちは、〔そうした哲学書には〕、むしろ、重要性（importance）、裨益度（intérêt）、〔……〕刷新性（nouveauté）、〔といった点で〕、疑念を抱く。〔成否を決めるのは、真理のような知性のカテゴリーではなく、〈精神〉〔精神的賦活力〕（Esprit）のカテゴリーなのだ。小説の中心人物はオリジナル（Original）でユニーク（Unique）でなければならない、とメルヴィルはいっていた。〔……〕共感しえぬ人物であれ、刮目に値する（remarquable）人物でなければならないし、コンセプトは、嫌悪せざるをえない類いのものであれ、裨益度の高い（intéressant）ものでなければならない。ニーチェは〔デカルト的‐意識（conscience）＝コギトならぬ、その裏返しのそのまた裏返しとしての〕〈疚しい意識〉〔疚しさを隠しての良心的態度〕（mauvaise conscience）というコンセプトを案出したとき、この世で最も不快なものをそこに見たといえるとはいえ、それでもなお、人間が面白いもの（intéressant）になるのは、ここからだぞ!、と記し、実際、人間をめぐるひとつの新しいコンセプト（un nouveau concept）を創出した」（QPh. p. 80）。

　哲学の本質を規定しなおすテクストとしては、一点を除けば、いささか軽薄・通俗・下世話の観を拭いえない。「一点」とは、それでもやはり、「知」（savoir）や「知性」（vérité）を超えて「精神」（Esprit）のレヴエルへと想いが行き届いているということだが、この点を除けば、「成否を決める」（qui décident de la réussite ou de l'échec）とは、ここでは、世間や読者たちへのアピール度や、該当書物の売れ行きレヴェル等での「成功」（réussite）・「失敗」（échec）のニュアンスが強く、お蔭で、（真理など足蹴にしての）「見栄え・目星さ」（Remarquable）・「魅力・好奇度」（Intéressant）・「目新しさ」（nouveauté）・「オリジナリティ」（Original）・「ユニークさ」（Unique）等といった「諸カテゴリー」も、真理など超える粋人の軽やかなエレガンスならぬ、要するに、ポスト・モダーン流「バナナのたたき売り」興行師の野暮な客引き呪文にすぎないように思われてくる。

とはいえ、われわれも性急な行き過ぎ言辞は控えることにしよう。目下の真理テクストの精髄は、この著の他頁の他文章のなかにむしろ何気なく書き込まれている観あるふたつの短文に顕示しているように思われる。いわく、「ニーチェが理解させようとしていたのは、思考〔哲学〕（penser）するとは、真理への意志（volonté de la vérité）を遂行することではなく、〔もっぱら、純粋に〕創造（création）するということなのだ、ということである。」（QPh. p. 55）「哲学とは、思考（pensée）のかたち、あるいは（ou.〔ここでは、「または」、「同時に」、の意〕）創造（création）のかたち、なのである」（QPh. p. 196）。実際、上記の引用文にも、すでに同種の発想・語彙が含まれていた。「なんら新しい概念を創りだし（créent）ていないではないか」「新しい発想法をもたらし（apportent）てはおらず、描く労に値するような人物像も産出（engendrent）していないではないか」「ニーチェは〈疚しい意識〉なる概念を構成（construisait）し」「人間はこうして興味ある主題となる（devenir）」「ニーチェは人間をめぐる新しい概念を創造（créer）したのだ」。……これにたいして、あの「諸カテゴリー」とやらは、ニーチェ自身も記していたとはいえ、研究者のR・ガシェによれば「初期ロマン派由来のもの」[3]にすぎず、われわれもポスト・モダーン流チャンチキおけさと茶化してしまったが、いずれにせよ、二次的・副次的な問題にすぎない。「思考が〔実在の無底の根源を成す（後述）〕無限運動（mouvement infini）に近づくとき、思考はパラダイム化されてきていた真なるもの（le vrai）から後者によって解放され、創造行為という内在的力能（puissance immanente de création）を再び獲得する。なにものか〈興味深いもの、有益なもの〉（〈*intéressant*〉）が産出されるのも、そのようにしてなのである」（QPh. p. 133）。

『哲学とは何か』をめぐるわれわれの問題は、したがって、哲学と創造、哲学（創造）と真理、それら（哲学、創造、真理）と諸カテゴリー、の関係の如何、ということになる。精神（Esprit）という語も見えていたが、これはドゥルーズ＝ガタリ的には「精神的‐賦活力・活性化力」のことで、思想内容としては重要だが、使用語としては多くは見られず、さほど関わる必要はない。ここでは、まず、前三者への、ドゥルーズ＝ガタリ流の対応を形式的に整理し、追って本論での詳述の縁としよう。

（i）哲学と創造の関係の如何について、両者はこう論じていく。

①哲学とは概念（concept）の創造である。（概念とは何か）

②哲学は内在平面（plan d'immanence）において概念を創造する。（内在平面とは何のことか、内在平面にて創造するとはどういうことか）

③哲学のほか、科学と芸術も、創造の営みである。（芸術はともかく、科学はどのような意味で創造の営みなのか）

④これら三つの思考形態（formes des pensées）は、創造の営みを通じて、なにをどのようにしようとしているのか。（ドゥルーズ＝ガタリの実践思想）

（ii）哲学（創造）と真理の問題。

ドゥルーズ＝ガタリに特別な真理論議はない。上記引用文のいう真理なるものも、したがって、常識的な、あるいは哲学史的に常識的な、それ（思考・命題・言説と事象の一致・合致・適合、思考・命題・言説の自己整合性、思考・命題・事象の明証性、普遍的妥当性、目的的な探求と発見の対象、等、であるか、ニーチェ流のそれ（現実社会で無力な学者・司祭が強者・権力者に対してそれなりの支配権をふるうための、要するに屈折した権力意志の表れ）であるにすぎない。今日の哲学界には、ハイデガー、ヤスパース、フーコー、バディウ、等のように真理概念を重視する思想家たちのほかに、これまでの哲学（史）は真理問題を至高視することによって哲学を狭隘化してきたとする、ニーチェ、プラグマティズム、ローティ、いわゆる真理デフレ論者たちの指摘・思想もあり[4]、ドゥルーズ＝ガタリも後者に属することになる。しかし、両人も「真の」（vrai, véritable）という発想は結構繰り返し、しかもその哲学が「真の実在」の探究であることは否みようもない。この「真」との相関においてドゥルーズ＝ガタリ的な「真理」というものを考えてみることも、不可能ではないのではなかろうか。上記の旧来の「真理」は、命題と事象の一致であるか、命題の無矛盾的‐整合性としての自己同一性を前提するものであるか、命題や事象の分散の曖昧さに対する統一・自己同一性によって可能となる明証性（・妥当性）の謂いであるか、探求によって発見されることを待っている永遠不変の自己同一態であるか、等、いずれにせよなんらかのかたちでの同一性・固定性・静態性を含意するものであった。これにたいして、ドゥルーズ＝ガタリは、実在の生成的動態性とそれゆえの自己差異動を語ることによって、この旧来の真理概念を廃嫡したわけだが、しかし、自らのいう「真」がいかなる哲学的・学術的‐真理でもあり得ないことを証明したわけでも、両者の相関の可能性を徹底的に考察・審問しつくしたわけでもなかった。真理なんていうクソ面白くもねえもなあ、はじめっから相手にしねえんだよ、では、旧真理概念の限界とともに新真理概念の可能性にもほっかぶりして、産湯と一緒に赤子をも流し捨てる、猿芝居をやらかすにすぎない。われわれはわれわれのこのドゥルーズ研究の第一巻でも[5]、同一律ならぬ差異律の極北に遠くドイツ観念論にすら連接しうる、創造と発見の不可分・重相態としての、「意志的直観」（intuition volitive）・創造的直観（intuition créatrice）の相関項たる真理概念の予兆を見た。その後の追考も踏まえて、われわれはわれわれの責任においてこの問題のドゥルーズ＝ガタリ流の生産的な解決を試みなければならない。

（iii）哲学・創造・真理と「諸カテゴリー」。

真理・真なるものではなく、むしろ、それではないものとしての、「興味深いもの」「目を見張らせるようなもの」「重要なもの」「斬新なもの」「オリジナルなもの」「ユニークなもの」……こそが哲学の主題なのだ、とドゥルーズ＝ガタリはいう。後者の「諸カテゴリー」が「ドイツ初期ロマン派」「ニーチェ」「ポスト・モダーン思潮」の発想であるとしても、哲学が今日のように広範な「一般人」の関与しうるものとなっている時代には、これらの「諸カテゴリー」の有意味性も十分認めなければならないが、とはいえ、しかし、それは前者（真理・真なるもの）との択一の問題であろうか。ニーチェのいう「疚しい意識」とは一種の病理現象であり、「この世の最も不快なもの」のひとつであり、「ここから〔見れば〕人間は面白くなるぞ！」とは「下衆の勘繰り」根性への迎合であろうが、これら一連の事態がその後の思考界に大きな意義をもたらしたのは、人間・社会レヴェルへの内閉によって腐敗しかけていたデカルト以来の「意識」を巨大な宇宙に向かって開放・再構成するその哲学史的・真理論的‐基軸転換の一契機としてであった。ここにいう「諸カテゴリー」とは、それらじたいとして哲学的な意味をもつものではなく、真理・真なるものとのなんらかの積極的な相関性において哲学的有意味性を得ているものである。哲学的であるか否かにこだわる必要はなく、人間思惟一般の問題として、これもここで問い確かめていかなければならない。

『哲学とは何か』は、こうして、哲学、創造、非‐真理、真理、……を主題とするが、いくつかの関連問題も重要である。主題の詳論に先立って、主題を取り囲む縁郭として、あらかじめ簡単に粗描しておこう。

第二節　地成学的配視　哲学・科学・芸術―内在平面・カオスモス―カオス

ドゥルーズ＝ガタリの本著は « géo-philosophie » の提唱ともされており、この仏語は「地理哲学」と邦訳されているが、ここでは以下の理由から別の対応をとる。地理哲学といえば既存の地理学の哲学的根拠づけのような印象を与えうるが、実際はそうではない。地「理」というとドゥルーズ＝ガタリでは「条理空間」（espace strié）のような印象も与えかねないが、実際はそこにとどまるものではない。この語は、同時代の、一方ではM・フーコーが歴史学・歴史哲学にたいして系譜学（généalogie）と自称するに対応し、他方では、F・ブローデルらのアナール派‐歴史学が掲げていた歴史地理学（géo-histoire）の理念に対応する。すでに前著『千のプラトー』でも語られて〈strate〉〈stratification〉を「層」「地層」「成層化‐動」等と、あの場合には特に、ドゥルーズ＝ガタリの中心概念である「生成動」「生起動」「自己差異化動」の弛緩による惰性化・同一態化へのいわば頽落ニュアンスにおいて、訳出しておいた。ここでの〈géo-philosophie〉にその頽落ニュアンスはないが、差異化でも同一化でもなくいわば同異態レヴェルの動態事象として、われわれはこれを、むろん歴史概念〈géné-*a*-logie〉への対照性において、「地成・地勢‐哲学」「地成学的・地勢学的」（簡略化してよい場合には、地成学）〈géné-o-logie〉とでも解しておこう。ドゥルーズ＝ガタリ自身は〈géologie〉ともいうが、これは邦語では「地質学」に近く、ドゥルーズ＝ガタリの「生起・生成」論には、後述（本書一三九、一四〇、一八六頁）も記すように、むしろ〈genesis, generatio, genre, général〉（発生、生成、普遍性と相似て相異なる類的一般性）の〈géné-〉を読み込むほうが、妥当と思われる。

この思考の向かう先はドゥルーズ＝ガタリ的‐実在（réel, Réel）の二局・二側面である。

（1）層‐形成動・層成動・成層動（stratification）。

『差異と反覆』では、それは、これはドゥルーズ＝ガタリの主題中の主題とはいえないが、とにかく存在論的・実在論的には想定・確認しておかなければならない根源[6]としての、「無底」（sans fond）の根源的生起動（Événement, eventum tantum）と、それによって支えられているさまざまの強度（tensio）差異による諸要素連関動、最終的には、〈t〉（différentiation）動態と〈c〉（différenciation）動態、おのおの無数・無限の程度・段階を孕むそれ、という諸成層動であった。「差異と反復」といえば、惰性的・同一的‐反復ともなりかねないが、われわれは言表「差異と反覆」によって差異の無限な自己差異化的‐開展を含意させておいた。〈différentiation〉とは限りない微分の進行であるが、〈différenciation〉はすでに積分的レヴェルに向かってのいわば拡分化的な弛緩・惰態性を孕み、やがてわれわれの日常世界における知覚・識別可能な、つまりすでに同一態化を孕む、多様態へと到達する動きであった。われわれの今回の「内在平面」なる動態層は、まずはこの〈t〉動態と〈c〉動態の交錯・相互織成動あたりに位置づけてみることができるだろう。

『意味の論理学』においては、プラトン流「イデア」（Idea）という永遠不変の超越的（自己）同一態などありえぬ、いわば汎シミュラクル動としてのドゥルーズ＝ガタリ的‐実在のなかで、シミュラクルに埋没しえぬ〈理念子〉（l'idéel）なるものが、おおむね三次元事象を形成していくであろう諸実在動の上・表面（surface）に「第四次元」としての「意味」（sens）層（むしろ、ドゥルーズ＝ガタリも好む位相幾何学という語から「相」を取ってあてがうのがよいかもしれない）を構成しはじめ、われわれはこの「第四次元子」（l'idéel）の自己開展をもってあの「無底の根源的生起」のシミュラクル実在諸相の上への自己現働化（s'actualiser）[7]の動きと解した。層（相）成論的には、ここでは「実在」（réal, réel）[8]と「意味」（sens）のそれのみならず、「潜勢態」（virtuel）と「顕（現）勢態」（actuel, présent）[9]、「無意識」と「意識」、「現実化・現実態」（réalisation, effectuation, réal, actuel）と「現働態・実働態・実働化」（réel, actuel, réelisation）、等、さまざまの名称分けが必要となるが、煩雑化[10]を避けて一点に絞れば、この〈l'idéel〉の、〈l'Idea〉なき、シミュラクル実在との闘いぶりは、以下に論ずるここでの「内在平面」における「概念」（concept）の「カオス」との闘いに対応するように思われる。

『反オイディプス』においては、この層分けは、主題上、より具体的に判然とする。上記の「同一態」と「差異動」、「意味」と「実在」の、層（相）分けが、社会形成動と根源的実在動、〈mol〉（巨大分子塊）レヴェルと〈molé〉（微粒分子動）レヴェル、たんなる充足‐欲求・機械動の推進と産出‐欲望・機械動の開展、のそれとなる。資本主義世界は脱‐国家的としては開放的・非‐同一態であるが、剰余利潤追求のための経済公理系の前提的敷設ゆえにやはり閉鎖的‐同一態であり、とりわけ「オイディプス」なる「意味」体系においては、分子的・無意識的レヴェルの実在の自在・奔放な産出‐欲望を、「オイディプス」的に健常化することすら能（あた）わぬ「分裂症」事態と貶価・黙殺して、『意味の論理学』が示した「意味」の「実在」への創造的付加作用ならぬ、「意味」の実在への減殺作動の好例となる。

『千のプラトー』は、語義「プラトー」（plateau, 台地、丘）そのものが地成学的であるが、ここでのわれわれ流の理解カテゴリーからいえば、同一態・同一化動と差異態・差異化動の中間・交錯態である同異態・同異化動を語り、これはまた、有機態であることを余儀なくされているわれわれ人間・生命態を、純粋生成動が貫いて自己差異化動を貫徹していくことができる唯一の通過点・途上動であることを示唆して、これまた優れて生成論的・地成学的‐見地の有効性を含意するものであった。

これらのほか、ドゥルーズ＝ガタリ思想は、とりわけ差異態・差異化動レヴェルを論じて、存立平面、平滑空間、CsO、リゾーム、大地、等、地成論的発想に富む。ここでのわれわれに課される「内在平面」もその一環としてなされることになる。

（2）領土化（territorialisation）・脱（dé-）‐領土化・再（re-）‐領土化・絶対的‐脱領土化‐動（dé-territorisation absolue）。

地成学（今度は地勢学でもよいが）的発想はもうひとつ、実在の生成動・成層動のいわば横・水平面での拡大やその諸変容の問題ともかかわる。すでに小鳥の歌声は自らの領土宣言であり、人間においては脱‐領土化の営みもありうると語られていた。

目下の文脈と語彙でいえば、人類はいわゆる狩猟・採取期には自然界に属していたともいえるが、次第に私有地・共有地を領土として持つようになり、わけても農耕発明以来は、まずは大小の私有・共有‐領土化、やがてそれが大小さまざまの邦・郷・国家によって脱‐私有・共有‐領土化されて国家的に領土化されるにいたり、それが場合によっては新たな帝国の成立によって脱‐領土化されると同時に新たに帝国‐領土化され、その後は帝国解体とともに諸民族・国民国家によって脱‐（帝国）領土化されるとともに新たに公共‐領土化され、さらには今日、世界大資本主義の展開によって脱‐国民・民族‐領土化がなされつつあるともいえるが、実際には資本主義世界の実効的な展開のために国家的・再‐領土化が推進されつづけ、……問題が問われるにいたったのは、近代哲学のデカルト的コギトの（自称）普遍妥当性が現代哲学の存在論的転回によって再問に付され、一方ではフッサールやハイデガーによってそのギリシャ・ヨーロッパ的‐独自性・特異性が説明不可能な歴史的特権性によるものであるかのように顕揚されたに対し、他方、ギリシャ・ヨーロッパ哲学ならぬ、ギリシャ哲学、ヨーロッパ哲学、さらに別のこれからの新しい諸哲学の成立へと人類思惟の可能性を留保すべしとする思惟者たちが、哲学成立の可能性を歴史的コギトとは別の、十九世紀後半から二十世紀にいたって新たに開拓されはじめた物理・生物・心理・精神等の深層にかかわる諸ミクロ科学とその対象事象との相関において再考しはじめた、そのことによる。資本主義は、なぜ、世界のあちこちならぬ近代ヨーロッパにおいて成立したのか、この有名な問いに対応するかたちで、なぜ、哲学は、古代ギリシャと近代ヨーロッパにおいて成立したのか、そしてこれからの人類世界においては、どのような条件を整えれば、新たな哲学の誘発へと向かうことができることになるか？　国家的‐領土化動を前提にしてはそれは不可能であろう、さりとて資本主義的‐脱領土化動をもってしてもそれは不可能であろう、それが可能になるのはまず絶対的‐脱領土化‐動を獲得することによってであって、……。ドゥルーズ＝ガタリの地成学的・地勢学的アプローチはこの展望のもとに案出された。

第三節　ギリシャ・ヨーロッパ哲学の成立

哲学は、こうして、実在の生成動・成層動と絶対的‐脱領土化‐動の組み合わせのなかで成立するが、ここからは一応の常識的‐具体論に入るほうがよいだろう。

（1）ギリシャ哲学の成立

ギリシャ・ヨーロッパというが、ヨーロッパはつねにギリシャを祖先としていたわけではない。西ヨーロッパは紀元五世紀の古代西ローマ帝国の滅亡から数百年の間はラテン文明を範とすれば十分と心得ていたし、ギリシャを知るのはスペインを占拠していたトレドのイスラム文化を介していわゆる十二世紀ルネッサンス以来、それ以降もギリシャ知識はおおむね一定の知識人たちのものにすぎず、東ヨーロッパにいたっては十九世紀初頭まで神聖ローマ帝国であり、一般のヨーロッパ人にとってはギリシャはむしろ「東方」の異国にすぎなかった。

ヨーロッパ哲学にとってギリシャ哲学がギリシャ哲学としての栄光と魅惑を背負って登場してくるのは、したがって、驚くべきことに、十九世紀後半のニーチェあたりから、勝義的には、まったく驚くべきことに、二十世紀の哲学者たちにとってはじめて、とすらいってよいくらいである。

その場合、ギリシャ哲学の成立は、まずは紀元前五世紀アテナイのソクラテス・プラトンにおける(先行・超越神宗教に拘束されることのない)「真の知」の探究としてであったが、やがてハイデガーが紀元前六世紀(ギリシャ本土の対岸・現トルコ西岸に広がるギリシャ植民地)イオニア地域等の初期ギリシャ思惟に「存在への問い」の第一歩を大々的に指摘して、ギリシャ哲学の地歩は決定的なものとなった。その後の今日ではA・バディウ[11]がイオニア・ハイデガー思惟をアジア的自然主義と批判して、真のギリシャ哲学あるいは哲学一般の出発点をプラトン的＝数学素(マテーム)に指摘しはじめているが、それらはいまは詳論しなくてよい。いまここで重要なのは、ドゥルーズ＝ガタリの地成学・地勢学的アプローチが、たしかにほぼまったく新しい情景を描き出していることである。筆者自身の知識とR・ガシェの解説で補いながら、ごく簡単に要約しておこう。

いわゆるギリシャ哲学成立期、紀元前六〜五世紀のギリシャ人たちは、あの上記地域に初めから存在していた人間たちではなかった。紀元前三千年紀の終わりごろに、北部ヨーロッパのいわゆる(ケルトも含む?)ゲルマン地域から、ケルト・ゲルマン宗教心に特有の「三神」[12]構造のうち、後にゼウスと呼ばれるにいたる今日不詳の一神のみを奉じて、他の複数のゲルマン部族からは離脱し南下をはじめた(なぜこの現象が起きたのか筆者には実に興味深いのだが、むろん、資料的に、現時点では探りようがない）一定の人間集団が、トインビーのいう文化的プロレタリアートとしての流浪の果てに、地中海沿岸の先行エーゲ・ミノア文明北辺に辿り着き、後者というこれまた現段階では不詳のいわゆる地中海人種社会の外辺にしばらく蟄居してのち、後者の衰退に乗じて、大きくは全三波のかたちで、後者の内部に入り込み、やがてこれを全面的に支配し、新たな文明社会を構築するにいたった、その後のいわゆるギリシャ文明は、まずはこうして「領土化」（territorialisation）の結果であった。とはいえ、このギリシャ人と呼ばれることになる集団は、人類史上に他に多く見られるたんなる侵略者・征服者・支配者の類いにとどまることはなかった。詳細を省いて、一気に紀元前六〜五世紀まで行ってしまおう。この時期、いわゆるペルシャ戦争が勃発し、東方の巨大帝国ペルシャは（これも地中海人種国ではなく、主導階層は西アジアに南下していたおそらくゲルマン系集団である）約二十年にわたって不服従の小国ギリシャの諸「領土」（territoires）を脅かし、ついにはギリシャ全土を席捲して、いわばギリシャ国府ともいうべきアテネ・パルテノンをも破壊するにいたった。当時のギリシャには、正規の国家軍はなく、おおむね市民ボランティア軍による防戦であったから、巨大なペルシャ軍にまともに対抗するすべはなく、結局、ギリシャ・アテネ軍は、陸戦を避けるかたちで、アテネ港先のサラミス湾に遁走することになる。しかし、ここで、周知の「ギリシャの奇跡」、奇跡の大逆転が起こった。もっぱら陸戦のために構築されてきていたペルシャの大軍が、サラミス湾を縦横に動き回るギリシャ・アテネ・市民海軍に振り回されて全体秩序を乱し、結局、敗退の憂き目を見ることになる。ドゥルーズ＝ガタリの地勢学的図式を当てはめれば、こうだ。ギリシャ・アテネは、サラミス湾へと脱出することによってドゥルーズ好みの「逃走」（fuite）を果たし、また「脱-領土化」（dé-territorialisation）を敢行し、その後、本土アッティカ地域に戻って、「奇跡」的な勝利としての「再-領土化」（ré-territorialisation）を果たした。しかも、これはたんなる政治・軍略レヴェルにとどまる問題ではなかった。というより、この政治・軍略上の惨劇と勝利を、ギリシャ・アテネはより高度のレヴェルの問題へと変質させた。もともと、都市アテネは北方由来のギリシャ人たちと先住エーゲ・ミノア人たちが、アテネ良港を前に抗争に奔らず共存の調和へと自己構成した独自の地成場であった。アテネ植民地としてのイオニア地域も、本国での政治的支配抗争からさらに離れての自由な文化と思考の領野であった。両者がペルシャ帝国権力によって暴力的に破壊されたいま、われわれギリシャ・アテネはどのように自らを再構成していくべきか。選択されたのはペルシャ的権力体制モデルではなく、当時の人類世界にはいとも稀なる、陸と海の共存、「領土化動」と「脱-領土化動」の共存、「自主」と「逃走」の共存、陸・領土ならぬ海という開放場での「異質の他者」たちとの「出会いと共存」のシステムの整序、暴力的支配ヒエラルキーならぬ相互市民としての自由・平等の議論・ロゴスによる協力的競合の推進、……。遠い故郷のゲルマニアにも宿敵ペルシャにもない、いまなおギリシャ本土とイオニア植民地に顕著な、細やかで無限に多様な海岸線の連なりと展開が、陸と海の、自己と他者の、一と多の、ロゴスとパトスの、協成を可能にするいわば地成学的・存在論的-条件となって、そこに、初期イオニア自由地域に生まれてペルシャ軍略によって中断されていた哲学思惟が、ついにソクラテス・プラトン以後の巨大な哲学思惟となって登場するにいたったのであった。

　ガシェが、見事にまとめている。

「ドゥルーズ＝ガタリにとって、海の境域へのギリシャ人のこの再領土化には、哲学的な意味合いが含まれている。これを通して、ギリシャ人は根本的に自律的に、土着的になったのだが、しかしそれは新しい意味においてである。土地を失ったのちに海を最後の拠り所にし、みずからをアポロイ〔不屈の民〕とするという能力によって獲得されたこの土着性、これこそ、ドゥルーズ＝ガタリによれば本当のギリシャの奇跡である。それゆえ、ギリシャの奇跡とは、〈大地〉を脱領土化し、その後この〈大地〉が公海上だけでなくアゴラや市場のうえに再領土化されることになる政治的手続きを通して、ガイアの力を中性化することでみずからの土着性を創造できたことを本質とするだけではない。ギリシャの奇跡とはまた、固い陸地から海の境域へと移動し、放浪するアポロイによって、内在平面〔後述再論〕を基礎付けることを本質とするのであり、この内在平面は、異邦人を住まわせるとともに、ギリシャ人自身が互いに外国人として、土地のない、根無し草にされた、放浪する外国人として、関係することができるようにするのである——超越のない内在的平面[13]」。

いましがた「超越」と「内在」というむしろ今後の本論で説明すべき概念を引用してしまったが、常識的な理解をも可能にする態のものであるから、あまり拘泥するのはやめよう。

（2）ヨーロッパ哲学の成立（瞥見）

さて、ヨーロッパ哲学の成立を、①古代ローマ・キリスト教のアイルランド・ケルト系神秘主義への来入から始まるいわゆる中世哲学に見るか、②それとも常識どおり十七世紀のデカルト哲学の登場に見るか、③それとも、後者をたんなるギリシャ哲学の継承・発展と見るか……。ドゥルーズ＝ガタリは、①は、これはどう見ても正当なこととはいえないだろうが、超越神に心を奪われていた非‐哲学としての宗教的思惟として、ほとんどまったく相手にせず（後述再論）、③は、比較文明論のように、古代ギリシャ・ローマ文明とヨーロッパ文明を相互にまったく異質の文明として、分割して、そのうえで、両文明の哲学と呼びうる営みを対比させつつ、その間の連関の有無・如何を考察するという発想もなく、いとも簡単に、常識どおりに、②をもって、超越神に依拠することのない人間的自我（ego）からの内在論的思惟（ego cogito）の出発・展開として、ヨーロッパ哲学の成立としてしまう。

ところで、それは常識どおりであるから良いことにして、なぜ、資本主義は近代ヨーロッパに成立したのかという、当時流行の問いに対応する、なぜ、哲学は近代ヨーロッパに成立したのか、という問題にかかわる、上記のところからして、当然ドゥルーズ＝ガタリにあるべき、地成学的な問いと回答もなされない。この問題にも、すでに常識的な回答はある。成層論的には、中世キリスト教社会でまがりなりにも人権を保障されて成長しはじめた民衆が、当時の気候変動や生産力の発展によって遅くともゴシック時代には（少なくともその一部が）富裕化し、近代への転換とともに有産市民階級として資本主義体制を構成していくように、中世カトリック共同体思惟のなかで思考訓練をうけてきた一部の優秀な人材が、教会思惟とは別個に自ら自身で世界を考察しはじめた、有産市民の登場に対応するかたちでのこの私的（しかして公的）な思惟者たちの現出が、いわゆる近代哲学の出発であった。ドゥルーズ＝ガタリ的に言い換えれば、社会・文明的な生成動・成層動の一段階の、一定の社会的階級への惰態的成層化と並行する、この自由かつ私公的思惟の成立と展開である。領土論的には、この自由思惟は、当時まだ支配的であった絶対王政からの、たとえばオランダのような地域への脱-領土化と、そこからの新たな世界への再-領土化のベクトル・プロセスであった。ドゥルーズ＝ガタリは、ギリシャ哲学の成立を説明するに独創的な効あった彼らの地成学・地勢学-論議を、この近代ヨーロッパ哲学成立の常識を十分哲学的に根拠づけなおす作業へと然るべく転用しえていない。

第四節　現代哲学の成立（瞥見）

とはいえ、ヨーロッパ哲学論にとってこの地成論は無意味なわけではない。紀元五世紀の百年をかけてゲルマンはヨーロッパを、先住ケルト・ローマ集団を吸収・駆逐しながら、領土化し、第二次世界大戦におけるナチス侵略とその後の米ソ代理戦争によって精神的・脱-領土化の荒廃を余儀なくされるとともに、戦後のヨーロッパ哲学はこの脱-領土化の歴史的・存在論的-意味を厳しく自省し、世界的-協成の再-領土化に向かって尽力してきた。ドゥルーズ＝ガタリ哲学もその一環であり、グローバル・資本主義化というもう一つの新たな脱-領土化と、それへの復古的-反抗としての新ナショナリズムという再-領土化、それらに対する新たな世界的-協成の脱-領土化と再-領土化への生成・成層動の展開途上に、現代ヨーロッパ哲学の境位はある。

第五節　将来の哲学の可能性と偶有性（瞥見）

地成・地勢学的アプローチは、また、現代歴史主義が、一方のマルクス主義において事象の必然的展開を語り、他方のフッサール&ハイデガーにおいて事象の一回的な独異性を語るに対し、事象の「差異と反覆」、すなわち、差異のたんなる反復としての同一化ならぬ、差異のさらなる差異化としての反覆の動態性を語り、歴史ならぬ、生成（生起）としての、偶有的な反覆的-新生の可能性への方途を示唆してきた。哲学は、歴史主義のいうように、古代ギリシャにおいて唯一回的に開示されたわけではなく、ヨーロッパ哲学の成立はその二番煎じの反復ではなく、地成・地勢論的に見れば、然るべき脱-領土化と再-領土化と偶有性の組み合わせにおいて、さらにいえばわれわれがときに言表する「人為」と「原為」のしかるべき共働（「協成」）において、ごく稀にとはいえ、さらに新生（新「開起」）しうる、ドゥルーズ＝ガタリ実践学はその方位に向かうはずである。

第六節　哲学とカオス

哲学は、地成動の一段階が、成層化し、領土化する、そのドゥルーズ゠ガタリ的‐生成・存在論の一成果であるが、われわれの既述のところは、やや歴史的記述の貌を呈しすぎたかもしれない。末尾の近くで「歴史」と「生成」（生起）を対比させたが、ここであらためて存在論的‐位相を確認しよう。ドゥルーズ゠ガタリは、歴史は「物象の状態」（états de choses）の変化を示すにすぎないが、哲学は「物象」と「状態」の「生成（生起）」（devenir）を語る、という。〈états〉とは仏語ではおおむね一定の静止・停止態を含意し、「生成」（devenir）の惰態化にすぎず、その「変化」も実質は「物」という同一性レヴェルの「反復」にすぎない。これにたいし、「生起」は静止・停止からの脱出であり、「反復」の転覆としての「反覆」であり、「生成」は、その連続、というより、その非‐連続の連続としての、「差異の差異」なる、「反覆」動である。「歴史」的事象は人間的知覚レヴェルで〈remarquable〉（見栄えがする）で〈intéressant〉（興味深い）かもしれないが、その動態性を可能にしているのは、「差異の差異」としておよそ人間的知覚の対象たりえぬ、まさしくドゥルーズ゠ガタリの繰り返し強調する「潜勢」（virtuel）態に属するもの、「重要」（important）なのはその「原‐動」力のほうである。たしかに、生成動・成層動の所産とはいえ、その一成層である既成・既存の哲学は、それなりの静止・停止状態にある・になるともいえるだろう。しかし、それを産出した生成動・成層動は、どこかでドゥルーズ゠ガタリ自身もいっているように、「押し花」という死骸がその往事の栄華を想起させるように、読者の名に値する読者の目と心と精神と頭脳には、それなりに簡単に再-生起・再-生成するといってよい。

ここで指摘・確認しなければならないのは、したがって、哲学という一成層を支える成層動・生成動の、その成層動がそれなくしてはその実効力を失う、その本質と由来をなす原-動力の如何、である。ドゥルーズ＝ガタリの先行四著は、すでにこれを、既述のように、「リゾーム」「存立平面」「共立平面」「平滑空間」「無意識・潜勢界」「分子散開動」等とやや曖昧・暫定的に——不可識別領域ゆえやむをえまい——語り、われわれは、むろん両人の発想動向を尊重しながら、これを、存在論的作動性を含意する、無底の根源的-生起動、「差異と反覆」動、意味産出-機械動、無意識的-能作・構成動、分子レヴェルの生成存在論的・根源的-産出欲望・機械動、等と、呼んできた。さて、目下の『哲学とは何か』は、これを名称上は簡単に、「カオス」、「ただし、無秩序ではなく、無限速度運動としての」(QPh. pp. 111~112)、とする。哲学という一成層は、このカオスから由来し、このカオスの上に広がり、このカオスから多くの糧を得るとともに、このカオスと闘いつづける生成動・成層動の一環として、存立・成存・展開する。「シミュラクル」の大海の上にあの「理念子」(l'idéel) が「意味」(sens) の領域を開展させていったように (上記、既述)。実のところ、人間的思考は、たんに哲学のみならず、さらに、科学、芸術、としても、同種の闘いと自己産出を展開する。だが、われわれは、両者へと目配りしながらも、とりあえず、哲学営為に絞って、その創造活動の如何を、追考しよう。

第一章　哲学は「概念」を創造する

序節　概念、存在vs存立・成存、コンセプト、テイスト

哲学の本質は真理の探究と発見・提示にあるわけではなく、創造にある。何の創造に、か。諸概念の創造にである。ここで、本題に入る一歩手前で、小さな重要事を指摘しておこう。「哲学の本質は、〔……〕概念の創造にある」という日本語のフランス語文は〈la philosophie consiste à créer des concepts〉であるが、ここで日本語のいう「ある」は物体的事象が「あ（在）る」とは同じではなく、たとえば意味が「ある」という場合の「ある」（「有意味」とはいうから「有る」と仮称しよう）を含意する。われわれはこれまでの「意味」研究[1]のなかで、物体的事象が三次元世界に「あ（在）る」にたいし、意味は、ドゥルーズ的には、第四次元に「あ（有）る」のであり、仏語・独語では、前者に〈être, exister, existence, sein, existieren, Existenz〉等が該当するにたいし、後者には、先達・山内得立著[2]に準じて、独語では〈bestehen, Bestand〉が対応するとし、ドゥルー

ズ自身は、別途、〈extra-être〉（存在の外、非-存在、外-存在）・〈non-existence〉（非-、否-存在）とまで言い換えていたが、目下の事例でいえば、〈consiter〉がこれにあたり、まさしく、この〈consister, consistance〉が、〈insister, insistance〉とともに、ドゥルーズ＝ガタリ的〈実在〉（réel, Réel）において、〈existence, exister〉と重相性を成す、ということである（後述再論、第四章第五節参照）。〈plan de consistance〉（存立平面、他）とは、「存在」（être, existence）を可能にする根源というよりも、同じく〈réel〉だが、「意味」（sens）を可能にする根源、を含意する。「～を可能にする根拠」とはカント流の超越論哲学の発想であり、ドゥルーズ＝ガタリのものではない、という反論もあるかもしれないが、これも前著で確認したとおり、ドゥルーズにも超越論的領野や無意識的構成能作という発想はあり、「～を現実化・現働化・実働化する〔無底の〕根源」とでも言表化すべき発想は可能である。他方、すでに、既述のところで、意味は、真理が虚偽・誤謬を排除して同一律の一員であるにたいし、（意味は）真理のみならず虚偽・誤謬にも有意味性を認めて共存・協成・協律（con-sistance）をはかる差異律の構成員であるとも確認しておいたが、今回の本論では、「意味」のその境位を、「概念」が引き継ぐことになる。

本題に戻れば、いずれにせよ、「哲学の目標はつねに新たな諸概念を創造していくことにあり」「真実（vrai）のところ、科学、芸術、哲学は、相共に（également）創造活動であるが、厳密な意味での概念の創造は、哲学に帰する」「概念は、作成（fabliques）され、発明（inventes）され、というよりむしろ創造（crées）され、創造者の署名なしでは何ものでもない（rien）」「概念を、自らに独自の概念を創造しなかった哲学者など、哲学者の名に値いするかといってよい」（QPh. pp. 10~11）。

概念とは何か。哲学が概念的思惟であり、哲学書が概念で満ちていることは、誰でも知っており、特に哲学嫌いを自称する人々は、たとえば日本語書物では、それらが（かの有名な「絶対矛盾の自己同一」のように）

ひらがな・カタカナとは別の漢字の羅列から成っていることから、その抽象度・現実離れ・生硬さ・難解さ・異様さ等を指弾・忌避することが多い。しかし、それは、すでに出来上がって他人によって使用されている文字化・漢字化された物象としての概念のみに接するからであって、それらの概念も生きた現実のなかから、長年の生き生きとした経験と生活のなかから、哲学者たちによって手造りされてきた赤子たちのようなものであること、たんなる出来合いの使用道具ではなく、知と汗の生産行為による創造の成果であること、後者の活動の側面から見直し考え直せば、おのずから別のもの・生成態・生命態に見えてくる。実際、「概念」とは仏語では〈concept〉であるが、ラテン原語では〈con-cipio〉（一緒にして‐造る、総括する、総態（ensemble）‐構成〈constituer, créer〉する）であり、これの類似・同族語は〈conception〉であって「妊娠」であり、[3]〈concevoir〉という動詞形にすれば、「構想する」といういかにもダイナミックで知的・精神的に能動的・生産的・建設的で公的・普遍的‐価値へと真っ直ぐに志向していく動きとなる。いつぞやＴＶの現場取材番組で、取材記者が電気器具会社の若い社員に「魅力的な製品を作る秘訣は何ですか」と尋ねると、その若い社員は「概念です、概念が大切なのです！」と高言し、記者のほうはこれを聞いて「?」状態となっていたが、この場合、社員の上司はおそらく「コンセプトが大切なのだ、それが決め手なのだ！」と演説したのであろう。つまり、購買者たちに「夢」や「未来」を感じさせる付加価値が大切なのだと。社員のほうは、日本主義者だったわけではあるまいが（笑）、わざわざ「概念」などと邦訳して、事態を混乱させてしまった。他方、ノーベル賞受賞者の利根川進教授が、受賞時に、インタヴュー記者から「若い人たちに有益な助言をするとすれば、なんと仰いますか?」と訊かれて、「テイストが大切なのだ、テイストだよ、と先日も彼らにいってやりました」と応え、「テイスト」（taste）とは通常は「味、風味」のことであるから、これも記者のほうは「?」状態であったが、しかし、これも、「サピエンス」（sapiens）＝「知」とはもともと〈sapere, sapio〉（「味わう」）に由来し、たとえば、カントの超越論的判断力・超越論的美学のいう「佳き相互賦活的調和」（Zusammen-einstimmung）感覚[4]、つまり、出来上がってくる理論の、科学的な意味での、「美しさ、佳さ」、その感覚力を養い、それを理論創出の指針・糧にするということであるから、先述上司のいう「コンセプト」とほぼ同じ含意である。ドゥルーズ=ガタリのいう「概念」（concept）も、まずはこれらの広範で生き生きとした夢と志の賑わいと生成の現場に位置づけることから解しはじめなければならない。

なお、ドゥルーズは本著（一九九一年）に先立つスピノザ論（一九六八年、一九八一年）では、日本語では同じく「概念」と訳される〈notions〉という仏語を用いており、〈concept〉はすくなくとも主要言語・ドゥルーズ語としては使用されていない。仏語界一般ではどうであったのか、調査している余裕はないが、すくなくともドゥルーズ（=ガタリ）にとっては自らの哲学思想を言語化するにこの語〈concept〉が極めて有効であることは、おそらくこの時期にいたって初めて気が付いた、それが本著におけるこの語の特筆大書となって現れている、と解しうるように思われる。

表面的な流行とは別に、哲学史の現場に諸例を検討しよう。

第一節　概念とは何か——哲学史のなかの諸事例

（1）概観

この問題への導入の冒頭部で、ドゥルーズ=ガタリは「アリストテレスの実体、デカルトのコギト〔思考〕、ライプニッツのモナド〔単子〕、カントの〔可能性の〕条件、シェリングの勢位、ベルクソンの持続、……」

（QPh. p. 13）と、おおまかに列挙する。概念というより、両人にとっては、概念とはおのおのの哲学の中心概念・基礎概念ということなのかもしれない。この列挙の不足は明らかである。アリストテレスの前にプラトンが置かれていないのは、なぜか。このことはわれわれはすぐ後で検討しよう。中世一千年のキリスト教思惟には、哲学も概念も有りえなかったのか。このことは、超越神による万象の包摂から、内在野への万象の奪回を哲学・概念の本務とするところに、当・非はともかく、含まれている。デカルトとライプニッツの間に、ドゥルーズにとって最高度に重要なスピノザが入っていないのは、なぜか。まさか〈concept〉ではなく〈notion〉として語ってしまった（上記）ためではあるまい。重要すぎて、他のテクストで他の観点から存分に論じているためか。われわれ（筆者）としては、「スピノザの力能・コナトゥス（puissance, conatus）」と入れ、もうひとつ後の「シェリングの勢位（puissance）」はむしろ「シェリングの無底（sans-fond, Ungrund）」と書き換えることにしよう。ドイツ観念論にフィヒテとヘーゲルが欠けているのは、なぜか。われわれは前々著で「意志的直観」（intuition volitive）や「差異弁証法」（vice-, para-diction）をもって辛うじて連結させた[5]が、ドゥルーズ＝ガタリにとってはいかにも異質すぎる哲学だからかもしれない。スピノザと同じく最高度に重要な「ニーチェの力への意志・永遠回帰」が入っていないのはなぜか。これはすぐ後で補記できる。ベルクソン以降については、「フッサールの還元」「ハイデガーの存在・エルアイクニス-エントアイクニス・リヒトゥング」「サルトルの即自-対自・脱我的意識野・融合集団」「メルロ＝ポンティの肉」「デリダの差延・グラマトロジー」「フーコーの知の考古学・系譜学」「バディウのジェネリック・控除・マテーム」「御当人二人ドゥルーズ＝ガタリの……」、等、枚挙に暇がない。

　ここでは常識的にも有名で一般読者も御存じの数例を両人が自説にどう組み込んでいくかという観点から、簡単に整理する。

（2）プラトン

まず、体系的・本格的な哲学の出発点とされるプラトン。既述の一覧には含まれていなかったが、ドゥルーズ＝ガタリのいうところ、「概念の巨匠」（QPh. p. 33）である。

こう指摘されると、誰しも、あのイデア論を思い浮かべるだろう。「正義」についてはいろいろな考えかたがあり、正義と呼ばれるいろいろな事象があるが、窮極的には「正義とは何か」、その窮極的な定義を明確化しなければならない。ギリシャ的デモクラシーの典型ともみなされる延々たる議論の果てに窮極的な定義に達するが、その窮極的な正義の「概念」が常に尊重され想起されなければならないことから、その「概念」は永遠不変の叡智界に永遠不変のかたちで「存在」するのでなければならず、実際、そのはずである、つまり「存在」する。こうしてイデア論のひとつである「正義のイデア」論が成立することになる。「プラトンは〈イデア〉（Idées）を観照（contempler）しなければならないといっていたが、そのまえにまず〈イデア〉の概念（concept d'Idée）を創造（crée）しなければならなかった」（QPh. p. 11）。

ただし、ここでいくつかの、すくなくともひとつの混同がなされていることが判る。「存立」（consistance, extra-être, non-existence）と「存在」（existence, être）のそれである。中世ヨーロッパ思惟が概念をめぐって「唯名論」と「実念論」に分裂し、近代ヨーロッパ末の価値哲学が「価値」と「存在」の区別を主題化し、ドゥルーズ＝ガタリが「三次元‐実在」と「第四次元‐意味」を区別するに先立って、古代ギリシャ（の後述の「内在平面」）は「存立」と「存在」の未分化のなかにあった。ドゥルーズ＝ガタリはプラトン的イデアの「存在」の「超越性」に首肯しうるはずなく、それを「内在」の極北に構成される「存立」と捉え直すはずであるから、「イデア」をもってプラトン的‐概念と安穏に規定することは用心しなければならない。

ドゥルーズ゠ガタリ的には、プラトンが「概念の巨匠」であることを納得するためには、イデア論とは別の、ただし同じように重要な、事例に眼を向けるほうがよいように思われる。対話篇『パルメニデス』の「一」についての論がそれに当たる。「〈一〉は（存在〈l'être〉と非存在〈le non-être〉という）二つの合成要素、（存在に優る〈一〉、存在と同値の〈一〉、存在に劣る〈一〉、非‐存在に優る〈一〉、非‐存在と同値の〈一〉という）諸合成素位相、（自らと、自らの諸々の他、とのかかわりにおける）諸々の不可識別ゾーン、を持っている。これが概念の一モデル（un modèle de concept）である」（QPh. p. 33）。ここにいう〈一〉概念のここに記してある内容について考察・説明する必要はない。ここで重要なのは、「イデア」論においては「正義」の究極概念が永遠不変の超越的・実体的な叡智界において「すでに、先行的に存在していると主張されるにいたる」（présupposée, comme déjà la）（ibid.）に対し、ここでは、プラトンが、そのような先行存在の「代わりに」（représentant）、それを「証言する」（témoignant）ものとして、諸概念を「創出」（crée）「構成」（construit）している（ibid.）ということである。「概念」は、まさしく「コンセプト」として、「創造・構築」され、「存立・成存」するにすぎない。

この問題は、プラトン哲学あるいは哲学一般にであれ多少とも詳しいかたがたには当たり前のことで、この記述は煩わしかったかもしれない。しかし、プラトン哲学からさえ、そのどの側面がドゥルーズ゠ガタリへと繋がっていくか、端的に確認しておくことが必要であった。当方個人にとっては『パルメニデス』のこの「一」概念は示唆するところ大であるが、他方、一般読者にはドゥルーズ゠ガタリのいう「概念」とは常にイデア論議のように特殊専門的なものばかりなのではないことをあらかじめ御伝えしておければよい。

アリストテレスについては、上記の例挙では「実体」が挙げられていたが、われわれ（筆者）の識るかぎりでは、両人には「アリストテレス」についてもその「実体」概念についても他に内実重要な直接の言及はない。アリストテレスが師プラトンの「イデア」の静態性を批判してある種の存在論的「原因」動態を読み込んでいくことも、またその「第一実体」論がドゥルーズ＝ガタリの〈heccéité〉概念（後述再論）に通じうることも、それなりに重要であるが、直接の言及文の引用がなければ茫漠たる一般論になりかねないので、ここでは省くことにする。

中世一千年のキリスト教思惟にも「概念」は存在しなかった、のか?! 論述の名に値する論述はない。

（3）デカルト

近代哲学の始祖とされるデカルトについては、既述の一覧は「コギト」をもってその概念としていたが、別の頁では、コギトする「我」、かの有名な「私は爾余の一切を疑う、私（ego）は考える（cogito）、ゆえに（ergo）私は存在する（sum）」との確認・決意から出発する「私」（ego, je, moi）をもって、デカルト的-概念とする（QPh. p. 29）。このような単純・平凡な語がデカルトにおいては概念であるとはどういうことか。三点から論じられている。

概念は、既述『パルメニデス』の「一」のように、言表上は単純・平凡でも、複数の合成要素から成り立っている。目下のデカルト「私」の場合も、「疑う、考える、存在する」、または「疑う私、私は考える、私は存在する、私は考えるもの〔cogitans sum〕である」、または「懐疑（感覚的-、科学的-、憑依的-懐疑）、思考（感受する、想像する、諸観念を持つ）、存在（無限存在、有限的思考存在、延長的存在）」であり、「概念は私という点に凝縮するが、それはすべての合成要素を経巡り、そこで、私-疑う、私-思考する、私-存在する、が相互照合・共立・協律（coïncident）する」「それらはひとつの変化態の諸位相を構成する」（QPh. pp. 29~30）。単なる、通常のわれわれの「私」言表に止まることなく、その「すべての合成要素」を、「無限の速度をもって」と別処ではいう、一瞬に「経巡り、相互照合する」ところに、両人のいう「概念」の真髄がある。

デカルト以前にも、私は考える、私は考えるというかたちで存在する、と言表した人間たちは多く存在したであろう。しかし、そこには、これらの合成要素の何かが「欠けていた」か、何か余計なものが「加わっていた」、「すべて準備されていたように見えて、何かが欠けていた」、要するに、「デカルト・コギト」とは「別の問題」に方向づけられていた（QPh. pp. 30~31）のである。中世初期のアウグスティヌスにも似たような発想がある、デカルトの独創ではない、と、よくいわれるが、中世キリスト教においては、ひっきょう、「考える」のは神・教会・神父であって、人間は「聴いて、従え」ばよく、これにたいして、デカルトにおいては、神・教会・神父の「考える」は懐疑のなかに遮蔽され、逆に人間の「考える」が前景化され、「人間」とその「考える」がその概念としての全容を開示するにいたったといわなければならない。

この問題意識あるいはむしろ問題感覚の展開場を、ドゥルーズ＝ガタリは、既述の存立平面（plan de consistance）・駆動源場（planning）[6]や後述の内在平面（plan d'immanence）に準ずるかのように、「平面」（plan）と呼ぶ。そして、いう。「デカルト平面は（例えば、理性的動物、といったような、〔あるいはプラトンのイデアのような〕）客観的に明示的な先行存在（présupposé objectif explicite）をすべて締め出す（récuser）〔……〕ことにある。それは、もっぱら、前哲学的-了解（compréhension préphilosophique）、すなわち、主観的かつ潜在的な先行態（présupposés implicites et subjectifs）を後ろ盾にする。考える、存在する、私、がなにを言おうとしているか、それは（ひとびとが、それを行い、それを存在し、それを口にする、ということで、知っているように）、誰しもが知って（sait）いる。〔……〕そのような平面に必要なのは、なんら客観的なもの

〔の先行存在〕（rien ... d'objectif）など前提（présupposér）しない、なんらかの第一概念（un premier concept）である。それゆえ、問題は、その平面では何が第一概念か、あるいは、〔デカルト流の〕絶対的に〔疑いようもなく〕純粋な主観的確実性（certitude subjective absolument pure）としての真理を確定しうるためには何から始めるべき（par quoi commencer）か、ということである。それが、コギトなのだ」（QPh. p. 31）。

念のため、重要点をいくつか確認しよう。①「前哲学的・主観的・潜在的な先行了解態」とは、後述の「内在平面」の最重要規定となる。②「了解」（compréhension）は、現代西欧哲学（現象学、解釈学、等、で有名な概念であるが、やや知的「理解」に近づきすぎる傾向あり、筆者は、知覚、感覚、無意識的レヴェルにもわたる体覚[7]、等をも含めて「了覚」とする。ハイデガーなども、たんなる「了解」（verstehen）のほかに〈vor-verstehen〉（先行了解）などともいう。筆者は私的造語は慎むが、ここでのドゥルーズ＝ガタリにとってのデカルトの場合もほぼ同様（つまり「了覚」に近い）といってよいだろう。③〈objectif〉は、認識論的には「客観」であるが、存在論的に「客体」と解することも必要である。上記のプラトンの「イデア」は、もともと認識論的概念であり、それゆえドゥルーズ＝ガタリ的な「概念」でもあったが、プラトンが古代ギリシャ哲学流に、叡智界に存在する、と、客体化してしまったことによって、ドゥルーズ＝ガタリのみならず現代哲学一般に受け容れがたいものになってしまった。④〈subjectif〉は、「主観的」のみならず「主体的」の含意を読み取ることも重要であろう。神的思惟に対しては人間思考一般が、とりわけ教会や神父さんたちにとっては、歪曲・偏向混じりの「主観的」かもしれないが、ここでの〈tout le monde〉（皆、誰もが）は近代人たちであり、彼らの「潜在的」な自覚と自己主張をデカルト的‐自我が顕在化・現働化させた、ということでドゥルーズ＝ガタリにとっては「概念」たるに値するものになっているのであるから、「主観的」以上の「主体的」である。ただし、現代哲学のハイデガーにとっては、デカルト的な「〈subjectif〉な確実性としての真理」は、古代ギリシャ以来の本来的な真理概念である「〈Wahrheit, aletheia〉」（秘匿的開顕性）に抵触するたんなる近代的な、「存在そのもの」を忘れた「人間中心主義的」な、「〈Richtigkeit〉」（精確性・確実性）真理にすぎない。⑤もっとも、いまは、「概念」（concept, Begriff）すらをも廃嫡するハイデガーから、「概念」尊重のドゥルーズ＝ガタリに戻れば、デカルト的「自我・私・コギト」は、近代全体を「代表・代現」（représentant）・「証言」（témoignant）する広闊・多元・重相態として、「概念」の一好例である。

（4）スピノザ

スピノザについては〈notion〉の語は使うが、〈concept〉の語は避けるのか、明示はないから異同にはこだわらないことにしよう。

概念内容については、御想像のとおり、複数考えうる。アリストテレスの「実体」は、スピノザでは「自然」もしくは「能産的自然」になるともいえるが、後者についての言及は本著には一か所しかない。デカルトの「コギト」はスピノザでは「コナトゥス」になり、われわれは前著[8]で、通俗オイディプスの社会的・充足‐欲求（besoin）に抗する存在論的な無償の産出‐欲望（désir）としてこれを大々的に捉えなおした。筆者は個人的には、カント的な人と人の間もしくは人間集団での「共通感覚」とは異同する、スピノザ流の、人とその思考対象の間に成立する「共通概念」（notions communes）にも、メルヴィルの描くモービー・ディックと船長エイハブの最後の死闘のさなかでの一体化は、身体的形像レヴェルのものではなく、分子レヴェルのものである、とするあの発想[9]の哲学的起源ではないかと、関心を抱く。しかし、他の哲学者たちの場合と同じく一点に絞るとすれば、これも上記に触れた「力能」（puissance）概念であろう。われわれはドゥルーズ＝ガタリが「起源・根源」（origine, fond）の思想家ではなく「現況・間‐境」（mi-lieu）のそれであることを知りながらも、やはりその根源に該当しうる事態として、無底の根源的‐生起・生成とか、絶対的・自己差異化動とか、要するに根源的動態性を想定せざるをえなかったが、[10] いまは、「力能」概念としてのそれである。本著『哲学とは何か』には直接の言及はないので、『スピノザ――実践の哲学』[11]から引照しよう。

①「〔スピノザにおいては〕神は〔通常の人格神のように〕意志ではない。〔……〕神の意志といえども〔実体から派生してくる〕一様態にすぎない。神は権力（potestas）をもつのではなく、たんにその本質にひとしい力能（potentia）をもつにすぎない。この力能によって、神はその本質から生じるいっさいのものの原因となり、また自分自身の、すなわちその存在が本質に含まれるような神みずからの存在の、原因となる」（SPP. pp. 203~204）。（「実体は自己原因である。その存在は実体自身の本質のうちに含まれている。まさに実体の本質は、絶対に無限な存在する力能〔存在力〕なのである」（SPP. p. 146）。

②「神は二重の力能をもつ。絶対的な存在する力能と、絶対的な思惟する力能である。存在する力能はいっさいのものを産出する力能に通じ、思惟する力能、したがって自己を把握〔理解〕する力能は、産出されるいっさいのものを把握する力能に通じている。二つの力能は絶対者のいわば両側面である」（SPP. p. 205）。

③「人間の力能も、〔……〕神、すなわちこの自然の、無限な力能の一部分、一個の度である。〔人間という〕様態が存在へと移行するのは、無限に多くの外延的諸部分が、その様態の本質あるいは力能の度に対応する一定の構成関係のもとにはいるよう、外部から決定されるからである。そのとき、そのときはじめて、この本質それ自身も、コナトゥスあるいは衝動として規定されることになる」（SPP. p. 206）。

④「全『エチカ』（*Ethica*）は、〔カント流の〕当為〔為すべきこと〕の理論である道徳（モラル）とは反対に、〔〈ethos-logie〉（有り方の論理）として〕、力能〔為しうること〕の一理論として提示されている」（SPP. p. 217. cf. SPP. p. 44, 53）。

なお、われわれ（筆者）の以下の考察の基本底流をなす根源的動態性の発想は、このスピノザによるものではなく、プラトンのイデアを〈das erste Vermögender〉（第一力能）とするハイデガー流の理解[12]、カントのいわゆる物自体を「原象」としての〈der erste Beweger〉（第一駆動態）とする筆者自身の理解[13]、ハイデガー自身の――これも多分に筆者流の理解による――〈Licht-ung〉（無底の分開‐光与動）[14]論、等による。考えてみれば筆者が若年期の仏国留学中におこなっていたベルクソン研究も、カント的〈モラル〉の生命存在論的捉え直しであったが、スピノザには自然主義的還元や静寂主義の弊を見て、もっぱら「当為」と「原為」の「人為」による統合に専念していた。ドゥルーズ＝ガタリは、スピノザにおける力動・力能論を主題化していることになる。

（5）ライプニッツ

上記の一覧ではライプニッツの概念とは「モナド」（Monade, 単子）であった。これはデカルトの「我・コギト」やスピノザの「力能」以上に、教科書的な常識通りの指摘で、説明に多言の必要はない。「コギト」が「我」とその「対象」の認識論的関係を基軸とし、スピノザの「力能」が「我・コギト」を「自然的‐実体」へと吸収して存在論的関係を指摘していたとすれば、ライプニッツの「モナド・単子」は、古代ギリシャの「アトム・原子」が内容‐単一の微粒子だったに対し、内実‐無限多様の（微粒子というより）生動‐実体であり、スピノザの「自然的‐実体」が「我」を飲み込んで解消させてしまっていたとすれば、逆に「個」が「世界‐実体」を「表現」しているというかたちでの存在論的事態である。目下の『哲学とは何か』では言及が少ないので、『皺――ライプニッツとバロック』[15]から一端を借りよう。

この「モナド」概念のドゥルーズ＝ガタリ的‐特色は、デカルトの〈Ego-cogito〉（我はコギトする）[16]に対してライプニッツのそれは〈Deus cogitat mundus〉（神は世界をコギトする）だといわれる反面、「モナド・世界」そのものの創造力を指摘するところにあるように思われる。

「モナドは世界表出において自己充足を満喫し、その音楽的な慶びは無数の振動を凝集し、多様なハーモニーをそれと自覚することなく奏で、そこからさらに前進する力を引き出し、なにものか新しきものを産出（produire）する。哲学にその後のホワイトヘッドやベルクソンに憑いて離れぬ問題が湧出（surgit）して来るのは、ライプニッツとともにである。いかにして永遠性（l'éternel）へと到るか、ではなく、いかなる条件があれば、客体的世界は新しきものの主体的産出（production subjective）を為しうるか、すなわち、創造（création）を成しうるか。最善の世界とは、ほかでもない。醜悪さ・おぞましさにおいて最少の世界ではなく、その全体が新しきものの産出（production de nouveauté）を可能にする世界の謂いである。〔……〕最善の世界とは永遠を再産出（reproduit）する世界ではなく、新しきものがそこで自己産出（se produit）する世界、刷新と創造の能力（capacité de nouveauté, créativité）をもつ世界である。哲学の目的論的‐転回（conversion téléologique）」（P. pp. 107~108. 一部取意訳）。

　さらにいくつか、後述のドゥルーズ＝ガタリ思想に通ずる文言を引用しておこう。

「無数のモナドや純粋実体がつねに現働的（actuels）であるとしても、それはそれらのモナドや実体が現働化（actualisent）させる諸々の潜勢態（virtualites）から由来するゆえのみならず、無数の合成実体や、物質的集塊や、延長態現象へと、自己現実化（se réaliseent）していく諸々の可能性（possibilitiés）を孕むことにもよる。万象が〈不断の流れのなか、無数の局面が連続的に出入りする流れのなか〉で、根本的に流動体なのである」（P. p. 109）。ここにいう〈actuel〉〈virtuel〉〈réaliser〉〈possibilitiés〉は典型的にドゥルーズ＝ガタリ語であるが、別思想家（ライプニッツ）に関する短文のものゆえ、ここでは訳語の調整・整合化はおこなわずにおく。ベルクソン的「持続」（durée）との関係も明らかだろう。

「世界は二つの位相、二つの契機、二つの半域、をもつ。一方によって世界はモナドのなかに包み込まれ（enveloppé）折り込まれ（plié）、他方によって物質のなかに捕えられ（engagé）折り畳まれ（replié）ている」（P. p. 136）。ライプニッツが「モナドvs物質」の二層論であったか定かでないが[17]、いま重要なのは、デカルト的な（主vs客）二元論に対して、ここでドゥルーズ=ガタリ的な地成学的-重相論・多層論が定立されていることである。われわれはこれをこれまでも何度も相互異質-重相性（redoublée, Zwiefältigkeit）、や、相反-相伴性、等の言辞で語り、より端的にはバディウ出自の〈S(♀)〉をもって表示してきた。本著の上記のところでは、「哲学―内在平面・カオスモス―カオス」もこれに当たる。超越・内在の二相論・重相論はなぜ不可なのかも含めて、今後繰り返しこのカテゴリーを活用することになるはずである。

「世界はモナドや魂のなかに自己-現動化（s'actualise）する潜勢態（virtualité）であるが、同時にまた物質や物体のなかに自己-現実化（se réalise）せざるをえない可能性（possibilité）でもある」（P. p. 140）。ドゥルーズ=ガタリにおいては、〈actuel〉は「現働的」と「現実的」の二義的であり、〈réal〉は「現実的」と「実在的」の二義的、そして〈réel〉は、これはわれわれに独自の、むろん、ドゥルーズ=ガタリ思想に即しての、区別だが、「実在的」と「実働的」の二義的、である。「可能性」と「潜勢性」の区別も、カントとドゥルーズ=ガタリを分離かつ連接させる等、相当に重要である。各訳語の意味内容の相互差異と相互関係は、本当はここでも説明するほうがよいのかもしれないが、相当に横道に膨れ上がってしまうので、省かせていただく。

「モナドはすべて内的統一態（unité intérieure）だが、モナドがその〔内的〕統一態であるところのものは、かならずしもモナドに内的ではない（pas forcément intérieur à la monade）。第一種のモナドは内的変化の統一態である。第二種のモナドは有機体レヴェルの成長動（générations）と衰退動（corruptions）の（合成としての）統一態である。〔だが〕第三種の成長停止動（dégénérées）としてのモナドは外的運動（mouvement extérieur）

による統一態なのである」(P. p. 157)。モナドの「外」がある……? そうではない。「すべて運動は内的統一態であり、〔……〕そうでなければ運動と見なされえないであろう。ライプニッツとベルクソンにおいて、われわれは、飛翔体(trajet)はなんらかの必然的に外的(extrinsèques)な規定を伴うが、それは飛翔動(trajectoire)の内的(interne)統一性を前提にすることを、見た。その点から考えれば、外的な規定は、飛翔の手段か障害、あるいはその双方であるにすぎない。〔……〕内的な力(force interne)は、外的(extrinseque)状態との関係のなかで〈活き活き〉(vive)と成ったり、〈死んだよう〉(morte)に成る、それだけのことである」(P. p. 157)。ライプニッツ的にいえば、ドゥルーズ＝ガタリはここでは触れていないが、「外」とは、モナドの外ではなく、おのおののモナドの「外」ということであり、むしろ他のモナドの「内」でもある。勝義的には、おのおののモナドに対する諸・全モナドの共可能性‐関係も、前者の「内」に対する「外」といってもよい。

モナド論議はもっと多様・豊饒な諸局面をもつが、ここではドゥルーズ＝ガタリのいう概念の一例としての確認にすぎないから、この程度の簡述ですませておこう。数点のみ付言しておけば、モナドは神や世界から表象不可能な微小レヴェルまで(むろん相互差異を前提として)遍在しており、われわれが既述したドゥルーズ＝ガタリの「c動態、t動態」・「分子集塊‐動態、分子散開‐動態」のほぼすべてにも対応し、かつ、スピノザの「実体、自然、力能」が内的差異無き「無差別態」とされるに対し、ライプニッツのモナドは本質的に「個的実体」として「力能」を発動している。ドゥルーズ＝ガタリは自他ともに認めるスピノザ主義者だが、われわれから見るとむしろライプニッツ主義者のようにも見えてくる。また、われわれの前著[18]は指摘し忘れ、ドゥルーズ＝ガタリ自身も触れていなかったが、『資本主義と分裂症・第一巻』の事象・実体＝機械論は、デカルトの動物機械論、ド・ラ・メトリの人間機械論、の踏襲でないことはもとより、現代分子生物学の安易な応用でもなく、このライプニッツの『モナドロジー』そのもののなかに、すでにしかるべく散見される。また、〈unité〉（統一）の語は多様態・散開動のドゥルーズ＝ガタリではむしろ御法度の禁句であるが、モナドの動的な〈unité〉を考量すると、これはむしろ後述再論の〈concept〉⇅〈con-cipio〉問題に自ずから繋がってくるように思われる[19]。

（6）カント

カントは近代哲学史の中期を代表し、ドゥルーズ＝ガタリの上記の一覧（QPh. p. 13）では、それがもたらした「概念」は「条件」（condition, Bedingung）というそれであった。カントにおける「条件」とは、知るひとは知るとおり、「可能性の条件」であり、ここでは、デカルト流の「コギト」がコギトとして展開しえている、その可能性の条件、要するに「悟性のカテゴリー」と「感性の形式」、両者の組み合わせによって成る「超越論的‐平面」（plan « transcendantal »）の謂いである。デカルトは、経験的事象の一切を「懐疑」をもって締め出すことによって「コギト」の地平を切り開いたが、カントはそのデカルト的懐疑を「無用」（QPh. p. 35）とし、「前提」（présupposés）を変えてしまった（ibid.）。「平面」を「私‐コギト」のそれから「超越論的地平」としてのそれに変え、デカルト的「合成要素」（懐疑、思考、存在）から新たな平面に対応するそれに変えていく。

上記一覧とは別の頁で、こう記す。

まず、カント自身が指摘するように、デカルトの「私は考える、ゆえに私は存在する」は、「考える」から「私の存在」を帰結させているが、後者の現実的な規定になっていない。「私の存在」は、当然、「時間」のなかで展開するはずだが、デカルトは、プラトンが「イデア」の永遠性を「想起」すべき「過去」に置くという「時間」性すら捨象して、「我、私」の「合成要素」を無時間性の域で設定してしまった。「カントは、それゆえ、デカルトが、我は思考する実体（une substance pensante.〔cogitans sum〕）である、というとき、その主張には根拠づけが欠けている、と〈批判〉する。カントはコギトのなかになんらかの新しい（une nouvelle）合成要素を導入することを要請するのだ。デカルトが排除してしまったそれ、まさしく時間というそれである。われわれの未規定の存在が規定可能であるということになるのは、もっぱら時間のなかにおいてだからである。ただし、私が時間のなかで規定されるのは、受動的で現象的、つねに触発を受け、変容可能、可変的な自己としてである。となれば、いまやコギトは四つ（quatre）の合成要素を示していることになる。私は考える、そのかぎりで、能動的である、／私は現実的な存在をもつ、／その現実的存在は時間のなかでは受動的な自己としてしか規定可能でない、／私は、それゆえ、受動的自己として規定され、〔その結果〕必然的に、思考する〔という能動的な〕自ら自身の活動は、前者〔受動的自己〕にとっての〈他者〉（Autre）ということになる。／それは、もうひとつの主体（un autre sujet）ではない、むしろ、他の……となる（devient un autre ...〔他者へと生成する？〕）主体である」（QPh. p. 35）。

　なにやら初等哲学史教科書のような記述になってしまって恐縮だが、論脈上、やむをえない。以下の引用文のほうが、よりドゥルーズ＝ガタリ的かもしれない。

「カントがデカルトを〈批判〉するとは、デカルト的コギトによっては左右されえない〔新しい〕平面と問題を立ち上げ・構築することを意味する。デカルトは概念としてコギトを創造したが、それは〔プラトン流の〕〈先行性〔上記〕の形式〉としての時間を廃嫡しそれを〔デカルト流の神による〕連続的世界創造に帰着するたんなる継続性の一様態とすることによってであった。カントは、コギトのなかに、時間を再-導入する。ただし、プラトン的先行性の時間とはまったく別（un tout autre）の、概念の創造（Création de concept）という時間を、である。時間をしてひとつの新たなコギトの合成要素としなければならない、もっとも、これはこれで、新たな時間概念（un nouveau concept）をもたらすことを条件として。時間は、こうして、三つの合成要素、継続性、さらに、同時性、恒久性、を持つ、〈内面性の形式〉（forme d'intériorite）となる。それは、また、新たな空間性の概念、もはやたんなる同時性によっては規定されえない、外面性の形式（forme d'extériorite）となる、空間概念をも含意する。立派なひとつの革命である」（ibid.）。

実のところ、カントには、ここにいう認識論的な「条件」概念のほかに、いわばもっと深いところに「魂の奥底における隠れた技倆」なる発想があり、現代哲学の存在論的転回を経ているドゥルーズ哲学は、後者にこそ自らの軸足を置いて、上記の（「隠れた」）「潜勢動」からの「現働化」としての自らの「時空‐生起動」（dynamisme spatio-temporel）を論じ、このことはわれわれは旧著で詳述したが[20]、考えてみるとこの本著においても、両人は、このことを、きわめて簡単な言述をもって語っている。いわく、「カントは、ひとびとが思い込んでいるほど、主観・客観のカテゴリーに囚われ（prisonnier）ているわけではない。そのコペルニクス的転回の理念は、思考を直接的に大地との関係のなかに定位させる（met directement la pensée en rapport avec la terre）のであるから」（QPh. p. 82）。

ただし、これによって「条件」概念の哲学史的‐功が失効するわけではない。

（7）シェリング

ドゥルーズ＝ガタリの記す「シェリングの勢位」を、われわれはむしろ「シェリングの無底（Ungrund）」に置き換えようと提案した。いまさっきスピノザとともにわれわれのいう「無底の根源的‐生起動」の根源的な「力能」性を確認したあとで、順序が逆になるようなかたちでだが、この「無底」概念のシェリング的‐出自を確認しておこう。

　シェリングの問題は、神が創造し管理しているはずのこの宇宙世界に「悪」と悪への選択を典型例とする「人間的自由」があるのはなぜか、ということにある。応えは簡述すればこうである。神は「人格的実存」であり、そのような実存として「存在」する、あるいは活動する。ハイデガー流に、「存在者」(Seiende)としての神の「何で在るか」(Was-sein)と、神が如何あれ「存在するということ」(Daß-sein)、の重相性といってしまってもここでは大過ないかもしれない。シェリングはこれを神の(人格的)「実存」(Existenz)とその「根拠」(Grunnd)と呼ぶ。あるいは、さらに、「神」と、「神のうちにあって神では無い自然」とまでいう。さて、「神」が、西洋キリスト教伝統におけるように「人格」存在であるとは、「神」がその「神では無い自然・根拠」との「統一性」を成立させているということである。人間もまた立派な「実存」であるとすれば、多少とも、同様であろう。しかし、人間は、その有限な非力さゆえに、この「統一性」を実現・維持しえず、「神の人格的実存」ならぬ、「神における神で無い自然・根拠」、この「神における闇(Dunkelheit)」にのみ依拠してしまうことがありうる。そして、これが「人間的自由」とひいては「悪」となる。(21)

　もっとも、いまは、「神」の側の「実存」と「根拠」の関係のみを考えればよい。

まず、神は「実存」と「根拠」の「統一」あってはじめて「神」と「成る」のであるから、「神の生成」というものが考えられていることになる。スピノザにおいては、神の「本質」は「存在」を含む、それゆえ神は「自己原因」的に「存在する」、と語られていた。シェリングにおける「神の生成」もけっして異様な事態を語っているわけではなく、哲学的にはありうる発想であり、さらにいえばドゥルーズ＝ガタリにおける世界の「生起・生成」もこの種のいわば存在論的生成の論であるといってよい。

　他方、「実存」と「根拠」の「統一化」以前、というより、「実存」と「根拠」の両者おのおのの存在以前はどうであったのかといえば、シェリングはこれを（両者の）「無差別」態という。そしてこれが、人格・統一・実存・根拠の「底知れぬ根底」であることから、これを「無底」（Ungrund）という。[22] ドゥルーズ＝ガタリ的には、これは「無差別」ではなく、「差異化動」「微分化動」（différentiation, われわれの約言する「t動態」）の極限化への過程の諸段階であろうが、とまれ、「根拠」（Grund, fond, fondement）などといえる事態ではなく、「無底・没‐根拠」（sans-fond）、あるいは、われわれのように「無底の根源的・自己差異化・生起‐動」と呼んでよいだろう。シェリング時代には、この種の事態はドイツ観念論の埒外に零れ落ちるような事態であるから、シェリングも「無」概念をさらに、①「メー・オン」（現実的には存在しな（無）いが、可能的には存在しう（有）る、という事態）、②「ウーク・オン」（現実的にも、可能的にも、存在しな（無）い、という事態）、③フランス語の〈rien, Neant〉のように、「克服されなければならない事態」、と分け、このうちの①に自らの「無（底）」を位置づけ、これを「力」、「神の創造の力」、とする。[23] この発想は、「無」の概念の介入にもかかわらず、実質的にはスピノザ・ライプニッツ路線であり、むしろ「神」にまで戻ってしまっているともいえるが、他方、「無」の概念の導入ゆえ、ハイデガーやドゥルーズ＝ガタリに大きく一歩近づいているともいえる。周知のとおり、ハイデガーは、〈Es gibt Sein〉（存在は与えられて在る）といい、〈Es〉は形式主語ゆえ、これは「存在が存在を与える、存在は自己贈与してくる」ともなり、さらに「存在」（Sein）は「存在者ではな（無）い」として「無」でもあることから、これは〈Es gibt Nichts〉、さらに〈Es gibt Sein und Nichts〉とも言表され[24]うることになり、結局、「(存在＝) 無」が一切を与えるということにもなりかねなくなった。

さて、ポスト・ドイツ観念論、ポスト・ハイデガーとしての、ドゥルーズ＝ガタリは、これをつぎのように論じなおしていく。

①「根拠づける（fonder）とは無規定（l'indéterminé）なものを規定する（déterminér）ということである。

だが、この作動は単純ではない。規定作動なるもの（« la » détermination）がなされるとき、その作動は〔無規定態に〕形態（forme）を与える、諸カテゴリーのもとに質料（matière）を形態へともたらす（in-form-er）（「情報態化（informer）する」も含む）、に満足するわけではない。なにものか根底（fond）にあったものが表面に再浮上（remonte）してきて、そこに形態なき（sans forme）まま、むしろ〔先在の〕諸形態（formes）と相互に織り込み合いながら、顔貌なき自律的存在（existence autonome sans visages）、無形態な地（base informel）として、重相（monte）する。このいまや表面にある根底（fond）は、奥深さ（profond）、底知れぬ深味（le sans-fond）と呼ばれる」（DR. p. 353）。急いで付言すれば、ここでは通常世界での人間が受ける印象レヴェルで記しているから、〈le sans-fond〉を「底知れぬ深味」などと訳したが、ドゥルーズ＝ガタリ哲学全体からいえば、「無意識界」「分子散開態レヴェル」も語られて、この〈le sans-fond〉は実在論的哲学の「無-底」となる。

②「なんらかの同質的な延長態レヴェルに現出する場合、〔この〕根底（fond）〔つまり「底知れぬ深味」の印象〕は〈深部〉（« profond »）の投射作動（projection）によるものである。後者のみが、〈無底〉（Ungrund）もしくは〔フランス語での〕〈sans fond〉と言われうる。〔……〕シェリングは深部（le profondeur）は、長さや幅に外側から付け加わる（s'ajoute du dehors）ものではない。そうではなく、長さや幅を創出（crée）する〈差異化-動〉（le *différend*）の崇高な原理（sublime principe）として、そこに〔はじめから〕秘められている（reste enfouie）ものなのだと、哲学的に立言していた」（DR. p. 296）。われわれは、カントの先験的-統覚の一としての「時間・空間-直観」の「奥底」（profond）に、「魂の奥底なる隠れた技倆」が「時空的-生起動」（dynamisme spatio-temporel）として作動しているという、ドゥルーズ＝ガタリの、カント先験哲学を二十世紀の存在論的転回の一環として捉え直す発想の意義を、旧著[25]で強調しておいた。あの問題にこの問題もほぼ対応

する。シェリングはドイツ観念論の限界を突破しようと試みながら、まだ上手く成就しえておらず、成就のためには二十世紀哲学の存在論的転回が必要だったということである。

③「〈同一性〉(Identique)の夜から差異(différence)を脱出させるすべを知っていたのは、ヘーゲルではなく、シェリングである。〔ヘーゲル流の〕弁証法の稲妻(éclairs)より、より精妙で、より多彩で、より恐ろしい、〈漸新性〉(*progressivité*)の光(éclairs)をもって、シェリングはそれをおこなった。怒りと愛は〈イデア〉(Idée)の力能(puissances)であり、それらはひとつの外-存在(μὴ ὄν〔『意味の論理学』における〈extra-être〉に当たる〕)から発展してくる。なにかネガティヴ(négatif)な否-存在(non-être)ではなく、根拠づけ作動の彼方(au-delà du fondement)の諸存在(existences)に内含されている存在(être implicite)である、ひとつの非-存在(un non-existant)、あるいはいまなお問いつづけるべき存在(un être problématique)から、である」(DR. pp. 246~247)。ここにいう〈un non-existant〉〈un extra-être〉〈être implicite〉とは、『意味の論理学』では、三次元の物象では「ない」(non-)、「第四次元」の「意味」(sens)という「存立態」(consistance, insistance)、物象が崩壊しても「有り」つづける「恒存態」(consistance)、命題の文字・発語という物象の「内」なる「存立態」(in-sistance)、実在の根源的-生起・生成動のただなかに成立する「成存態」(consistance)、であった。しかし、いまは、この「意味」論議にのみこだわる必要はない。というより、より重要なのは、「根拠(fondement)づけ作動の彼方」という発想であって、別言すれば(「なぜ」を問うて、その「答え」を出すに急ぐ)「根拠(fond)律=理由(raison)律」の次元の彼方、その「存在理由」(raison d'être)を問われず、その「存在」の「根拠づけ」(fondement, fondation)をおこなう必要のない、その彼方の「自由」の境地……。要するに、「無-理由(sans-fond)律」の境地、つまり、それとしての「無-底」(sans-fond)次元が、示唆されているということである。この、ハイデガー的にいえば「問われつづけるべき」(problématique)「存在=無

＝無底」から、シェリングやドゥルーズ＝ガタリのいう神を含む一切が「生起・生成」し来たっているということである。

われわれがドゥルーズ＝ガタリというこの「現況・環境・間‐境」(mi-lieu) の哲学にけっこう頻繁に「起源・根源」(origine, fondement) の問題を「無底の根源的‐生起動」という概念もって持ち込むは、こうして、スピノザ・ライプニッツの存在論的「力能」概念とシェリングの同じく存在論的な「無底」概念、それと〈origine〉そのものが〈orior〉の動態性・方向性をはじめから内含していることによる。

(8) ヘーゲル

ところで、プラトンにおいて「イデア」の「存立」(consistance) が「存在」(être) となって、「概念」が消失してしまった（上記（2））ように、あるいは、もっと微妙なかたちで、カント流の認識論的な「条件」概念がヘーゲルにおいて、プラトン的な永遠不変の静的な「存在」ならぬ、精神・絶対精神としての動態的・自己定立的・自己産出的な「存在」のなかに吸収され（上記（5））、ドゥルーズ＝ガタリのいう「存立」としての「概念」がまたしても消失する危険が生じてくる。「概念は与えられる (donné) ものではなく、創造される〔créé〕もの、創造すべき (a créer) ものである。〔人為によって〕形成される (formé) ものではなく、それ自体において自らを定立 (se pose) してくる、自己定立態 (auto-position) である。両者〔創造されることと自己定立してくること〕は相互に含み合って (s'impliquent.〔相互織成して〕) いる。〔実際、〕本当の意味で創造されるものは、生物から芸術作品まで、創造されたというそのこと自体において、自らの自己定立を、あるいはわれわれがまさしくそれゆえにそれらのものを認知するある種の自己創作的 (autopoietique) な命運を、満喫しているではないか。概念は創造される度合いと同じく、自己定立してきているのだ。自由で創造的な活動に依拠しているものは、同時にまた、自律的かつ必然的に、自己において自己定立しているのである。〔別言すれば〕もっとも主観的（subjectif）なものは、もっとも客観的（objectif）なものだ、ということである。」「ヘーゲルは創造〔行為の成果として〕の諸形象（Figures）とそれ〔諸形象〕が自己定立してくる諸過程（Moments.〔諸契機〕）をもって、概念を力強く定義した。それらの諸形象は概念が意識のなかで意識によって創造される局面を構成していることによって〔……〕概念の帰属態となっており、他方、諸過程のほうは、概念が自己定立し絶対精神（l'absolu du Soi）のなかに諸精神を統合していく局面を示している。ヘーゲルは、こうして、概念は内実なき一般観念（idée générale ou abstraite）とも、哲学そのものを廃嫡する神的叡知（Sagesse incréé）とも、何の関係もないことを示した」（QPh. p. 16. 一部、取意訳、省略）。

　ヘーゲルが概念をたんなる人為的・恣意的な製作物とはせず、動的実在の原為性と連接させ、超越神とたんなる抽象的観念の間に、人間的・内在性の境域を開拓したことは、「概念」と「魂のテクノロジー」の連接において時間と生命の生成界を充填しようとしているドゥルーズ＝ガタリにも十分肯定しうる。しかし、その営みを、プラトン的・超越的‐叡知界ならずとも、旧弊な、これまた結局は超越的な、精神的・止揚（同一化）‐弁証法に溶解させてしまうことは、「哲学を無際限に拡張」させて「科学や芸術における創造活動」さえも軽んずること（QPh. pp. 18~19）、最終的には、ドゥルーズ＝ガタリの肯じうるところではない。ドゥルーズ＝ガタリの論脈にヘーゲルがほとんど関説されないのも、そのためであろう。

（9）ニーチェ

　概念はどうやら新たな時代を開闢するようなものでなければならず、現代哲学の開闢にあたっては、通常はハイデガーであろうが、ドゥルーズ＝ガタリにおいてはニーチェである。「ニーチェは反‐概念主義者のように思われているかもしれない。しかし、彼は巨大にして強力な諸概念（〈力〉（forces）、〈価値〉（valeurs）、〈生成〉（devenir）、〈生〉（vie）、そして〈ルサンチマン〉（ressentiment, 反発報復心、怨念）、〈モゥヴェイズ・コンシャンス〉（mauvaise conscience, 良心の呵責、贖罪心、自己欺瞞、ふたごころ）……といった不快な諸概念）を創出（crée）し、一般的な思惟像（image de la pensée）を転覆させる（〈真理への意志〉批判の）ような一つの新しい〔……〕平面（〈力への意志と永遠回帰の無限運動〉）を切り開いた（trace）」（QPh. p. 63）。ドゥルーズはニーチェ哲学について有名な二著（『ニーチェと哲学』、一九六二年、『ニーチェ』、一九六五年）を公刊しており、他方、この『哲学とは何か』（一九九一年）では詳論はないが、われわれはここに列挙されている諸「概念」についても、常識的にほぼ理解可能であろうから、説明は省こう。ただ、われわれは上記の「一覧」部分では「力への意志」や「永遠回帰」を「概念」としたにたいし、ここではこれらが「平面」とされているからとて、ここに根本的な違いがあるわけではなく、また、「価値」「生成」「生」はともかく、「力への意志」や「永遠回帰」以上に、「ルサンチマン」や「モゥヴェイズ・コンシャンス」といった「不快」（répulsif）な（従来の哲学ではおのずから回避・忌避するような類いの）ものすらもが、「概念」とされている（されうる）ことを、これがわれわれのいう「現代哲学があえておこなう地獄めぐり」の一なのだが、留意・確認しておこう。また、ニーチェとドゥルーズ＝ガタリの哲学観は「真理への意志」と「力への意志」の対比のうえに成り立っているが、ここでのわれわれとドゥルーズ＝ガタリの哲学観は「真理への意志」と「創造への意志」のそれの上に成り立っている、ただし、ニーチェにおいてもドゥルーズ＝ガタリにおいても、「力」とは権力・暴力・強力の類いではなく、人類にとってあるいは最も難しいこと、つまり「創造する力」を含意していること、これも確認しておこう。

上記の「一覧」は、このあと、「ベルクソンの持続」を置き、われわれはそのあとの現代諸哲学の諸「概念」も例挙してみたが、ここでは、省くことにする。

第二節　概念とは何か——理論的な定義

（1）開放的‐総態性、内的‐多様化動、差異‐協律性、異次元‐重相動、独異性、自己‐定立動、自己‐俯瞰動、反‐現実性、生起・生成‐動

具体例で一定のイメージを提供できたとして、今度はもっと一般的に理論的な整理をおこなわなければならない。

（ｉ）概念（concept）は〈con-〉（まとめて、総和して、一緒に）〈cipio〉（捉える）であるから、まず「捉える」思考主体、それも上記・下記のような概念を創出するような思考主体であるから、はじめから哲学者、ただし概念を創出すればだれでもがそれに成れるというかぎりでの哲学者、としてよい。彼は一般のひとびとと共有の「経験」世界のなかで「直観」的な経験のなかから概念を創出する。その概念は上記・下記のようなものであるから、深く豊かで独創的であり、かつまた一定の場所・時間・瞬間に創出するのであるから、ドゥルーズ＝ガタリはこれを〈singulier, singularité〉（QPh. p. 12, etc.）と呼ぶ。〈singulier, singularité〉とは、一般の邦訳では「特異な・単独の」とされているが、日本語では「特異」も「単独」もなんとなくネガティヴなニュアンスを帯びるので、われわれ（筆者）は「独異」（独異性、独異態、独異主体、等）と造語する。（なお、この概念（concept）＝総態把握（con-cipio）行為は、哲学者・人間のみならず、上記もしたように、植物の営みにも指摘されており（QPh. p. 105）、相当に広義でありうることを忘れないことにしよう。）

（ii）「捉え」られるのは、ドゥルーズ＝ガタリ世界では万象が自己差異動のうちに在る・有る・成るのであるから、そのつど独異な場所・時間におけるそのつど独異な「多様体」（QPh. p. 21）、多様な諸要素からなる「合成態」（composants）・「諸要素の無限共鳴・無限相互運動からなるそれ[26]」・「無限速度運動」（Oph. pp. 111〜112. 先述）、である。概念とは、哲学嫌い・概念嫌いによっては、なにか（漢字並びの）異様な凝固体のように（誤）解されているが、実際には、活き活きした経験世界のそのつどの事象を、元気な小鳥を両の手のひらで囲うような、多様・合成・総和‐動、の謂いである。言表・言語化されると単一体（unité）のようになるが、それ自体ひとつの全体（un tout. ibid.）、ただし、閉鎖態（totalité）としてのそれではなく、「活ける開放系」としての「総和（somme）、総合（synthèse）、総態（ensemble）、全態（œcumène）」（後述再論）である。

（iii）この場合、合成要素のおのおのは合成される以前の独異な過去をも受け継いでいるから、概念は「歴史」的でもある（QPh. p. 23）が、それ以上に、二つの意味で「生成」的（ibid.）である。まず、ドゥルーズ＝ガタリ世界は無限の自己差異動であるが、これはひとつのカオス（先述）でもあり、そこからひとつの合成要素態を立ち上げることは、それらを変容の生成へと組み入れることであり、他方、それらの諸要素は合成関係に入ってからも絶えまなく変容・生成していく。後者をドゥルーズ＝ガタリは、これも既述したことだが、〈共‐立〉（con-sistance）・〈共‐創造〉（co-création）（QPh. p. 24）ともいう。われわれは前著で、真理は誤と偽を排除する同一律のうちにあるが、意味は誤や偽のなかにも認められる、「意味の論理学」は、差異律と共存律・協成律の世界を開展する、といった。また、この共存・協律（co-présent）性は、「存在」（être, existence）に対する「存立・成存」（consistance）の〈con-〉次元をも含意する。概念は、真理に対して、意味に近い境位にあることになる。

（iv）合成態をなす諸要素の相互関係について、ドゥルーズ＝ガタリは二点を指摘する。ひとつは、要素と要素の差異・区別は判っきりしているが、間には「不可識別態」がひろがり、何かが一方から他方へと「移行」(passe)する。「この境界もしくは生成(devenirs)のゾーン、この不可分離性が、概念の内的共立(consistance intérieure)を規定する。しかし、それはまた、同じく、他の諸概念との外的‐共立(exo-consistance)を構成する」(QPh. p. 25)。もうひとつは、概念は、「自らの構成要素を絶えまなく経巡りまわり、それらの間を上昇したり下降したりする。おのおのの合成要素は、この意味で、ひとつの強度態(un trait intensif)であり、〔……〕ひとつの純粋な独異態として解されなければならない強度座標(ordonné intensive)を構成する」(QPh. p. 25)。ここにいう「強度座標」は「縦座標」として「横座標」(abscisse)(QPh. pp. 27)と対をなしており、われわれが旧著から着目してきた、デカルト的「強度/延長」や微分学の「x/y」に繋がる「t/c」「molé/mol」……等の異次元‐重相性・〈redoublée〉(QPh. p. 86)・〈Zwiefaltigkeit〉(cf. PLI. p. 163)の発想がここにもみられることになる。

(v)両人は小鳥比喩を好むらしいが、ここでも概念の内的多様性と外的多面性を論ずるに小鳥事例を取り上げる。小鳥を、生物学は「類」「種」に分けていくが、哲学は「姿勢・態度、色彩、唄いかた、等の、合成」(QPh. p. 25)において主題化する。「識別不可能なものがあるとしても、感覚レヴェルの混合(une synesthésie)というより、本質レヴェルの統合(une synéidésie)とみる。〔哲学にとっては〕概念はひとつの内的差異生成動(une hétérogènese)なのである」(QPh. p. 26)。

(vi)ここで重要なのは、「概念」とその「内的諸要素合成」の関係が、「(自らの内的諸要素合成にたいする)俯瞰動(survol)」と「(その俯瞰動の視野に収められる)内的諸要素合成」(QPh. p. 26)の、「距離のないそれ」(QPh. p. 26)、とされていることである。これは、「超越」を排するドゥルーズ＝ガタリという「内在哲学」における、「超越―内在」関係の捉え直しを含意するものではあるまいか。「思考すべきもの」と「思考すること」、「語るべきもの」と「語ること」……等、既述の一連のドゥルーズ的二元論、というより一・五元論、成層（相）‐地成論が、この問題にかかわってくる。

（vii）最も重要なのは、概念は「物的事象の状態」（état des choses, états de choses）にかかわるのではなく、そこに現働化・実働化する「生起」（événement）にかかわるということであろう。以下、やや長文となるが、ドゥルーズ＝ガタリ理解の決定的な一点なので、あえて長文で引用する。

「概念は一個の非‐物象態（incorporel）である。たとえ、それが何らかの物象（corps）のなかに受肉（s’incarné）あるいは現実化（s’effectue）するにしても」（QPh. p. 26）。のっけから引用者が介入してしまうことになるが、ここにいう〈s’incarnér〉（受肉）は、ここでは（も）キリスト教・超越神‐宗教の場合と同じで、肉眼では見えないキリストの霊が肉眼でも見える物象・肉としてのイエスの身体のなかに降臨する、つまり、「超越」の「内在」化、右記の「俯瞰動」の「合成要素」化、デカルト的には「強度」（tensio）の「弛緩」（ex-tensio）による「延長態」（extensio）化、である。他方、〈s’effectuer〉は、ドゥルーズ＝ガタリ哲学では、別著[27]にも記したように、おおむね肉眼にも見える経験的・「三次元」の現実世界・延長態レヴェルへの、現実化（réalisation）として惰態視され、むしろ〈contre-effectuation〉こそが、ドゥルーズ＝ガタリ的な「（真）実在」（réel, Réel）・「第四次元」（quatrième dimension）（LS. p. 31）の（肉眼に見える経験的・「三次元」にすぎない）現実世界への「受肉」とされる。われわれは、それゆえ、前々著[28]で、入念に考察のうえ、〈réalisation, effectuation〉を「（真）実在」（réel, Réel）の「弛緩」による「延長態」レヴェルへの堕態化としての「現実化」と訳し、「（真）実在」（réel, Réel）、というより、それが「延長態」レヴェルに「第四次元」としての「見えざる強度」のまま「湧出・噴出・現出」（jeter, jaillir）して作動する、そのドゥルーズ＝ガタリ的な実践論‐事象、われわれがドゥルーズ＝ガタリ思想に見るテクノ・プラクシオロジック（techno-praxiologique）事象を、あえて造語して〈rêelisation〉（実働化）とした。両人には、もうひとつ、〈actualisation〉という語もあり、研究者の間でもこれを右記の〈réalisation〉と同義に扱うことが多いが、われわれの前著での検討では、これは右記の「(真) 実在」の「延長態」レヴェルへの「湧出・噴出・現出」の謂いであり、そのかぎりで「現働化」とわれわれは解する。この場合、「現」とは、たんに肉眼への「三次元」的な「現」のみならず、勝義的には、あるいはドゥルーズ＝ガタリ的には、──彼ら自身はそうはいわないが──「心眼」への「第四次元」としての「現」と解さなければならない。この「心眼」にしか「見えざる」ままに「現実界」（réal）に「湧出・噴出・現出」する「(真) 実在」（réel, Réel）の「現出」を、われわれは〈actualiser, s'actualiser, actualisation〉をもって「現働化」と呼び、後者が「現実界」（réal）で実効的に作動していくその動的・実践-事態を「実働化-動」（rêelisation）とする。こうした理解はドゥルーズ＝ガタリという「内在」哲学にかつての「超越」思想を誤って読み込むことだと難ずる読者もおられるかもしれないが、両人自身が自称し世も識るように、ドゥルーズ＝ガタリ哲学はたんなる経験論ではなく「超越論的-経験論」であり、いましがた確認したように、ここでは「超越」を「俯瞰動」（鳥瞰動）（survol）として「内在」のなかに捉え直していく。さらに附言すれば、これまでも旧著で確認してきたように、「真の」（vrai, véritable, ときに authentique）や「〜べき」（cogitanda, percipiendum, sentiendum, imaginandum, etc.）についての度重なる肯定的な発言（『差異と反覆』[29]）や、あの「物象」としての「三次元」の存在（existence）に「意味」（sens）という「第四次元」の存立・成存（consistance）を指摘する発想（『意味の論理学』[30]）や、カント流の意識レヴェルでの「超越論的統覚の構成作動」を「無意識レヴェルでの総合能作」に見ていくといった姿勢（『反オイディプス』[31]）が、われわれのこの種の理解の正当性を証言してくれているはずである。

引用文に戻ろう。既述のところを踏まえれば、よく理解できるはずである。

「概念は〔物象のなかに現働化・実働化するとはいえ〕まさしくそこ、自らが実働化する物象のなかで事物の状態（état des choses）と混融（se confond）することはない。時間・空間にかかわる〔延長態レヴェルの横〕座標など有しておらず、有しているのは強度の〔縦〕座標だけなのだ。エネルギーも持たず、持っているのはさまざまの度合いの強度のみ、〔もともと〕非‐エネルギー態（anénergetique）なのである（エネルギーは、強度ではなく、強度が自己展開する方式にすぎず、〔最終的には〕延長態としての事象の状態のなかに無化してしまう）。概念は、事物（chose）や本質（essence）を語ることはなく、生起（événement）を語る（傍点、引用者）。それはひとつの根源的な純粋生起（un Événement pur）、ひとつの此態（une heccéité）、ひとつの〔理解を絶する〕超実体（une entité）であり、別言すれば、〈絶対他（異）者〉（Autrui）の生起（événement）、あるいは〔E・レヴィナスのいう他者の〕顔（visage）（ただし、顔を概念として解しうるとしてだが）の到来（événement）なのである。小鳥の到来（événement）〔といっても佳いだろう〕。概念は、定義すれば、ひとつの絶対的‐俯瞰点（*un point en survol absolu*）が無限の速度をもって一定有限数の相互異質な合成諸要素を経巡りつくす〔先述〕、そこに成立する〔一体性の〕不可分離性（*inseparabilité*）〔傍点、原著者イタリック体〕、の謂いである。複数の諸概念とは、〔……〕相互に識別可能な諸側面からなる変容態のそこに成立する不可分離性の各側面を対象とする、諸形態〔諸形式、諸形相〕ということになる。〈俯瞰動〉（survol）とは、〔物象の状態ならぬ〕概念の状態（état du concept）、あるいは、概念に固有の無限性、たしかに、合成諸要素の、それらの間の境界線や連結橋の総数によって大小が変わってくる無限性、の謂いである。この意味で、概念とは、思考が（大小の差はあれ）無限の速度をもって展開する、まさしく思考の行為（acte de pensée）といってよい（傍点、引用者）」（QPh. p. 26. 一部、取意訳。cf. QPh. p. 36, 後述引用）。

（viii）われわれは概念（concept）を〈con-cipio〉の〈cipio〉（捉える）から出発して説明しはじめたが、この引用文の中半（なかば）の文「概念は生起を語る」（Le concept dit l'événement）は、生起に先行している概念が生起を語る、ではなく、概念は生起を待ってはじめて成立する（傍点、引用者）のであるから、概念は生起の語り、概念は生起が語ること、概念とは生起の謂い、概念とは生起である、を意味し、それゆえ、つぎの文が「概念は（純粋な根源）生起である」となる。こういいながら、ここで考え合わせなければならないのは、既述のヘーゲル言及に先立って引用した「概念の自己定立性」の問題である。「創造される概念はそれ自体において自己定立している」（le concept crée se pose en lui-même）（QPh. p. 27）と、ここであらためてドゥルーズ＝ガタリは記している。さて、あのとき問題になりかけていたのは、プラトンの「イデア」が「存立」から「存在」へと吸収されてしまうように、ヘーゲルにおいても「概念」が「絶対精神」のなかに解消してしまう、それに対して、ドゥルーズ＝ガタリにおいては、「概念」は、むしろカント流の「魂の奥底に作動する隠れた技倆」によって支えられる、ということであった。いまは、その「魂の奥底に作動する隠れた技倆」が、ドゥルーズ＝ガタリの「無意識の総合能作」を経て「生起」の動態性への言及となっている。「概念」はこれによって「生起」へと解消・吸収されて「自己定立性」を失ってしまうということにならないであろうか。とりあえず、初歩的なレヴェルで試答しておけば、プラトン・ヘーゲルにおいては叡知的な「存在」が静的にであれ動的にであれその自己同一性への自己回帰のなかに「概念」を併呑してしまうに対し、ドゥルーズ＝ガタリでは、「生起」という（根源的‐自己差異動としての）「カオス」が「概念」へと「生成」し、あるいは「概念」を「産出」し、「概念」が、あのプラトン流の超越的「イデア」（Idea）が不可能となった（内在性の）「空っぽの空の下」（sous ce ciel vide. J. P. Sartre）[32]、カオス・シミュラクルの大海の「表面」に、ストア派の〈l'idéel〉（理念子）として「意味」（sens）の領野を繰り広げる[33]、そのようなものとして（ここでは「概念」が）「自立性・自律性・自己定立性」を保持・誇示し続ける、別言すれば、これはあまりドゥルーズ＝ガタリ的な言い回しではないが、

「生起」が「言語」となって「概念」の「自己定立性・自立性・自律性」を自証し、それ以降の「概念」の有りよう・運命については、これを考量外とする、これがよかれあしかれドゥルーズ＝ガタリの「内在哲学」の見地ということではあるまいか。「実在論（Réel）であるが、〔延長態レヴェルの〕現実主義（actuel）ではなく、〔超越論的‐経験論であり〕、理念的（idéal）なものも尊重するが、〔プラトン・ヘーゲルのような〕抽象論（abstrait）には陥らず、〔あの「俯瞰動」（survol）によってこれを充塡し〕」（QPh. p. 27）……と、ここで両人は附言している。「概念は、その〈consistance〉（存立・成存・共立・協律・恒存）性、自らの内なる合成諸要素の内的（endo)-consistace と他の諸概念とのかかわりにおける外的（exo-)consistance によって、自らを規定（se définit）し、なんらかの他の参照系（référence）に依拠することはない。概念は、創造される（crée）ものであると同時に（en même temps)、自己依拠的（autoréférentiel）であり、自らにおいて（lui-même）自己を定立（se pose）し、自らの対象を定立する（pose son objet)。〔カントとは別種の〕構成主義が相対的なものと絶対的なものを結ぶ（unit）のである」（QPh. p. 27)。先にも言及があったように、「創造されるものは、当初から創造されるに値するものであるから創造されるのであり、創造されたものは、創造されたことによって、当初から創造されるに値するものであったことを自己定立しつづける」。

（2）概念、観念、理念

（ix）ちなみに、ここで、「概念」と、日本語感覚では類似の、「観念」、「理念」、との異同を確認しておこう。後二者については、両人はほとんど関心を示さず、言及少なく主題化もない。ここでも簡単に一瞥するにとどめるほかない。[34]

①「観念」（idées）については、こう言う。「概念は、〔主観的〕意見（opinion）のような観念連合の集積

（un ensemble d'idées associées）ではない。〔……〕観念は〔心的〕イメージとして連合されるにすぎず、抽象化されて整理される（ordonables.〔数学用語では順位づけを含意〕）にすぎない。概念へと到達するには、両者を超えて、可及的速やかに〔原文イタ〕、実働的（réels）実在（êtres）〔上記のわれわれの解釈に則って、取意訳〕として規定可能な心的客観態（objets mentaux）へと赴かなければならない」（QPh. p. 195）。「心的客観態」とは、要するに、〈Événement〉という「主観のなかにも生起し来る客観態」の謂いである。「観念」は通常の経験のなかでいわば惰性的にも成立してくるが、「概念」は主観においても（われわれ主観が）「主観を超えるむしろ客観態」として、能動的に、探索し、その「捉え」（cipio）へと「到達」すべきものである。「経験主義」ではなく「超越論的‐経験主義」。ちなみに、プラトンの「イデア」（Idea）は、この種の「観念」（idées）を対話的‐弁証法を通じて磨き上げ、永遠不変・静謐の叡知界・超越界へと「存在」化・実体化していったものだが、ドゥルーズ＝ガタリ的には、（この種の「観念」が跋扈する）随態的に安定した経験的現実界から、その根源の「生起」の「ドラマ」へと「到達」し、そこからの「生起」によってのみ「現実界」（réal）への「現動化・実働化」（réel）の途が拓かれることになる。

②「理念」（Idée）については、プラトンの〈Idea〉には触れず、こう言う。「哲学がこうした概念の間断ない創造であるというのであれば、当然、〔では〕哲学的理念（Idée philosophique）という概念はどのようなものとなるのか、という問いが出されるだろう。のみならず、諸科学や諸芸術に帰される概念ならざる創造的理念（Idées créatrices）、〔……〕それら相互のあいだの関係、それらと哲学との関係は、どういうものとなるのか、と。概念創造の純一性は哲学にひとつの役割を規定するが、いかなる優越性も、特権も与えるわけではない。例えば、諸科学のような、概念を介するわけではない、別の思考・創造‐方式（autres façons）、他のさまざまの様態（autres modes）の〔創造的な〕理念行為（ideation）もなされるのである」（QPh. pp. 13~14）。結局、

「概念」は、複数の創造的‐人間行為の「理念」へのひとつの「方式・様態」にすぎない、ということに語弊があるとすれば、とにかく、「理念」と「概念」の関係は、こういういいかたもあまりドゥルーズ＝ガタリ的ではないが、とにかく、目的と手段、到達点と経過線、後者のいいかたであればドゥルーズ＝ガタリ的にも許容可能か、のそれということになる。そして、この場合、「概念」がそれへの過程である「理念」とは、……と問いかけて、研究者のR・ガシェは、慎重さゆえか、実際、既述の通り、ドゥルーズ＝ガタリでは、目的と起源について確言するのは御法度なのだ、「重要だが、しばらく棚上げしよう[35]」と話題転換し、「しばらく後」にも応えていないようであるが、われわれはあえて端的に「根源的‐生起」（Événement）がそれのはずだ、といってしまっておこう。

（3）概念、認識、カオス、意味、真理

（x）さて、細部の定義についてはこの程度にとどめておくとして、以上のところ、とくに最重要諸事項を、今度は成文化の生きた文脈のなかで、整理しなおすことにする。

①まず、概念と「認識」に関して。ドゥルーズ＝ガタリにおける「認識」については、われわれは慎重にテクスト検証を踏まえ、「意志的（創造的）直観」から「推量」や「地図作成」を通って「行為的直観」まで、さまざまに考察してきた。ここでは両人はあっさりと直接的に「概念による認識」と言い切る。「概念は、当然（évidemment）、認識（connaissance）である。〔……〕そして、概念が認識するのは、概念がそのなかに受肉する事物の状態（états des choses）とは混融しない純粋生起（pur événement）である。諸物象と諸存在物からつねにひとつの純粋生起を脱離（dégager）させること、それが、哲学は概念〔……〕を創造（crée）する、というときの、哲学の任務（tâche）である（傍点、引用者。以下、同様）。諸事象と諸存在物の新たな生起を

立ち上げる（dresser）こと、それらにつねに新たな生起を贈与（donner）すること。概念はひとつの来るべき生起（événement a venir）の、輪郭（contour）、形象（configuration）、星座（constellation）、である。〔……〕概念は生起を、そのつどの方式で裁断（taille）し、裁断しなおす（retaille）。ひとつの哲学の偉大さは、その諸概念がわれわれをどのような性質の生起へと呼び寄せてくれるか、その哲学がその諸概念においてわれわれにどのような性質の生起を抽出（dégager）可能にしてくれるか、そのことによって評定（s'value）される。それゆえ、概念のもろもろの細部のなかに、創造的‐学（discipline）としての哲学との、唯一・純粋（unique, exclusif）の絆を感じ取る（éprouver）のでなければならない。概念は哲学に帰属し、哲学にしか帰属しない」（QPh. pp. 36~37）。ここにいう認識（connaissance, con-naitre）のなかに、先述した「創造」と「自己定立」の「相互織成・相互含み合い」（s'impliquent）に対応する、「共‐生」（con-naitre）を見るのも佳いだろう。「来たるべき（a venir）（生起の）」とは、概念（concept）の、〈concevoir〉（構想）としての、未来投企的‐大観・能動性・建設性の局面を、「新たな生起」を「立ち上げる」（dresser）とともに、示して、素晴らしい。「新たな生起」を「贈与」（donner）するとは、牽強付会なく、ハイデガーの〈Es gibt〉の〈geben〉とともに、現代哲学における「家族的‐類同性」に帰属する。「生起を裁断する」とは、念のために附言しておけば、生起を裁判するではなく、「生起に似合った衣服を裁ち整える」である。「生起」の〈nature〉を「性質」などと訳すのは不本意だが、やむをえない。〈exclusif〉を「純粋」と表記するのも、ドゥルーズ＝ガタリ的には、排他的などとはいえないから、やむをえない。とまれ、「認識」が、「来たるべき生起」の「構想」である、とは、あの「意志的直観」と軌を一にしている。

②概念と「カオス」に関して。ドゥルーズ＝ガタリ的には、「カオス」とはあの「無底の根源的生起としての無限の自己差異化動」（既述。cf. QPh. pp. 111~112）であるが（ごく稀に、「無差異」（indifférentiel）と説明

することもあるが、文脈上の仮表現である）、いまはさして拘ることなく、常識的な「カオス」と解しておいても大過はない。いわく。「概念は〔……〕すぐれてひとつのカオス的状態（état chaoïde）である。概念は、存立態（consistance）化されて思考（Pensée）・心的カオスモス（chaosmos mental）となったカオスに帰着する。〈思考する〉（*penser*）とは、絶えずカオスと競合することでなければ、何であろうか。〈理性〉（Raison）は〈火口のなかで轟き鳴る〉（« tonne en son cratère »）〔出典不明。エンペドクレスか？　アルトー／デリダが〈Être〉に抗して〈Âtre〉（火床）といっている〕[36]ときにしか、われわれにその真の顔を向けることはない。コギトも、われわれがそこから概念を構成するあの不可分・多面‐変容態〔先述〕を引き出さず、そこに〔カオスに抗する〕闘争具を見ることを止めてしまえば、ひとつの〔私的〕意見（opinion）、たかだかひとつの〔フッサール流の〕〈ウア・ドクサ〉（une Urdoxa.〔ここでのドゥルーズ＝ガタリ流に訳せば、ヨーロッパ理性の「原‐意見」、あるいは「原ヨーロッパ理性的‐意見」〕）にすぎない。〔……〕要するに、カオスは、それを切り分ける平面（plan.〔先述、後述。QPh. pp. 141~142〕）に対応する三人の娘たちをもっていることになる。思考あるいは創造の三形態としての、芸術、科学、哲学、という〈カオイード〉（Chaoïdes. カオス娘たち。〔ゲルマン神話の〈ワルキューレ〉を考えよ〕）である」（QPh. p. 196）。先に触れたヘーゲルの絶対精神とドゥルーズ＝ガタリの「根源生起」（Événement）の違いが、「理性」（Raison）のドゥルーズ＝ガタリ的な規定が表示されていることもあって、ここで判っきりする。理性も、思考も、概念も、ドゥルーズ＝ガタリにおいては、反・非‐カオスではなく、「ロゴス／ドラマ」の相互異質‐重相態（redoublée, Zwiefältigkeit, 先述）、相反‐相伴態、同異態[37]、なのである。

③概念と「意味」に関して。「意味」は、むしろ、先述の「観念」「理念」とともに取り上げ・位置づけるべきだったかもしれない。しかし、「観念」「理念」がドゥルーズ＝ガタリには副次的問題にすぎなかったに

たいし、「意味」は、第二著作『意味の論理学』がおのずから証言しているように、われわれにとっての「真理」概念と相似て、それなりの重要問題である。ただし、「意味」には、第三主要著作『資本主義と分裂症』が示していたように、二種類ある。[38] ひとつは人間的言語のいわゆる意味作用（signification）における「意味」（signifiance）であり、これはたしかに「観念」「理念」と同じく人間学的・認識論的次元のものであるが、もうひとつの「意味」（sens）は、われわれの前々著[39]が第一・二主要著作『差異と反覆』『意味の論理学』に指摘したように、いわば存在論的レヴェルに属する「意味」、「無底の根源的生起」が「三次元」としての物象世界に「第四次元」として自己「現働化」してくる場合のそれ、である。ここ第四主要著作でも双方に、ただし前者にはやや否定的に、後者には自らのものとして肯定的に、語る。「概念は、意味作用としては、主体への生体験の内属、生体験の動的な諸局面にたいする主体の超越の行為、生体験の全体化もしくはこれらの行為の機能動、同時にこれらのすべてである。」（QPh. pp. 135~136）「概念は、物象の状態の表示でもなければ、生体験の意味作用でもなく、合成諸要素のすべてを一挙に経巡る〔既述〕、純粋意味としての生起（l'événement comme pur sens）なのである」（QPh. p. 137）。われわれは前著[40]で、ドゥルーズ＝ガタリ実践論の望ましい方位を、人間学的・認識論的〈significance〉と存在論的・原為的な〈sens〉の相互織成的な重相化にあるかも、と試論した。「創造」と「自己定立」の、相互含み合い（s'impliquer）の、と言い直しても、よい。ここでは、すでに「意味作用」としての「概念」に、それが含まれているような気配もある。

④概念と「真理」、概念と「価値」、というより、「よりよい（meilleur）概念」と「意味（sens）のない概念」（cf. QPh. p. 31）に関して。われわれはドゥルーズ＝ガタリの「哲学は真理の探究ではなく、概念の創造にある」から出発して、つい先述のところでは「哲学の偉大さは生起の性質によって評定（s'évalué）される」にまで来た。「デカルト的諸概念はそれらが応える諸問題とそれらが成立する平面の函数において（en function de ~）しか評定（évalués）されえない」（QPh. p. 31）ともいう。ここから、真理については、こう言及する。「概念はその創造の諸条件の函数においてその概念に帰する真理をもつ」（QPh. pp. 31~32）。直訳的に邦訳すると生硬な言表になるが、原文では、いわば真理の召使になることなく、（それ、真理を）実在論的創造の営みのなかに位置づけて、なかなかに意味（sens）深い言表である。砕けた言い方をすれば、デカルトの〈cogito ergo sum〉（私は考える、ゆえに、私は在る）は、中世一千年の「神、教会、神父諸氏、が考え、私はそれに聴従することにおいて存在する」に対して、近代初頭の人間的・個人的‐自立・自律へと向かう風潮・思潮のなかでは、そこでこそ、立派な真実性を持つ、ということだ。真理相対主義ではない、思考・創造営為の歴史性とその上・中に立つ真理の絶対性の（これも既述の）相互含み合い（s'impliquer）・重相性（Zwiefältigkeit）（cf. QPh. p. 27, P. p. 163）の謂いである。価値評価をめぐっては、こう言う。「ひとつの概念が先立つ概念より〈よりよい〉（meilleur）とすれば、それはその概念がさまざまの新しい合成要素とそれら要素の間の未聞の相互共鳴（résonnances）を響かせ、独異な現実分節（découpages insolites）をおこない、われわれにわれわれを俯瞰するひとつの根源生起（un Événement qui nous survole）をもたらす（apporte）からである」（QPh. p. 32）。結局、ここでも決め手となるのは「生起・根源生起」であり、われわれは（この概念の）最終定義を急ぐことは控えてドゥルーズ＝ガタリの思考文脈を忠実に追いながら結論へと向かっているのだが、あえてここで一つの定義を与えてしまえば、両人における「生起・根源生起」とは、既述のカント的「条件」（condition）が「可能性の条件」として諸事象を「可能にする」（rendre possible）条件であるに対し、――プラトンの「イデア」とて古代哲学の素朴さをもって認識論的・存在論的‐可能性の条件であったが、カントの場合は近代哲学のより洗練された区分をもって純粋に認識論的なそれであるに対し――、（ドゥルーズ＝ガタリの「生起・根源生起」とは）、諸事象を、たんなる現実化（réalisation）ではなく、「現働化・実働化」（réelisation）する（rendre réel)、その「現実性の条件」とでも約言しておくのが一法かもしれない。

第三節　概念と創造

哲学は概念の創造である、の「概念」については一応考察したから、こんどは「創造する」の如何を検討しなければならない。最終的には後述の第五章で整理するが、ここでも暫定的に展望しておく。

「創造」観念で有名なのは旧約の超越神による「無からの創造」(creatio ex nihiro) であるが、ドゥルーズ＝ガタリは「超越」観念は宗教・信仰の問題とするから、哲学の主題にはなりえない。ギリシャ系のデミウルゴス神による「イデア」に則っての多分に「有からの創造」(creatio ex ens) にも、両人はまったく触れない。前者の「超越神による創造」は「スピノザの無神論によってはじめて哲学的に捉え直された」(QPh. p. 89) という。詳論はないが、ひとつは、両人はおそらく一度しか言及しないあの〈natura naturans〉(能産的自然)(別言すれば「自然による産出・創造」) であろうし、もっと哲学的には「実体による諸属性・諸様態の産出・創造」(上記) ということであろう。

「創造」はわれわれのメイン・テーマであるから、ドゥルーズ＝ガタリ思想についても、既刊著でそのつど定式化を試みてきた。まったく簡単に繰り返せば、『差異と反覆』や『意味の論理学』では主に「無底の根源的‐差異・生起動」の「惰態的・延長態‐現実」レヴェルへの「現働化」の「発出・噴出・湧出」(jet, jallissement) であり、『資本主義と分裂症』では「被主体化的‐主体」もこれに加わって「分裂分析・裂開」

能作（前二著作の「意志的直観」能作を並べてもよい）による「分子レヴェルでの根源的・産出‐欲望・機械動」の「再発動・再‐活性化」の営みであった。

目下の『哲学とは何か』でも、すでに、（人間的）「創造」行為が（生成存在論的）「根源生起」（Événement）の「自己定立動」（autoposition）との一体（uni）‐重相性（s'impliquer）において語られていた（cf. QPh. pp. 10~11, 12~13, 16）。

「概念を創造する」とは、このことを内実あるかたちで再論するだけでも、理解の一端になる。いわく。「概念の創造というものが意味するのは、こういうことである。相互に不可分の内的‐諸合成素〔既述〕を自己凝縮（clôture）の飽和状態（saturation）にいたるまで結合させて、もはや一要素といえども概念の全体を変容させずには加えることも除くこともできないという状態にまでもっていくこと。概念を他の概念と連結させること、他のさまざまの連結化をすれば概念の性格が〔そのつど〕変化してしまうようなかたちで、そうさせること。概念の多様性はもっぱらその近傍関係（voisinage）に依拠する（ひとつの概念でも複数の近傍関係を持つことができる）。概念群は階層関係なきフラット状態にあり、ヒエラルキーなき等位関係にある。ひとつの概念のなかに何を置くか、何とそれを並べ置くか、という問題の重要さがそこから由来する。どのような概念をこの概念の隣に置かねばならないのか、おのおのの概念のなかにどのような合成素を置くべきか。これが概念の創造における重要問題なのだ。前ソクラテス期の思索者たちは、さまざまの物理的要素を概念のように使用した。それらの物理的要素を現物とは独立に自己流に用い、ただそれらのあいだのまたそれらそのつどの合成関係の近傍関係を規定する佳き規則（bonnes règles）のみを探した。彼らおのおのの思索者によって回答が多様であるとしても、それはそれらの要素的概念を、対内的にも、対外的にも、同一の方式（façon）では合成しなかったということにすぎない。概念は範列的（paragmatique）ではなく連辞的（*syntagmatique*）であり、投射的（projectif）ではなく連結的（*connectif*）であり、序列的（hiérarchique）ではなく横道的（*vicinal*）であり、志向対象的（référent）ではなく共在的〔協律的〕（*consistant*）なのである」（QPh. p.87. イタ、原著者）。

要するに、「概念」を「創造」するとは、「根源生起」を可解的にするために、それをその構成諸要素へと分解し、それらを〈然るべき。既述の〈Zusammen-einstimmung〉問題を想起せよ〉合成態へと新たに構成することにある、ということであろうか。筆者など、こういう事態を、そのつどの事象の、「分節化-有意味化-構造化」による、「有意味的・分節-構造体」の構成、と簡約化してしまう。[41] ひとつの事象は、漠然たる状態で与えられても、それを分節化していけばそこに自ずから意味が成立しはじめ、適当な時点でその操作を終えれば、そこになんらかの有意味的な構造体が成立していることになる。一個の概念も、大きな概念群も、物象・事象において到来してくる「生起」態・「生起」動にこのような「創造」操作をほどこすことによって、そこにその「概念・概念群」を得ることになる、そのような人為と原為の総合動（synthèse, œcumène, ensemble, さらに、以下、第三章・第三節、第四章・第五節、第五章、等、参照）における「概念」成立の経由を「概念を創造する」と呼ぶのではないかと、筆者には思われる。なお、ここにいう「人為」としての「創造」行為をおこなう上記の「被-主体化的-主体」は、この『哲学とは何か』では後述の「概念人物」（personnage conceptuel）として示唆されることになるが、他方、「概念」の成立である以上、この事態からの「言語（単語）」の成立も論じてもらいたいところ、どうやらドゥルーズ＝ガタリには然るべき言語〈成立〉論の問題意識が欠けている。

第二章　哲学は概念を、「内在平面」において、創造する

第一節　内在平面とは何か？

哲学は概念を生起から創造する営みであるが、この営みは、真空のなかでなされるわけではないし、たんなる歴史的・地理的‐時間・空間性のなかでなされるわけでもない。起源と目的の「間」(mi-lieu) の「生成・生起」(devenir・événement) に力点を置く両人に相応しく、いわば真空と時間・空間の間、かつてカント流の時間と空間の根源に「時空‐生起動」(dynamisme spatio-temmporerl) や「魂の奥底の隠れたテクノロジー」を見たところに、この営みの場・境域を指摘する。「内在平面」(plan d'immanence) がそれである。あらかじめ確認しておけば、われわれの前著が確認したとおり、両人のいう「平面」(plan) とはいわゆる平たい二次元態ではなく、英語系の〈planning〉(計画作成) に通ずるいわば「産出‐慫慂動」の意味を孕み、そのかぎりで、「意味」(や「概念」や「存立・成存態」) の可能性、というより、その現実性・現働性・実働性を支える、そ

の「現実性の条件」としての、「存立平面」（plan de consistance）や「リゾーム」（rhizome）に通ずる。『哲学とは何か』の邦訳者である財津理氏は、両人の使う〈planomène〉をギリシャ語〈πλανάω〉まで戻って「揺動面」と訳し[1]、ドゥルーズ＝ガタリはこの語をギリシャ語由来の〈œcumène〉と並行的に使用するから、このギリシャ語参照は悪くないが、ただし、フランス語にも〈planer〉なる単語があり、しかもこれには二義あって、ここでのわれわれの論脈にも通ずる、①俯瞰する、②平らにする、つまり、上記の両人流の「超越」観念とここでの独自の「平面」観念の含意となっている。財津氏の力作訳業に茶々を入れる気などないが、ドゥルーズ＝ガタリ流の「平面」観念の当初からの先入主を確認するために記しておく。さて、「内在平面」とはなにか。

（i）まず、いう。「哲学は概念の創造（création）であり、同時に〔内在〕平面の開礎（instauration）である。概念は哲学の開始（commencement）であるが、〔内在〕平面はその〔いわば基礎場の〕開礎なのである。〔内在〕平面は、いうまでもなく、予定手順でも、予定計画でも、目標でも、手段でもない。それは、哲学の絶対場（sol absolu）、その〈大地〉（Terre）、あるいは、その脱領土化‐動（déterritorialisation）、その基礎（fondation）、の構成（constitue）なのであり、自らの諸概念はその上に創造する。概念の創造と〔内在〕平面の開礎、双方が、二つの翼、二つの鰭（ひれ）として必要なのである」（QPh. pp. 43~44）。〈instauration〉は「創建」と邦訳されているようだが、建造物が建てられる以前の準備・予定地なのであるから、いわゆる「定礎・礎石」と同次元の「開礎（動）」と仮訳しておくことにする。この点、いわば敷地を開礎するわけであるから、〈Terre〉（大地）のみならず、〈déterritorialisation〉（脱領土化‐動）、というより、旧著で論じられた、〈territorialisation〉（領土化‐動）――〈déterritorialisation〉（脱領土化‐動）――〈reterritorialisation〉（再領土化‐動）の三概念ともが重要で、資本主義世界のグローバリゼーションは国民国家という「領土化‐動」に対する「脱領土化‐動」だが、その効果的運営にはやはりおのおのの国家が必要ということで、「再領土化‐動」の復活も語られていた。ここでは、哲学・概念とその開礎地が「大地」「脱領土化‐動」「内在平面」と語られ、それが通常の歴史的・地域的‐国家としての「領土化‐動」からの脱開の動きであることは明白だが、他方、文化的ナショナリズムの動きのなかで国家遺産とされることもありうるとしても、勝議的には、かの「文学共和国」に類する「哲学共和国」の成果と見ることも十分可能なのであるから、ここにもひとつの「再領土化‐動」を指摘しうるかもしれない。要するに、こういうことである。「内在平面」とは、ドゥルーズ＝ガタリ語で別言すれば、まずは、人類レヴィ＝エル・人類規模での、存在論的な、人間的領土、脱領土化‐動も再領土化‐動もそれを前提として語りうる人間的‐領土・領土化‐動と見てよいのではないか、と。実のところこれから以下に引照する諸頁には、地成論・地勢学を自称しながら、この領土論的発想がなされていない。一般の読者諸氏にはこの領土論議のほうが判りやすいと思われるので、あらかじめ指摘しておく次第である。なお、もう一点、付言すれば、〈fondation〉という語は通常は「基礎づけ作業」を意味し、およそドゥルーズ＝ガタリ概念ではない。例外的な使用ということで、多少はドゥルーズ＝ガタリ風を残せるかと、こう（「基礎」と）試訳しておく。

さて、「内在平面」とは？　実に多くの説明文言が当てられているが、全文引用はかえってごたつくので、可能なかぎりを、簡単な注釈つきで、静態面と動態面に分けて、列挙する。

（ii）静態論的規定

①「内在」は「超越」に対立する。「超越」は宗教・信仰の問題だが、哲学はこれを排除とはいわずとも、「内在」論的に捉え直すことを前提とする。〈Penser implique une projection du transcendant sur le plan d'immanence〉（QPh. p. 85）（思考するとは内在平面へと超越的なものを投影することを〈implique〉する）の〈impliquer〉は、「意味、含意する」でもあるが、人間的思考の「なか（内）」（im-）へと「折り」（-pli-）曲げるでもある。棒を水中に差し込めば、そこに屈折像が生ずるように、また、光線という透明態が人間の眼に有色態として現前

するように。既述のところでは、「超越」は「合成諸要素」（composants）を一望のもとに収める「俯瞰（動）」（survol）として捉え直されていた。スピノザでは「実体」や「能産的自然」であった。以前の諸著作における「無底の根源的生起動」や「根源的・産出‐欲望・機械動」等だとて、そうでないとは言えないだろう。[2]

②つい先ほどまでの論脈でいえば、内在平面とは「諸生起の地平」（horizon des événements）（QPh. p. 39）である。ただし、経験的主体が見渡すかぎりの「事物的事象の状態」としての地平ではなく、「すべての観察者から独立で、生起がそこで現実化〔現効化〕する（s'effectuent.〔先述注解参照〕）可視的な〔事物的〕事象の状態から、生起をして独立の概念たらしめる（rend）地平、絶対地平（horizon absolu）〔の開展〕である」（QPh. p. 39）。近代的な認識論的な主観・客観とは別の、存在論的・地成論的（géologique, généologique, 先述）な「現実性の条件」を想起してみれば、このやや奇妙な地平概念にも納得がいくだろう。「存立平面」（plan de consistance）や「リゾーム」（rhizome）等と、同一ではないが、同種の発想である。

③「内在平面」は、したがって、諸生起・諸概念を包摂（comprend. 後述も参照）する「ひとつの全体」（un Tout）（QPh. p. 38）である。これまでも何度も繰り返してきたように、ドゥルーズ＝ガタリに「全体」概念は注意を要する。この多様・生成の思想に閉鎖系としての全体はありえない。ここでも、先のベルクソンを踏まえた、開放系（ouvert）（ibid.）としての自己変容的な全体である。永遠不変の唯一可能な全体ではなく、そのつどの地成学的・地勢学的な生成動による、そのつど独自・独異（singulier）的に生起する全体である。それゆえ、そのつど「ひとつの〜」（un-）ともいう。他方、これも既述の〈Omnitude〉（総生起態と先述・試訳）・「プラトー」（差異化動・生成動と同一化動・成層動の合成から成る同異態としての潜勢的・発動態）・〈consistance〉（諸意味・諸概念・諸生起の存立・成存的‐共立・協律性）等も、ここで「内在平面」の性格づけに援用されている。

④多少危険でもあるが踏まえておく必要があるのは、ハイデガーの「前‐概念的な了解」(compréhension pré-conceptuelle)(cf. QPh. p. 43) という発想かもしれない。上記の「包摂」(comprend. con(一緒に)-prendre(取る・採り上げる)) がここでは「理解・了解」となる。「前‐概念的」というのは、われわれは「概念的に理解」する「以前」に漠然と「了解」しており、その漠然たる「了解」内容を「以後」に判然と「概念」化して「理解」に達するという、まずまずその傾向にあるからである。他方、多少危険といったのは、この「理解・了解」概念によって、事態を主観論的問題へと矮小化する可能性があるからだが、しかし、ハイデガーにおいては近代的な主観・客観の認識論的レヴェルはすでに越えられ、主観・客観が相互的にも爾余の諸事象とも織り込み合う(s'impliquer. 先述) 存在論的レヴェルへと移っており、ドゥルーズ＝ガタリもまさしくその存在論的・地成論(géologie)によってその独自のかたちでの脱‐主観(脱‐主客相対二元)論を果たし終えている。とはいえ、にもかかわらず、個々の主観とは別に、ある意味では普遍的あるいは類的ともいえる、人類的・人間的主観による「了解」というものもありえないであろうか。しかも、われわれは、「了解」観念すらすでに主知的として、知覚・感覚・無意識的‐体覚をすら含む「了覚」という言表を試み[3]、ここではその人類版ともいえる「人間的了覚」、さらに上記の全体概念を含む「人間的全体了覚内容」という概念を構成すること不可能ではなく、ドゥルーズ＝ガタリのいう「内在平面」とは、結局、「超越」の、排除・廃嫡というより、「内在化」、をも含む、この「人間的全体了覚内容」の謂いであるように思われる。われわれは「人間的(全体)了覚内容」の「分節化‐有意味化‐構造化」による「有意味的・分節‐構造態」の成立をもって「理解」や「概念」の成立とし、文化・文明の本質骨格をもそこに見たが[4]、「超越」概念の扱い等は別として、ドゥルーズ＝ガタリの「内在表面」もこれに類する発想であろう。

⑤認識論的ならぬ生命論的な発想もある。「内在平面は諸概念という散開態(isolats)がそのなかに浴する

息（呼吸、respiration）である。概念は絶対的だが断片的で形の整わぬ表面・体積で〔〈aerolithes〉（隕石）的（QPh. p. 16）という比喩表現もある〕、内在平面は無際限（illimité）の、非定型（informe）の、絶対態であり、表面や体積ならぬ、常なるフラクタル態（fractal）である」（QPh. p. 39）。（これは、むしろ、後の、動態論的アプローチのほうに入れるべき発想かもしれない。区別は整理の便宜上のもので、決定的な意味があるわけではないが）。

⑥幾何学的・機械論的発想もある。「諸概念は石畳のように断片から断片へと内在平面を埋め賑わしていくが、内在平面のほうは不可分の環境態（milieu indivisible.〔後述再論で「間‐境」態とも試訳する〕）であり、諸概念はその統態性（intégrité）・連続性（continuité）を破損することなくそのなかに配置（se repartissent）されていく。」（QPh. p. 39）「諸概念は機械のような合成態として具体的なアジャンスマンだが、内在平面のほうは、諸アジャンスマンがその部品であるような抽象機械（machine abstraite）である」（ibid.）。この後者の発想は前著の一部分[5]そのままであり、「アジャンスマン」にも「抽象機械」にも説明が必要であろうが、ここで大きな寄り道をする余裕はないので、省く。

（iii）動態論的規定

①「内在平面には、〈思考〉（Pensée）と〈自然〉（Nature）、〈ピュシス〉（Physis）と〈ヌース〉（Nous）、という、二面がある。それゆえ、つねに、相互に取り（pris）込み合い、折り（plies）込み合い、一方の回帰がすぐさま他方の投擲となるといったかたちでの、多くの無限運動（mouvements infinis）がある。内在平面は不断の相互織成（se tisse）、巨大な往復運動（gigantesque navette）なのだ。〔……〕多様な無限運動が相互に縺（もつ）れ（meles）合うとはいえ、内在平面の〈一つの全体〉（Un-Tout）を破損するどころか、それがその多様な湾曲、多様な凹凸変化、いわばフラクタル性格を構成（constituent）する。それが〔先述、財津訳の〕揺動態

（planomene）をしてひとつの無限態（un infini）〔……〕とするのである」（QPh. p. 41）。「思考と自然、ヌースとピュシス」とは、「諸概念、概念成立動」と「生起動、カオス動」と言い換えても大過はないだろう。「生起動」と「カオス動」は正反対ともいえなくはないが、「概念」と「無底」の間（milieu）の途上的（unterwegs）といな無限の自己差異動としては、大同小異である。「カオスとは規定性の欠如（absence de déterminations）というより、諸規定が無限の速度（vitesse infinie）をもって為され消える（s'ébauchent et s'évanouissent）事態の謂いなのである」（QPh. p. 44）。これも既述の「条理空間」と「平滑空間」の関係を考え合わせてみるのもよい。それ以上に重要なのは〈plier〉（折れ合い、折り紙）概念かもしれない。上記の（ii）①でも少しく触れたが、ドゥルーズ＝ガタリが別著[6]で主題化する例えばバロック文化の〈pli〉（皺）概念が示唆するように、ドゥルーズ＝ガタリにおける「超越 vs 内在」関係は、先述の「俯瞰動と合成諸要素」関係として、〔同じ内在レヴェル内部での〕、一方から他方への「折れ、折り紙」関係、相互「皺、皺折」関係なのである。

②「哲学の問題は、思考〔の一端〕がそこへと沈み込んで（plonge）いる無限態（l'infini）を失うことなく、〔概念、意味、のような〕存立態（consistance）を獲得することにある（カオスはこの点からいえば物的とおなじく心的な存在（existence mental）なのだ）。科学はカオスに〔それを律する例えば因果関係のような〕尺度（références）を与えるべく努めて、無限性の運動と速度（mouvements et vitesses infinis）を放棄し、なによりもまず速度の限定化（limitation de vitesse）をおこなうが、〔……〕哲学は、内在平面を前提・開礎（supposant, instaurant）し、それがもろもろの〔……〕運動を保持する多面的な湾曲動をもたらしてくれる。〔……〕内在平面のような〔カオスに対する〕篩-平面（plan-crible）を〈ロゴス〉（Logos）と呼ぶとすれば、ロゴスからたんなる（世界は合理的（rationnel）にできているという場合のような）合理性（simple ‹ raison ›）への距離は遠い。理性は内在平面やそこに展開するさまざまの無限運動を規定するには、あまりにも貧弱（pauvre）な

概念である」(QPh. p. 45)。この②は①と大同小異の内容だが、哲学、内在平面、の、科学、合理性、との異同を端的に語っているので、追加引用した。科学が静止化・停止化・有限化・単純化・貧相化……であるに対し、哲学と内在平面が「大文字のロゴス理性」として速度と運動と多様性・多面性に充ち溢れているとは、素晴らしい。デリダの〈raison rationnelle〉(合理主義的‐理性)と〈raison raisonnable〉(合‐理性的・異殊‐考量・理性)の区別[7]にこれは対応する。もっとも、今日最先端の「計算科学」はその科学的計算の先端で宇宙発生とそれに先立つ無限動を語って、たんなる世間的‐合理性ごときに止まってはいないが。

③内在平面の動態性は、地勢学というべきか民俗学というべきか、いっそ、あの両人の名とともに世にクローズアップされてきた「ノマドロジー」(nomadologie. 遊牧民的散開理論)の一というべきか、の発想でも語られる。「内在平面は、諸概念が割拠することなく居住している砂漠のようなものである。そのあちこち散在する地域を成すのは、諸概念そのものであるが、しかし、平面のほうは独自のかたちでそれらの概念たちを引き留めている。内在平面は、そこに居住しそこを移動する諸部族以外の地域などもたない。内在平面が、諸概念の相互連結と、たえず増大しゆく諸連結とのその相互連結の連結を保証し、概念のほうは、たえず刷新されつつたえず変容していくある種の湾曲運動の上に、内在平面の賑わいを保証しつづけるのである。」(QPh. p. 39)「哲学は、前‐哲学的(pré-philosophique)なものとして、あるいは非‐哲学的(non-philosophique)なものとしてさえ、〔既述の〕〈ひとつの全体〉(Un-Tout)の力能(puissance.〔潜勢的‐駆動力〕)を定立している。これは諸概念が住まいにくる動く砂漠(un désert mouvant)のようなものだ。前‐哲学的なものとは、先行的に存在(préexiste)しているものを意味するものではなく、哲学の外には存在していない〔原文イタ〕何かをいう、たとえ哲学がそれを前提しているとしても。それは哲学の内的条件(conditions internes)の謂いなのである」(QPh. p. 43)。先に、カントにおける「可能性の条件」が、ドゥルーズ＝ガタリにおいては「現実性(た

だし、実働性（réel）としての）の条件」になる、と試論した。「条件」とは、ドイツ語では〈Bedingung〉、つまり「物」（Ding）をして「物たらしめる」（Be-ding-ung）であり、英仏でも〈condition〉、つまり〈doable〉（為しうること）を〈co-〉（共に、つまり、それを為さしめる作用とともに）、「為さしめる」（con-di-tion）を、含意する。〈puissance〉をたんなる「力」とせずに、ドゥルーズ＝ガタリ的に、あるいは、哲学の常識の一として、「有（在）らしめる、為（成）さしめる」の「潜勢的-駆動性・慫慂性」と付記したのも、このことによる。「内在平面」（plan d'immanence）とは、既述の〈planning〉・〈plan de consistence〉らとともに、この種の存在論的あるいは存立・成存論的-作用力なのである。

④砂漠とは逆に海という比喩もある。前々著も示した通り、海とはもともとのっぺらぼうの無貌態であったが、大航海時代あたりから、天空の諸星座との関係で有-意味的な座標系になった。「平滑空間」（espace lisse）と「条理空間」（espace strié）の交錯態として、「ノマドロジー」以外でも十分正当なドゥルーズ＝ガタリ共和国の成員なのである。であるから、いう。「諸概念は上昇し下降する複数の波（vagues multiples）のようだが、内在平面はそれらの波を巻き込み繰り広げる唯一（unique）の〔包括〕波である。内在平面はそれを一巡して戻ってくる無限数の運動（mouvements infinis）であるが、諸概念は自らの合成諸要素のみを一巡する有限数の運動の無限速度（vitesses infinies de mouvements finis）である」（QPh. p. 38）。

このあたりで止めておこう。これだけでも複雑・多面的で一般のかたがたには簡単には捉えにくいかもしれない。ある意味ではそれも（重要問題・重要概念であるから）当然で、今後、以下のところでも今度は哲学史的観点から説明を補うが、ここでも、とにかく、これからの理解のために、便宜上、あえて、ごくごく簡単な、暫定的な定義を試みてしまおう。「内在平面」とは、人間が存在するという事態に応じてその周囲・内外に一挙に開かれ成立する、存在論的な、人間的-全体範域である、と。その人間的-全体範域のあちこちに、その人間的‐全体範域そのものを成立させている無底の根源的な生起の力が湧出し、それを概念化するところに哲学は成立する、と。なんだそんなことか、といわれるかもしれないが、常識レヴェルに一般化・単純化するからこうなるのであって、問題はこのことの内実を哲学的に理解すればどういうことになるのか、である。

第二節　哲学史のなかの内在平面論

（1）哲学の幻影（超越、普遍、永遠、言述）vs ドゥルーズ＝ガタリ哲学

哲学が概念を創造するのは、無からでもなければ、真空においてでもなく、「内在平面」においてであるとして、これまでの哲学はこのことをどう論じてきたか。

ドゥルーズ＝ガタリは、まず、個々の哲学者とは別に、この概念そのものがいくつかの幻影（illusions）に憑かれることを、ニーチェとともに、指摘する（QPh. pp. 50~51）。

①「超越の幻影」。「内在~」であるから、「なにものかの内部」であると考え、その「なにものか」（quelque chose）を超越と思い込むか、内在のなかにあらためてなんらかの超越を再発見しようとする。われわれは上記のところで、この内在平面を「人間的‐全体範域」と仮規定し、「人間的」ゆえ「宇宙の内部の」と思わせたかもしれないが、われわれにとっては「宇宙」も人間にとっての有意味態なのであるから、「人間的‐全体範域」に属する。他方、ドゥルーズ＝ガタリ自身は「俯瞰動」（survol）をもって「内在」のなかに「超越」を「再発見」するかのように論じていたが、彼らにとっては「超越」は宗教・信仰の問題であって、哲学的には「俯瞰動」はやはり「内在」の合成要素の一である。また、「根源生起」（Événement）は「内在平面」

の「現実性の条件」であって、「内在平面」を「物的事象の状態」(états des choses)とその「現働性・実働性の条件」(condition du réel)に分ける場合に言及される事態であり、〈transdescendant〉(降越態)とはいえても、〈transcendant〉(超越態)とはいえない。さらに、われわれは「内」に対する「外」をも語り、彼らの「分裂分析」(schizo-analyse)をもって人間的閉域(clôture humaine)の「外」への「脱開」の努力と解したが、これも古来よくある「超越」への飛躍といったものではなく、内在的な「無限運動速度」への潜入(plonger)である。

②「普遍性の幻影」。原語は〈universaux〉であるから通常の普遍性(universalité)とは別に普遍態とでも邦訳すべきか。とまれ、内在平面は、既述の通り、無限・無尽の多様体・変容動であり、概念も生起動における無限・無尽の合成要素‐速度の把握(con-cipio)なのであるから、そこから「普遍」はどのように成立するのか、それこそ「説明されるべき」(doit être explique)ところであるのに、逆に多様態を「普編的なもの」からの派生態として後者(普遍)をもって前者(多様)を「説明する」倒錯。そこから「三重の幻想」(triple illusion)がくる。まず、「観照」(contemplation)のそれ。プラトンにおけるように、現実世界のさまざまな正義のかたち(形)にたいしてその範型としての正義の「イデア」(形相)を彼方の超越的‐叡智界に現実的実践なきままに至高視するような。つぎに、「反省」(réflexion)のそれ。デカルトの「自我」やカントの「超越論的主体」のようなすべての理性的人間に生得的あるいはア・プリオリに前提され、反省によって確認されるような。さらに、「コミュニケーション」(communication)のそれ。根本的な多様性世界にコミュニケーションによる相互通約性など根本的には不可能であるはずであるのに、その多様性の彼方に「コミュニケーション」を規範的に想定するような。①の(「内在~」の)「超越」への内属と同じく、ここでも「普遍」への内属が、前提・結果している。

③「永遠性の幻想」。概念は創造されるものであるのに、それが「忘れられている」(oublié)。「内在平面」も生起するものであるのに、そこに結果する弛緩態(cf. êtres lents. QPh. p. 39)から作成される表象(représentation. 再(re-)現態)が非時間的な静止態へと実体化され、生起動のほうがそれへの内属態とされて、「忘失される」。

④「言述性の幻想」。原語(discursivite)は「言述化可能性」と訳すか、「論証可能性」と解しうるかもしれない。いずれにしても、「概念(concepts)を命題(propositions)と混同する」ことの帰結である。概念は「生起の自己定立と生起からの創造によって成る」(既述)が、命題・言述は「物的事象の状態」のレヴェルで成立する。内在平面における多層性・多重性・多次元性が、ここでは「忘れられている」。

ドゥルーズ＝ガタリはいう。「これらの幻想がすべて論理的につながり合っていると考えるのは至当ではない。しかし、これらすべてが相互に響き合い示し合って(résonnent ou révérèrent)、内在平面を濃霧のように覆っているのである」(ibid.)。

世の常識からすれば、ここにいう「超越性、普遍性、永遠性、言述可能性」を「幻影」として除くとなれば、これまでの哲学史上の哲学はほとんどすべて失効することになるではないか、といわれるかもしれない。ドゥルーズ＝ガタリからすれば、その通りで、哲学とは、超越ではなく内在、普遍ではなく独異(singulier)・脱-領土化動、観照ではなく思考・シミュラクル・潜勢動、反省ではなく分裂コギト(cogito schizophrénique)・行為的直観(intuition en acte)、コミュニケーションではなくパラ-サンス(ランボー)・パラ-ドクス・創造、永遠ではなく時間・生起・生成、言述ではなくむしろ叫び(アルトー、ベーコン)・意志的直観・無意識的構成作動・シンセサイザー、幻想ではなく実在(réel)、……であり、別言すれば、まさしく、「内在平面」における「根源的生起の自己定立と概念の創造」、なのである。もっとも、これでは肝心の「差異」の生動が語られていないというのであれば、無底の汎‐自己差異化動‐生起、その無限交錯としての潜勢的‐力動空間スパチウムの生成、無数の分子的‐要素連関・独異態連関の自己産出化‐動、停滞化・延長態化に抗する強度・緊張態の自己定立化動と人間的創造営為の出会い、それによる根源的・純粋‐生起・生成‐動の（潜勢態からの）現働化とその実働性の自己展開、……途中、社会形成の堕態化と抗争しつつもその純粋・自己差異化‐生起・生成力は大地と宇宙に自らの散開と綜合の場を見出し創造していく、……と、纏め直しておいてもよい。

（2）哲学史のなかの内在平面

今度は哲学史のなかに、ドゥルーズ＝ガタリのいう「濃霧による覆い」を剝ぎながら、「内在平面」の如何を見てみよう。「結局、新しい内在平面を開礎するのはおのおの大哲学者たちではないか、〔……〕同じ内在平面には二人と大哲学者が現れることはないといった具合に？」（QPh. p. 52）。ただし、かならずしも詳論はなく、新しい時代区分もない、……、と、期待されすぎないように、あらかじめ断っておかなければならない。

（i）古代ギリシャ哲学

①まず、北方由来のギリシャ人たちが、先立つ東地中海沿岸地帯にも広がっていたオリエント系の宗教にたいして、哲学の領野を開いた。「内在平面とはいわばカオスへの裁断（coupe）であり、ひとつの篩（ふるい）（Crible）のように作用（agit）する。〔……〕最初の哲学者たちとはカオスのうえに篩を広げるように内在平面を開礎（instaurent）した〔する〕ものたちの謂いである。彼らは、その意味で、宗教人や祭司である賢者（Sages）たちと対照的である。後者は専制君主や至高神によって外側から課されるなんらかのしかし常に超越的な秩序の敷設に心していたのであるから」（QPh. pp. 44-45）。最初に挙げられるのはエンペドクレスであるが、彼には

まだ「祭司」的なものが残っていた（QPh. p. 47）。宗教的な智慧（sagesse）からの「大々的な転換」（un vaste détournement）をおこなうのは、アナクシマンドロスである。彼が「ピュシスとヌース」「存在と思考」をはじめて「厳密に分け」、宗教的智慧を「純粋内在（平面）に服属させる」にいたった（ibid.）。……哲学史の常識をここで結構長く引用したのは、いくつか確認の注記が必要だからである。（a）ドゥルーズ＝ガタリ自身にとっては「カオス」はかならずしも無規定なネガティヴ態ではなく、ポジティヴな事態としての「無限速度」態でもある。たんなる排除・支配の対象ではなく、「自己定立」的な「生起」に属するものですらある。（b）「内在平面」は、したがって、カオスをも含む。あるいは、すくなくとも「篩」と「カオス」は表裏一体である。あるいは「皺（成）」関係にある。（c）「内在平面」は、ここではまったく言及がないが、「物（象的事態）の状態」によって被われてしまうことあり、であるから、それこそ「分裂分析」（裂開能作）による「生起動」の開披と「（概念）創造」が必要になる。（b）も（c）も、「条理空間」と「平滑空間」「有機体諸器官とCsO（器官なき身体）」「c動態／t動態-関係」……等、独自の二元論、ならぬ、むしろ一・五元論を考量しなければならない。……また、（d）これは、たんなる歴史的事実問題にすぎないが、北方由来のギリシャ人たちは、後日の「哲学者」たちの対（「物象の状態」としての）社会形成体事象-関係におけると多少とも同じように、先住東地中海沿岸人たちの宗教的・「超越的秩序」のみならず彼らの「内在平面」をも多少とも「脱-領域化」的に処理しなければならなかった、あるいは、処理した、のであり、ここにいう哲学の成立は、その種の諸問題の考量も十分に果たさなければ、慶事とばかりは解しえない、……。だが、いまは、「哲学」と「内在平面」の成立にのみ専念しておくことにしよう。

②ソクラテスにおける「内在平面」については、ギリシャ一般の「内在平面」の一大特色としてドゥルーズ＝ガタリが強調する、人間関係における宗教・オリエント的な主従・命令-聴従・関係ならぬ、平等市民とし

ての「我―友（je-ami）」関係が、その真理に向かっての「議論のための議論」に志向的に現実化されているはずだが、言及は（おそらく）ほとんどない。

③プラトンについては、いう。引用者傍点部分に特に注意されたい。「プラトンは概念を創造するが、概念に先行存在（précède）する〔創造される必要もなく、永遠の昔から存在しているものとしての〕非‐創造態（l'incréé）の再‐現前化（représentant）として、それ〔概念〕を措定しなければならなかった（à besoin）。プラトンは概念のなかに時間を持ち込んだが、この時間たるや〈〔先行としての〕以前態〉（l'Antérieur）でなければならなかった（doit être）。概念を構成したが、ある客体態（une objectivité）の先行存在（préexistence）を証言するものとしてであった。〔……〕プラトンの内在平面においては、真理は、先行的に想定されるもの（présupposée）として、すでにそこ〔永遠の叡智界〕にある（déjà là）ものとして、措定される。それが〈イデア〉なのである」（QPh. p. 33）。プラトン的‐時間が生成次元の現在・未来‐時間でないことや、ギリシャ的な歴史概念がむしろ「歴誌」であって〈Geschichte〉（これから〈geschehen〉（現成）してくる）の「歴成・歴開」でないことは、すでによく知られているところであるが、いま重要なのは、プラトンがそうギリシャ的に発想せざるをえないまさに「内在平面」で生き・思考している、ということである。〈à besoin〉とは、辞書的には「無いものを必要とする・求める・欲求する」という、むしろ、「未来時間」であるが、ここでは「そうせざるをえない、その必然性のうちにある、そう制約されている、……」等、現在・過去における「欠如」ゆえに、という「過去時間」による、条件づけ・強要・要請・指示……を意味する。〈doit être〉は、辞書的には「これからそうしなければならない・そうすべきである・そうなるはずである」という「未来時間」を含意するが、他方、ベルクソンの「開かれた道徳」が自由意志による創造的行為を意味するに対し、「閉じられた道徳」が社会秩序の維持のためには「そうしなければならない・そうすべきである」と要請・発令するように[8]、

ここでは、現在むしろ過去・背後への随順、「過去時間」への服属を含意する。要するに、大プラトンの「イデア」概念は、立派な概念ではあるが、ギリシャ・プラトン的-「内在表面」に特徴的な「過去」主義、生成界によって汚される「以前」の「過去」性における「永遠」、その「永遠性の幻想」によって毀損されている。

④アリストテレスについては、(おそらく) まったく言及がない。アリストテレスはギリシャ的-内在平面において (プラトンとともに) 偉大な哲学者であるのではないのか、それとも別の内在平面を開礎しているのか。S・ヴェーユは、プラトンにはエレウシス密儀やピュタゴラス密儀に通ずる「霊性」があったが、アリストテレスにはそれがない、ゆえにアリストテレスは真正のギリシャ哲学ではない、と裁断した。[9] ドゥルーズ=ガタリには、そのような言及すらもない。

⑤新プラトン主義については、こういう。「プラトンの後継者たちにおいては、こういうことが明らかとなった。ひとつの内在平面は〈ひとつの全体〉(l'Un-Tout) を構成するのではなく、内在平面は〔あの新プラトン主義のいう〕〈一者〉(l'Un)〈に〉(« à »)〔帰属するのだ〕、ということになると、平面がそのなかに広がりその属性を成すその〈一者〉に、もうひとつ別の、今度は超越的な〈一者〉が、追い重なる (se superpose) ことになる。〈一者〉の上にまた〈一者〉、というのが新プラトン主義者たちの定式となるだろう。〔……〕こう誤解すると、内在平面が〔またしても〕超越者を再興 (relance) することになる」(QPh. p. 47)。「超越の幻影」である。

⑥ストアの哲学はドゥルーズのお好みのはずだが、「内在平面」論としては、どうやら言及がない。われわれは旧著[10]で、プラトン流の「イデア」が分解して、プラトン流の「イデアの似像」としての人間的現実次元も崩壊し、しかし、その「シミュラクル」(擬像) の大海のなかから、「イデア」の破片ともいうべき〈l'idéel〉

（理念子）が浮上して、「シミュラクル」海の「表面」に、いまはもはや亡き超越的「イデア」に抗するかのごとく、「意味」世界を構成しはじめる、といった。「意味次元」と「シミュラクル」海から成る「ひとつの全体」に、ドゥルーズ＝ガタリ流の「ひとつの内在平面」を見ることもできるかもしれない。ただし、さらに後半のドゥルーズ（＝ガタリ）では、〈l'idéel〉にも「永遠性の幻影」を見はじめるためか、「意味」問題も消えて、「意味」を産出する「無意識」界の「機械〔機構動〕」（machinerie）へと力点が移っていく。[11]「内在平面」も「機械仕掛け」の生起・生成態ということになるのかもしれない。

（ii）中世キリスト教思想

いわゆる中世時代に入ろう。西欧中世期は一千ないし一千数百年ある。われわれ日本人研究者たちは西欧近代五百年を喰らい尽くして、先立つこの一千～一千数百年に然るべき敬意を欠いてきた。ところが、ドゥルーズ＝ガタリも、多くの現代思想家たちとともに、同様である。わずか三分の二頁しか与えていない。新プラトン主義の「一者」に「超越の幻影」を指摘したあとで、いう。「キリスト教哲学の登場とともに、事態はいっそう悪化（empire）する。内在平面の開礎は純粋な哲学的基礎地平として残るが、しかし、同時に、ごく小範囲しか認められず、〔新プラトン主義的‐至高一者からの〕流出論やとりわけ〔キリスト教的‐唯一神による世界〕創造論の超越性主張（exigence d'une transcendence emanative et creative）によって、厳しく枠を嵌められ、コントロールされた。おのおのの哲学者（ニコラス・クザヌス、エックハルト、ブルーノ）は、自らの著作物とときには自らの生命の存廃を賭けて、それらが世間と人心に注入する内在性の分量は神の超越を毀損するものではなく、内在性は神の超越には二次的に付加されるにすぎないことを、証明しなければならなかった」（QPh. p. 47. 一部取意訳）。これ以上は引用する必要はあるまい。アウグスティヌスの内在平面も、トマスの内在平面も、その他の名立たるキリスト教哲学者たちの内在平面も、まったく考量されていない。別頁では（近）現代についても、こうである。「われわれ〔現代人〕は長きにわたる西欧思想史を経て（après）、さまざまの概念は持ち、持っていると思い込んでいるが、キリスト教的超越によって自失（distrait）状態になっており、〔真の〕内在平面には欠けて（manquons）いる」（QPh. p. 97. 傍点、引用者）。ドゥルーズ＝ガタリ自身、肝心のところで超越論的‐経験論とか超越的思考などといいながら、結論的にはこうである。

（iii）近代哲学――デカルト、スピノザ、ライプニッツ、古典哲学一般、カント、ヘーゲル、ニーチェ、フッサール

①近代に移ろう。これも、ここでは二頁弱の簡述だが。教科書的常識では、近代哲学こそ人間主義的・意識‐内在主義の開展であった。ドゥルーズ＝ガタリも、いう。「デカルトから出発して、カントやフッサールとともに、コギトは内在平面をひとつの意識領野として扱うことを可能にする（rend possible）。内在とは純粋意識への内在、思考主体への内在と見なされるということである」（QPh. pp. 48~49）。

②近代哲学の始祖とされるデカルトについて。既述もしたが。「哲学が概念の創造とともにはじまるとすれば、内在平面は前‐哲学的と見なされなければならない。〔……〕さらに、この非‐概念的で直観的な了解態（cette compréhension non-conceptuelle et intuitive）は、内在平面がどのように開礎されるかによって多様である。デカルトにおいては、第一概念としての〈私は考える〉（Je pense）が前提している主観的かつ潜勢的な了解（compréhension）がそれであった。」（QPh. p. 43）「デカルトがコギト概念を創造するには、〈第一〉（premier）なる概念が、独異なかたちで意味を変え、主観的な意味を獲得し、観念（idée）とそれを主体として形成する魂（âme）の間の時間的差異が皆無にならなければならなかった。（そこから、デカルトが、生得観念は魂に〈先行〉（« avant »）するわけではなく〈同時的〉（« en même temps »）なのである、とする場合の、対〔プラト

ン流〕想起説（réminiscence）の指摘の重要さが由来する。」（QPh. p. 34）「デカルトは、コギトを概念として創造したが、〈先行態〉（*forme d'intériorité*）としての〔プラトン的〕時間〔既述〕を廃嫡し、それを〔神による〕連続的創造の継続様態の一としてしまった」（QPh. p. 35. イタ、原著者）。念のために付言しておけば、これは哲学史教科書が含意しているように、デカルトがそのようにした、ではなく、デカルトがすでにその裡にあった内在平面がデカルトをしてそのように発想させた、ということを含意している。

③スピノザは哲学教科書からしても、中世的超越神はむろんデカルト的な神からすらも離れて、神＝実体＝能産的自然（natura naturans）とするほどまでに、内在思想を突き詰めた哲学者であり、ドゥルーズ（＝ガタリ）の評価も最高点に達する。「内在が〔何ものかに服属して、後者の超越化を招くことなく〕内在そのものに帰属し、強度座標で満たされ、無限態の諸運動によって走破される平面であることを十全に知悉していたのは、スピノザだった。彼はそれゆえ哲学者たちの王である。超越との妥協（comprpmis）なく〔……〕思考しぬいたおそらく唯一の哲学者だった。無限態をもって運動を成立させ、『エチカ』最終章の第三種認識で思考に無限の速度を与えた。〔……〕哲学を、前‐哲学的な前提条件を充実させることによって、完成させた。〔……〕スピノザ、それはあれほど多くの哲学者たちが回避しつつも失効させせえなかった内在の眩惑（vertige）である。われわれはスピノザ的霊感に相応しく成熟（murs）しているであろうか。」（QPh. pp. 49~50）「哲学の至高の挙措は、内在平面一般（Le plan d'immanence）を思考することなく、とはいえ、それがそのつどの思考平面（chaque plan）に思考されることなき（non pensé）ままに有る（il est la）、ことを、示す（montrer）にある。〔……〕思考されえない（ne peut pas être pensé）が、しかし思考されるべき（doit être pensé）もの、それがかつて一度は、キリストが一度は受肉したように、今度は不可能なものの可能化（possibilité de l'impossible）として、思考されたのだ。スピノザは、かくて、哲学界におけるキリストである。〔……〕スピノザ、無限なる

哲学‐生成‐態（le devenir-philosophe.〔取意訳〕）」（QPh. p. 59）。今日でいえば『千のプラトー』の語っていたあの「シンセサイザー」か。

④ライプニッツにもドゥルーズは重要な一著を当てているが、ここでの言及はすくない。しかし、これも重要である。「直観を、内在平面を不断に走破しつづけるさまざまの無限運動を包摂するものと見なすならば、どのような哲学もそれが創造する諸概念が多様な強度差異へと展開させていく直観に依存する、という壮大なライプニッツ的展望にも、根拠があることになる」（QPh. p. 42）。ドゥルーズ的認識概念の如何にはわれわれはこだわり、多々試考を繰り返してきたが、ここでは当初の「意志的直観」（intuition volitive）なる伝統的哲学にも掉さす概念の妥当性が、「了解・了覚」（compréhension）概念とともに、認められていることになる。内在平面は、思考されえず、思考さるべきものにして、直観もしくは意志的直観によって、そのつど了覚されている、ということになる。むろん、パラ・サンス、等によって、としてもよい。

⑤十七世紀（デカルト、スピノザ、ライプニッツ、の世紀）から十八世紀（カントの世紀）への（むろん内在平面の）変化は、こう説明される。一点、〈croyance〉（croyance profane）という語を信仰・信念・信頼などではなく、教科書どおりに、また、文中後方の〈légitime〉（正当性）に合わせて、「妥当性」「妥当性信憑」と訳さざるをえないが、この単語変更を除いても、かなり教科書的な発想である。「〔十七世紀の〕古典的思考を支えていたのは、真理への関わり（rapport à la verité）であり、それが認識という無限の運動を構成していた。これに対して十八世紀に前景化するのは、〈自然の光〉（lumière naturelle）から〈啓蒙の光〉（Lumières）への変化であり、認識（connaissance）に抗する〈妥当性信憑〉（*croyance*）という、別種の思考像を含意するひとつの新しい無限運動への変容であった。〜へと向かう（se tourner vers）、ではなく、むしろ、〜に則る（suivre à）、捉えると捉えられる（saisir et être saisi）、ではなく、むしろ、推料する（inférer）。ある推料はどのような

条件において（à quelles conditions）正当（légitime）であるか。どのような条件においてひとつの〔聖ならぬ〕俗となった信（croyance devenue profane）は正当であるのか。この問いは、〔……〕なんらかの新たな内在平面なくしては応えられない」（QPh. p. 54. イタ、原著者。数か所、取意訳、簡述化のため）。

⑥こうして、近代哲学の中興の祖、「偉大なる革新者」としてのカント的‐内在平面の登場となる。まず、既述のとおり、無時間的なデカルト的‐内在平面に、カントは時間論的‐内在平面を導入した（QPH. p. 35）。つぎに、いわゆるコペルニクス的‐転回とは、カントがたんなる「主観・客観カテゴリーの囚人（prisonnier）ではなく、〔ドゥルーズ＝ガタリも目途する〕思考（pensée）と大地（terre）の関係を端的に設営することになる」（QPh. p. 82）。さらに、前々著[12]でわれわれが強調したように、その「魂の奥底に作動する隠れた技倆」（eine verborgene Kunst in der Tiefen des menschlichen Seele）なる発想は、いわゆる「時間・空間」、あるいはここでドゥルーズ＝ガタリのいう「概念」の「下」（sous）に、すでにさまざまの始原的・根源的な「時空‐生起動」（dynamisms spatio-temporels）が生動していることを示唆している。ただし、もっとも重要なのはやはり次の一点だろう。これも既述のとおり、近代とともに「内在は意識内在となり、思考する主体の内在平面となった」。この問題をめぐって、ドゥルーズ＝ガタリは、いう。「カントはこの思考主体を、超越的（transcendant）ならぬ、超越論的（transcendantal）と呼ぶ。外的にも内的にも可能なあらゆる経験の全体としての内在領野の主体として、である。カントは〔多様なものの〕綜合を〔その多の外なる、たとえば神のような〕超越者に帰することを非とし、内在（immanence）と綜合（synthèse）を〔経験的かつ超越論的な思考〕主体に帰し、後者、主観的統一体（unité subjective）を、新たな単位（unité）とした。〔プラトン的な〕超越的イデア（Idées transcendantes）を告発することまで為し、それを主体に内在的な領野の〈地平線〉〔上に浮かぶ〕理念（Idées）にまで変容させたのであった」（QPh. p. 48. 数か所、取意訳）。ただし、ここでドゥルーズ＝ガタリ目線から

見ての限界指摘となる。「しかし、カントは、こう刷新しながら、近代的な方法で超越を救済する（sauver la transcendance）途を再発見することになってしまった。もはや〈大いなるなにものか〉（Quelque chose）〔既述〕の超越ではなく、万物に優る〈一者〉（un Un）のそれでもなく、〔大文字の〕主体（Sujet）のそれ。内在領野がそこに帰属するが、となれば、そのような〔……〕主体（sujet）として自己‐再現前化（se représente）せざるをえない〔経験的な〕自我（moi）にも参与（appartenir）しないわけにはいかない、〔そのような大文字の〕主体（Sujet）の超越を、である」（QPh. p. 48）。念のために付言しておけば、ドゥルーズ＝ガタリにおいて、主体とは胚主体（sujets embryons, sujet larvaire）や被‐主体化的‐主体（sujets assujettis）にすぎず[13]、大文字の主体などない。前景化してくるのはむしろ無意識的構成能作（synthèse inconsciente）や機械的‐産出動（machinerie）である。なお、これも既述のとおり、ドゥルーズ（＝ガタリ）は自らの哲学を超越論的‐経験主義と自称していたが、この『哲学とは何か』の時期（一九九一年）にはすでにこの「超越論的」なる語も放棄しているのであろうか。この点は追って再検討する。

⑦カントが、ちょうど古代ギリシャの本国とはやや別のそれなりの自由に恵まれたイオニア植民地で哲学が発祥したように、ドイツ本国とはやや別の植民地ケーニヒスベルクでそれなりの自由をもって先進国フランスの啓蒙思想を受容し、上記の内在平面を生きえたに対し、つづくドイツ観念論はドイツ本国で成立し、それゆえに別の内在平面の所産であった。しかし、ドゥルーズ＝ガタリはこの点には関与せず、既述の概念論議にとどまる。「ヘーゲルは概念を〔先述した〕概念の自己定立（autoposition）の諸〈契機〉（Moments）と〔人間側からの〕その創造に伴う諸〈形態〉（Figures）の双方から、力強く定義した。〔後者の〕形態（figures）は、概念が、つぎつぎに現れる哲学者たち（esprits）を通じて、意識によって意識のなかで創造されていく側面を構成することによって、概念の帰属態になり、〔他方、前者のいう〕諸契機（moments）は、概念が自己自身を

定立（se pose lui-même）し、哲学者たち（esprits）を〈絶対精神〉（l'absolu du Soi）へと統合（réunit）していく側面を立ち上げる。ヘーゲルは、こうして、概念（concept）が、哲学によって創造されるものではない神的智慧（Sagesse incrée）はもとより、一般観念（idée générale）や抽象観念（idée abstraite）とは何の関係もないことを示した」（QPh. p. 16）。内在平面は、ここにいう「一般観念や抽象観念」をも含めて成立するわけだが、ここでは「概念」の「創造」と「自己定立」の三者からすっぽり抜けている。ただし、後述の近代諸国家を枠組みとして成立する多様な「国民精神、国民心理」のなかに「ドイツ」的‐内在平面も含まれていくと解しても大過ないだろう。

⑧ニーチェは、それまでの哲学者たちや研究者たちが重視せず主題化しなかったここにいう内在平面を、十九世紀初頭から徐々にはじまっていた無意識思想から、自らが私淑したショーペンハウエルの『意志と表象としての世界』（一八一九年）のいう「表象」に対する深層動態としての「意志」を介して、ニーチェ自身の死と同年（一九〇〇年）に刊行されるフロイトの深層意識論である『夢判断』への秘かな展開の過程上で、哲学・思想・概念、とくに道徳観念の真実相の析出のために大々的に主題化した。上記のところでドゥルーズ＝ガタリは、この点、〈mauvaises consciences〉（疚しい心、自己隠蔽的・自己慰撫的な底意ある善行、父親を殺した息子たちが善法を施行するような）しか持ち出さなかったが、今日ではよく知られているように、「ルサンチマン」やとりわけ「権力意志」や「力への意志」も、その中軸をなす。ただし、ドゥルーズ＝ガタリは自他ともに認めるようにニーチェから決定的・大々的な影響を受けているはずでありながら、ニーチェ流の内在平面についての詳論は展開していない。いましがた触れ追って詳論する近代諸国家おのおのの国民心性の区分けや特徴づけは、これこそニーチェに依拠するものであるにもかかわらず、である。しかし、これはある意味では、ニーチェを受容しながら、すでにニーチェ流儀を批判的に乗り越えている、ということかもしれない。

たとえば、ニーチェは、これもすでによく知られているように、道徳観念は、先立つキリスト教が前提していたように、神からの(「永遠」なる)贈与物などではなく、現実社会の政治・軍事 - 権力者たちの前で非力だった宗教人・知識人たちが彼らを支配するために自らの権力意志によって編み出した「歴史」的製作物であるとする「道徳の系譜学(généalogie)」をもたらしたが、ドゥルーズ = ガタリは「歴史」という「物的事象の状態」(états des choses. 既述)次元よりより深い存在論的「生起 - 生成」(devenir)の所産であるとして、目下の「(道徳の)地成学(géologie, généologie)」を提唱する(QPh. pp. 91~92)。内在平面が、個々人・グループ人たちの社会心理学的レヴェルから、脱我的 - 実在領野に広がっているといわなければならない。

⑨既述の近代哲学論の開始にあたって、ドゥルーズ = ガタリはデカルト・カントの後に、ドイツ観念論もニーチェも外して、いきなりフッサールを挙げている。フッサールとベルクソンは同年(一八五九年)生まれで、双方ともに現代哲学のほうに位置づけてもよいが、フッサールはやはり認識論的な近代哲学を果ての果てまで追究した観あり、ここで簡単に触れておこう。問題は、ここでも、内在論のなかへの「超越の幻影」の出没である。「[カントからの]さらなる一歩がなされる。内在が超越論的主観〈への〉(« à »)内在となると、後者の領野の只中で、なんらかの超越の指標あるいは暗号が現れなければならないことになる。今度は、もうひとつ別の自我(un autre moi)、もうひとつ別の意識(コミュニケーション)へと指示する作用である。それがフッサールとその多くの後継者たちのあいだで生じた事態だった。彼らは大文字の〈他者〉(Autre)、あるいは〈肉〉(Chair.〔身体〕)のなかに、内在そのものにおける超越の出没を見出す。フッサールは内在を主観性における生体験(vécu)の流れのそれと考えた。しかし、どのような生体験も、純粋なそれであれ、野生のそれですらも、それを再 - 現前化(représente.〔表象化〕)する自我に全面的に〈帰属している〉(*appartient*)わけではない。非 - 帰属(non-appartenance)の領域には、その地平線上に、なにか超越のようなものが、ふたたび立

ち上がってくる。あるときは、志向的対象で一杯になっている世界の〈内在的あるいは原初的な超越〉のかたちで、また別の場合には、他の自我たちで一杯になった間主観的‐世界の特権的な超越のかたちで、第三のケースとしては、文化的形成物や人間共同体によって一杯になった理念的世界の客観的な超越として。この近現代世界では、ひとびとは〔中世のように〕なんらかの超越体への内在を考えることにはもはや満足しない。ひとびとは内在の内部で超越を考えることを欲する。内在からこそなんらかの裂開（une rupture）を期待するのだ」（QPh. p. 48. イタ、原著者）。

⑩途中ながら、なぜ、ドゥルーズ＝ガタリや現代思想家たちは、かくも超越を目の敵にするのか？ 超越によって宙づりにされると、われわれ人類のみならず万象が、その拠って立つところを疎かにしがちになるからである。万人は神の子として万人に人権を認めることはそれなりに美しいが、[14] しかし、それによって、われわれ人類が拠って立つところが、大地というより、無底の根源生起の搏動であることを忘れるのは、愚かしい偽善にすぎない。前者は政治や宗教に任せ、哲学は、[15] ドゥルーズ＝ガタリ自身は「起源」（origine）より「過程」（procèss）「途上・間‐境」（mi-lieu）「生成」（devenir）（既述）に目を向けるからこういう言い方はしないが、われわれが現代思想を代弁して言ってしまえば、（哲学・思想は）後者（われわれ人類の拠って立つところ）の無底（Ungrund）・脱（無）根拠性（au-delà du fondement, sans fond）（既述）へと身を曝す敢為の営みだからである。

（iv）現代哲学――ベルクソン、ハイデガー、ヤスパース、サルトル

①近代哲学史の究極点にフッサールを置いて、同年生まれのベルクソンを現代哲学史の発端に置くのは、ベルクソンのほうが三年長生きしたからではない。ベルクソンは、晩年、「長生きして、はしたないようで、恥

ずかしい」、といっていたが、その破廉恥ぶりを世にさらすためでもない。同じフランス人のドゥルーズは、若年期に、すでに大家であったベルクソンをよく読み、スピノザ・ニーチェ以上ともいえる影響を受けた。二十世紀哲学は脱-近代としての存在論的転回の途を歩み、ベルクソン哲学もその最初の一環であった。その後、現代フランス哲学はフッサールを大々的に受容するようになったが、若年期にフッサールもよく読んでいた筆者の印象では、現代フランス哲学は現象学的還元のフッサールを信奉したが、フッサール晩年の超越論的還元にはほとんど無縁であるように思われた。そして、むしろその点に、ベルクソンから現象学を通ってドゥルーズへとつづく道も推察できるように思われる。実際、少なくとも前半期には超越論的-経験論を顕揚して〈vert / arbre〉から〈verdoyer / arbrifier〉への途を急いだドゥルーズ[16]も、その後は、〈verdoyer / arbrifier〉のいわば（ベルクソン的？）純粋記述に専念して、その構成作動そのものの（カント・フッサール的な？）超越論的考察には向かわず、後者はむしろ、よかれあしかれ、新たに登場してきた無意識理論やミクロ物理学・生命科学に委ねるかたちになったではないか[17]。もっとも、ここでは直接の本題に戻れば、目下の内在平面問題に関するかぎり、ドゥルーズ＝ガタリのベルクソン言及は、これも小さな二か所くらいのものである。ひとつは、既述ライプニッツ引用のところで時代の別ゆえとりあえず「……」で省略しておいたところが、実はベルクソンであったということで、要するに、ベルクソンは、ライプニッツと同じく、内在平面の「直観」（直覚、了覚？）から出発して、その直感内容の諸「概念」による多様な分節化を通じて、「壮大」（grandiose）な展望にいたった（QPh. p. 42）、ということにある。もうひとつは、目下、分析し尽くしそうになっているテクストの末尾で、スピノザを最大級の言辞で讃えたのち、「われわれは今後、スピノザの霊感に相応しいまでに成熟するであろうか？」と問い、「そういう事態が、一度、ベルクソンに到来したことがあった」（QPh. p. 50）と自答するところである。「ベルクソンに一度、到来したことがあった」とは、『物質と記憶』の冒頭（début）（？）部分、「カオスの上に広げられた篩（ふるい）としての内在平面」、その一方の側と他方の側が、「無限の物質運動」と「無限の純粋意識動」として、主客・二元対立などすることなく、（地成論的・重相論的に）相互反照（相反‐相伴）し合っているという発想、その確言の謂いである。さらに丸かっこに入れて、「（内在平面が意識〈に〉内在するのではなく、逆に、意識が内在平面に内在するのだ）」（ibid.）とも附言している。「意識が内在平面に内在する」とは「内在平面」には「前‐意識」「無‐意識」等も混入・内在しており、そのかぎりで、内在平面の只中で、既述もした、「意識」と「生起」の、「意識による創造」と「真実在の自己定立」の一体性・相互織成も成立するのだ、ということでもあろうか。

②二十世紀哲学における存在論的転回の自覚的な出発点といえるハイデガーについては、さすがに言及・論及が多い。ここでは目下の問題である内在平面をめぐって、二〜三触れるにとどめよう。まず、既述のところで、われわれはハイデガーの「理解、というより、了解・了覚」（compréhension, Verstehen, Vorverstehen）に哲学以前（pré-philosophique）・概念以前（pré-conceptuel）のもの、しかし、哲学や概念がそこから、むろん、人間側からの創造能作を介して、生起・生成してくる源泉・原‐場のようなものを見た。周知のとおり、ハイデガーのメイン・テーマは「存在、存在そのもの」（Sein, Être）である。しかし、「存在」はそれじたいでは見えず、通常の認識の対象にはなりえない。通常の認識の対象になるのは、ドゥルーズ＝ガタリ的にいえば「物象の状態」レヴェルの「存在物、存在者、実存態」（Seiende, étant, existence）、その「何であるか」（Was-sein）であり、「存在そのもの」（Sein-selbst）、すなわちそのような何であるかが認識可能な存在者が「存在しているということ」（Daß-sein）は、眼前に明白に示されているようであって、しかし、眼前に明白に示されているのは実はその「何であるか」（Was-sein）のほうであって〈Daß-sein〉（存在しているということ）のほうは、その〈Was-sein〉の裏か下か、どこかに消え隠れ「脱去」（Entziehen）してしまう。とはいえ、人間実

存は、他の動植物とは違って、自ら自身（ego）や、存在者態（Seiende）・実存態（existence）や、生命レヴェルから「脱我・脱自」（ex-）して、死や、無や、存在そのもの（Sein-selbst）を、自らが無や死ではなく、存在している（Daß-sein）、ということの多少とも漠然たる「了解・了覚」から、それなりに「開披」（entbergen, dévoiler）することができる。われわれ「現にここ（da）に存在（sein）している（者）」としての「現存在」（Dasein）には、たとえ見えず・直接的な認識はなくても、「存在（Sein）が（それなりに）現（成）（Da）」してきている（Da-Sein）のだ。ハイデガー哲学あるいはハイデガー思惟とは、簡単にいえば、そのような「存在（の脱去的な）現成」の思惟にほかならない。ドゥルーズ＝ガタリのいう「内在平面」も、「脱去」と「超越」をめぐる未決の諸問題があるとはいえ、ハイデガー的にはこの出発点としての「存在了覚（内容）」（Seinsverständnis）にほかならない。もうひとつの言及・論及点は、こうである。さきにわれわれは、内在平面とは、別言すれば、了覚レヴェルにおける、「領土化・脱‐領土化・再‐領土化」の問題でもあるのではないか、といった。ところで、かつて神聖ローマ帝国の臣民であったドイツは、南西欧カトリックの権勢に抗して宗教改革をもってドイツ民族の歴史的固有性の主張を掲げ、ナポレオン戦争と産業革命・技術文明の仏英・西欧文明に抗する第一次欧州大戦に敗北して、英国青年J・M・ケインズすらもが心痛した苛酷なヴェルサイユ条約と西欧資本主義・ソヴィエト共産主義革命・世界的大恐慌の脅威・恐怖の中で、ヒトラー・ナチスによる領土化・再‐領土化闘争に立ち上がらなければならなかった。他方、哲学は、もともと、北方由来のギリシャ（ヘラス）民族による先住地中海民族文化と新興自民族社会の世俗（俗悪）性に抗する「脱‐領土化・再‐領土化」の営みであった。そして、ギリシャ哲学に私淑・通暁する哲学者ハイデガーは、また、同時代のドイツ民族とドイツ青年群の宿運を背負う大学人であった。そこから、ハイデガーの重相的な「領土化・脱‐領土化・再‐領土化」の苦闘が由来する。ドゥルーズ＝ガタリのこの『哲学とは何か』は一九九一年の刊行であり、ハイデガーの一九三三年の対ナチ協力を暴露・指弾するV・ファリアスの『ハイデガーとナチズム』の刊行は一九八九年、つまり前者は戦後の世界とりわけ仏国哲学界を風靡していた観のあるハイデガー愛好者たちが後者によって「蜘蛛の子を散らすように」逃げ去っていった時期の論著であり、それかあらぬか、「ハイデガーは、哲学という脱‐領土化の営みにあれほど精通していたにもかかわらず、脱‐領土化の営みを裏切った」（QPh. p. 91）と結論する。しかし、ハイデガー哲学活動は、その（一九三三年の）あと、終戦時約二年間の複数の公的‐非ナチ化委員会からの調査・審問[18]を間において、約四十年間、相当旺盛につづく。ドゥルーズ＝ガタリという名の内在平面論者にとって、この種の四十年間は考量にあたいせず、事の本質は一九三三年で決している、というのであろうか。元々、ハイデガー・ナチズムの批判者たちは、ドイツ・ナショナリズム／ヒトラー・ナチスの「ドイツ民族の自己主張（Selbst-erhaltung）」とハイデガー学長演説「ドイツ大学の自己主宰（Selbst-behauptung）」の異同にすら気づかず、ハイデガー著作すら十分まともに読まぬままに、当たらずとも遠からず式の正義論を振りまわすことが多い[19]。ドゥルーズ＝ガタリもハイデガーが「存在」の名において、どこまで思惟を進めたか、その成果と他の哲学者たちの到達点とは、どう関係するか、どう甲乙するか、その肝心要の一点は検討するにいたっていない。ハイデガーは旧来の哲学のいう認識や真理に先立って内在平面の重要さを主張したとの指摘はあっても、その内実については考察不全というほかない。

③ドゥルーズ＝ガタリが目下の哲学史瞥見のなかでフッサールの次に取り上げるのは、ヤスパースである。その「包括者」（« Englobant »）概念によって、内在平面は「もっとも深い規定を受ける」（QPh. pp. 48~49）という。実のところ、この先、筆者にはよく解らないところがある。ヤスパースにおける「包括者」とは、主体・客体‐関係のなかで主体の対象（客体）になりえないもの、主体・客体の両者を包括するもの、であり、対象（客体）になりえない、という点で、ハイデガーの「存在」に近いが、「包括する」には擬人的な配慮・

行為のニュアンスが浮かび出てくる。ハイデガーにおいても「存在」（Sein）は「存在する」（Es gibt Sein）「存在は自己投与する」（sich geben）という、ドゥルーズ＝ガタリにおける「自己定立」（se poser, autoposition）に近いものがあるが、それでもやはり「包括する」ほど配慮・行為のニュアンスは強くない。それゆえであろうか、ここでドゥルーズ＝ガタリは、「〔いまや〕ギリシャ的な理性秩序としてのロゴス（logos）に、ユダヤ・キリスト教的な〔神の〕語りかけ（parole）が取って代わる」（QPh. p. 49）という。主体・客体が至るところにある以上、それを「包括する」配慮・行為も至るところにある。「ひとは、もはや、内在を〔超越に〕内在させるに満足せず、内在をして至るところに〔包括者という〕超越者を溢れさせる。〔……〕内在が自ら超越を作成（fabrique）することを、ひとは欲するのだ。」（ibid.）「それは難しいことではない。〔内在次元の〕あの無限運動〔既述〕を停止させれば、超越はそこに降りてくるのである」（ibid.）。こうして、ここヤスパースにおいても、「超越の幻想」が現実化する。たしかに、既述したドゥルーズ＝ガタリにおける「俯瞰動」（survol）も、「内在が自ら作成した超越」に近いものがあった。しかし、あの場合には、「内在次元の無限運動」は、「停止」などせず、不抜・不断の前提であった。他方、ヤスパースについては、すでに、「ギリシャ的ロゴスにユダヤ・キリスト教の〔神の〕語りかけが取って代わる」と語られたところで、われわれは現代哲学の存亡にかかわる闘いではなく、なにやら中世キリスト教哲学の誕生にいまどき立ち会うかの錯覚を覚えた。ヤスパースとわれわれの間には一千五百年のずれがあるのであろうか。

④さて、ここで、サルトルが位置づけられることになる。サルトルも、ベルクソン以上に、若年期の、自己形成期の、ドゥルーズ＝ガタリの眼前で、われわれ（筆者）の眼前でもあったが、巨大なスケールの活動をしていた哲学者である。ドゥルーズはこの現象学的‐実存主義、また、やがてサルトル的‐ヨーロッパ主体から脱して、世界諸民族の経験諸世界に視野を開く構造主義、に次ぐ、脱主体のポスト構造主義的、かつ最先端科

《コメット・ブッククラブ》発足！

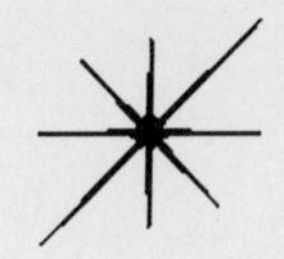

小社のブッククラブ《コメット・ブッククラブ》がはじまりました。毎月末には，小社関係の著者・訳者の方々および小社スタッフによる小論，エセイを満載した（？）機関誌《コメット通信》を配信しています。それ以外にも，さまざまな特典が用意されています。小社ブログ（http://www.suiseisha.net/blog/）をご覧いただいた上で，e-mail で comet-bc@suiseisha.net へご連絡下さい。どなたでも入会できます。

水声社

《コメット通信》のこれまでの主な執筆者

浅沼圭司
石井洋二郎
伊藤亜紗
小田部胤久
金子遊
木下誠
アナイート・グリゴリャン
桑野隆
郷原佳以
小沼純一
小林康夫
佐々木敦
佐々木健一
沢山遼
管啓次郎
鈴木創士
筒井宏樹
イト・ナガ
中村邦生
野田研一
橋本陽介
エリック・ファーユ
星野太
堀千晶
ジェラール・マセ
南雄介
宮本隆司
毛利嘉孝
オラシオ・カステジャーノス・モヤ
安原伸一朗
山梨俊夫
結城正美

料金受取人払郵便

綱島郵便局
承　認
2035

差出有効期間
2022年12月
31日まで
(切手不要)

郵便はがき

223-8790

神奈川県横浜市港北区新吉田東
1-77-17

水　声　社　行

御氏名(ふりがな)	性別 男・女	年齢 才
御住所(郵便番号)		
御職業	御専攻	
御購読の新聞・雑誌等		
御買上書店名	書店	県 市 区　町

読　者　カ　ー　ド

お求めの本のタイトル

お求めの動機

1. 新聞・雑誌等の広告をみて（掲載紙誌名　　　　　　　　　）
2. 書評を読んで（掲載紙誌名　　　　　　　　　）
3. 書店で実物をみて　　4. 人にすすめられて
5. ダイレクトメールを読んで　　6. その他（　　　　　）

本書についてのご感想（内容、造本等）、編集部へのご意見、ご希望等

注文書（ご注文いただく場合のみ、書名と冊数をご記入下さい）

[書名]	[冊数]
	冊
	冊
	冊
	冊

e-mailで直接ご注文いただく場合は《eigyo-bu@suiseisha.net》へ、
ブッククラブについてのお問い合わせは《comet-bc@suiseisha.net》へ
ご連絡下さい。

学である分子生物学に対応する生成・生起論的‐実在論として、サルトルには縁遠い印象を与え、私事ながらわれわれ（筆者）は若年期の大学哲学教育の枠組みからサルトル学習は未然のまま括弧に入れ、教職についてからは、学生向きにポスト構造主義をテクストにするにいたった世代だが、ここでのドゥルーズ＝ガタリのサルトル小論は、両人の哲学的先駆としてのサルトル思想を、感動的なまでに見事に描いている。内容的には既述のところからして十分に可解的であろうから、やや長文になるが、原文のまま引用する。「サルトルによる超越論的・非‐人称的（transcendantal impersonnel）領野の想定が、内在平面にその権利（ses droits.〔存在権利、存在根拠〕）をあらためて賦与することになる。われわれが内在平面を語ることができるのは、内在平面がもはや自ら自身以外（autre chose que soi）のものに内在しないかぎりにおいてである。このような内在平面の想定は、おそらく根源的な経験主義のものだ。〔内在〕平面は、なんらかの主体（un sujet）に内在する生体験の流れ（flux du vécu）〔既述〕、個別化（s'individualiserait）することによって一個の私（un moi）に帰属するものとなるそれ、を意味するものではない。それが提示するのは、さまざまの生起的‐出来事（événements）、すなわち、概念としてのかぎりでのさまざまの可能的世界、そして、可能的世界あるいは概念的人物の表現（expression）としての、他者たち（autruis）、のみである。生起〔‐出来事〕は生体験をなんらかの超越的主体＝〔大文字の〕自我（un sujet transcendant = Moi）に帰することなく、逆に、主体なき領野（champ sans sujet）に内在するひとつの俯瞰動（un survol.〔既述〕）に帰す。〔大文字の〕他者（Autrui）はなんらかの他の自我（un autre moi）に超越を帰するものなどではなく、すべての他我（tout autre moi）をして、俯瞰される領野（champ survol）への内在にする。経験主義は生起〔‐出来事〕と他者たちしか知らない、それゆえそれは概念の偉大な創造者なのである。その威力（forces）は、主体（un sujet）をして、〔デカルト的‐実体ならぬ〕、ひとつの慣習の産物（un habitus, une habitude）、あれこれの内在領野におけるたんなるひとつの慣習態でしかないもの、〈私〉と自称発言する慣習態（l'habitude de dire Je）、と規定するところから、はじまる」（QPh. p. 49）。このすぐ後に、あの既述のスピノザ讃歌、「内在は自ら自身にしか内在せず（l'immanence n'est qu'à soi-même）、内在は無限態の諸運動（les mouvements de l'infini）が強度態の座標系（les ordonnées intensives）上を走破しつづけるあの〔発動・駆動態としての〕平面なのである」（ibid.）、が繰り返される。

第三節　国民性と内在平面

ドゥルーズ＝ガタリの重視する内在平面概念は哲学史上の先哲たちにおいてはこのように論じられてきたが、内在平面論義において重要なのは、個々の哲学思想におけるその哲学的境位以上に、個々の哲学思想・哲学者が帰属・関係している一定の歴史的・地理的・社会的・文化的な人間集団に生成・遍在・盛衰している共通感覚・共通了覚のようなもの、その多少とも広大な範域のいわば質的特性・固有性の謂いである。「国民国家（État national）、国民心性（esprit du people）、国民的諸性格（caractères nationaux）」（QPh. p. 98）とまで、両人はいっている。哲学とはもともと「脱‐領土化」動を前提するものではなかったのか、これらは要するに「物的事象の状態」「領土性・領土化の所産」にすぎないものではないのか、という反論・質疑は十分ありうる。ただし、再確認しておけば、両人にとって、哲学は空（うつ）ろな普遍性の天空における虚（うつ）ろな抽象論ではなく、われわれが既述のところで「地成学的‐哲学」（philosophie genéologique）としたところを、両人が参照する同時代の「歴史地理学」（géo-histoire）に準じて「哲学地理学」（géo-philosophie）とするならまだしも、「地理哲学」

とまで呼称する優秀な研究者もいるほどに、「物的事象の状態」「地上的・独自‐領土性」をも重視、第一前提とする。この種の「物的事象の状態」(etas des choses)「独自‐領土性」(territoires)の只中で、そこに「自己定立」(auto-position)してくる「生起・生成・無底の根源動」(devenir, eventum tantum)を「俯瞰動」(survol)をもって「創造」(création)的に「把握」(cipio)するときに、その「領土化・脱‐領土化・再‐領土化」の相互重相的な緊張関係において、「概念」(concept)としての「哲学」は成立する。「内在平面」は、そのつど独自・一定の範域構成において、むろんそのつど独自・一定の「内的無限運動」(既述)の充溢(omnipotence)(既述)において、「開閉‐生動的」(既述)に「受肉」(s'incarnér)(既述)するといいかえてもよい。

さて、いまは、国民国家あるいは国民レヴェルの内在平面である。現代哲学・現代思想は近代超克の営みとして人類・グローバルから宇宙への展望の裡にあるから、国民国家や国民性の問題など時代錯誤ともいえるが、近代哲学もおおむね普遍主義を、しかもそれを標榜する自ら自身の固有性・有限性を忘れて、志向していたのであるから、現代哲学の随伴する多様性思考が、近代西欧ならびにそれを構成していた諸要素の特異性・固有性を確認してみるのもあながち無意味とはいえない。

わが国における「哲学」とは、太平洋戦争末までは、つい先年までのドイツ観念論の威光をもって君臨していたドイツ哲学が中心で、一部の文学寄りの知識人よるフランス哲学が付帯。終戦後、進駐軍当局から英米哲学講義も設置するようにと指示されて、英米にも哲学があったのか、と帝国大学哲学科はびっくりしたという笑い話があるが、その後、やがて、戦後フランス思想界にサルトル等のビッグ・スターが輩出したこともあって、ただし、これがフランス哲学などという旧弊なカテゴリーには関わりなく、現代フランス思想として一世を風靡し、この方向の青年層は哲学科というよりむしろフランス文学科を賑わすにいたった。今日でもほぼ同様かもしれない。われわれの世代が創り直したフランス哲学思想学会は、われながら驚くほどの盛況ぶりである。

ドゥルーズ＝ガタリは、ニーチェ提案にもとづいてか（cf. QPh. p. 98）、近代国民国家のうち、フランス、ドイツ、イギリス、イタリア、スペイン、を例挙し、これをとりあえず二組に分ける。国民心性規模の「内在平面」の問題であるから、中世以来のカトリック・キリスト教の「超越」がどれほど「国民」を「放心」（distrait. 先述）させつづけているか、どの「国民」はどのようにそこから自らに固有の「内在」への途をたどってきているか――結局、宗教改革の問題になるが――、前者の好例がイタリアとスペイン、後者の三展開がフランス、ドイツ、イギリス。わずか五ケースであるから、順番に簡述してしまおう。

（ｉ）イタリア。古代ギリシャと同じく、地中海交易圏を構成する「非‐領土主義的な一群の都市国家」（QPh. pp. 98~99）から成り、かつてのアテナイが来襲したペルシャ軍によって追い出されたサラミス湾という「国境なき海原にてこそ」（ibid.）新たな精神的連帯の「新‐領土」を構成しえた（既述）ように、イタリアは「哲学」の出発点にもなりえた（ibid.）にもかかわらず、「法王庁に近すぎ」（trop proche du Saint-Siege）（ibid.）、後者によって一般市民・国民の「内在平面」が浸潤・支配されつづけたために、「哲学」は「流産」（avorta. ibid.）してしまい、その「遺産」は宗教改革を経たドイツに手渡されることになってしまった（ibid.）。一読者として注文しておけば、イタリア半島には、古代ギリシャのエーゲ・ミノア文化とはむしろ異質のエトルリア・ローマいう典型的な「領土主義国家」が中央に君臨しており、これにさらに法王庁の精神的・宗教的‐権威が重なって、一般市民・国民の「内在平面」は「哲学」などなくとも十分やっていけるようにできていたのだ、ともいえないことはない。

（ii）スペイン。法王庁はなくとも、イタリアにおける法王庁と同種の精神的‐支配力をカトリック教会が及ぼしていた。スペインにおけるカトリック教会のこの精神的強力さは、過去一千年にわたるイスラム勢力との緊張関係の所産であろう。ともあれ、「スペインとイタリアには、哲学のための〈環境〉が欠けていた。〔……〕スペインとイタリアは、概念（concept）と比喩（figure）を混融させるというカトリック流の手法をもっとも強力に展開させた二大西欧国である。この手法は文飾美学上は甚大な価値をもつが、哲学を歪め、一個のレトリックと化さしめ、概念の十全な把握を不可能にしてしまう」（QPh. p. 99. 一部取意訳）。哲学のための「環境（mi-lieu）がない」とは、「概念」と「比喩」が一体化してしまって、両者「間」（mi-）の「場」（lieu）としての「内在平面」の余地がないということだろう。

（iii）フランス。カトリックの正統・優等生のように言われることもあるが、シーザーの『ガリア戦記』のいう、フランス地域の古名としてのガリア、その名に立脚してのフランス国王ガリカニスム（gallicanisme）権力とローマ・カトリック教会権威、フランス・ガリカニスム・カトリック教会とローマ・カトリック教会、の緊張関係は中世中期からはじまっており、ローマ教皇のアヴィニオン幽閉（一三〇九～一三七七年）、教会大分裂（一三七八～一四〇七年）を経て、中世フランスの「内在平面」は混乱・荒廃しはじめていた。デカルトを中軸とする近代フランス哲学の登場・展開は「この状況との調整（s'arranger）」（QPh. p. 100）の営みであると、ドゥルーズ＝ガタリはいう。デカルトは教会との対立は避け、オランダに隠棲し、個人問題として「爾余の一切を懐疑に付し」、もっぱら「生得観念（innéité）、内的明証・内的確信、〈私は考える〉（cogito）」（cf. QPh. p. 101）から出発して、まさしく近代フランスの「内在平面」を開礎・開拓していった。「自己内反省としての認識（connaissance réflexive）によって諸概念（concepts）を構成し、理性（raisons）のオーダーを成立させていくこと。」（cf. QPh. p. 100）「すでに認識されている、あるいは認識可能な、別言すれば、居住可能（habitables）でそれゆえ文明化（civilisées）された土地（terres）の、明細台帳を作成していくこと。」（ibid.）「フランス人たちは〈コギト〉（思惟と理性）を駆使する地主のようなものである。彼らはつねに〈コギト〉に則って再‐領土化（reterritorialises）する」（ibid.）。ただし、これはフランス的「内在平面」が既存の所与を合理的に保存・管理するだけの農耕人的ブルジョアジーに止まることを意味するものではない。二点、付言する。①「このコギトは意識的・理性的であるだけではない。このコギトは反省以前（pré-réflexive）の境域へとも生成していかなければならない（doit devenir）ものとされ、この意識は、規定的判断レヴェルに止まるものではなく（non-thetique）、もっとも頑迷な対抗要素（les plus ingrates）をも文と化していく（cultiver）ためのものでなければならない」（QPh. p. 100. 多少、取意訳）。②「フランス哲学は、こうして、〔それじたいにおいて〕〈精神の共和国〉（république des esprits）の要請であり、〈事象を最上のかたちで分析・整序する〉（la chose la mieux partagée）思惟能力の要請である。それはついには革命的コギト（cogito révolutionnaire）へと自己現実化（s'exprimer）する」（QPh. p. 99）。われわれは、デカルトから出発して、いつの間にか、フランス革命、カント反省的判断力を通って、サルトルまで来ていることになる。

（.iv）ドイツ。既述のイタリア、スペイン、フランス、と異なる点が少なくともふたつある。まず、地中海交易圏のような、あるいは内陸ながら（西）ローマ帝国以来の交易・往来の盛んであったフランスのような、「脱‐領土的な諸都市文明」の発達が遅れ、「後背地・ラントの領土主義の重しが長く残存した」（QPh. pp. 99~100）。つぎに、フランス・スペインのようにカトリック宗教的な世界了覚が民心に広がること少なく、フランス・ガリカニスム以上に宗教改革によって、脱‐カトリック宗教的な「内在平面」への地平が開かれつつあったが、ただし未然状態であった。常識的にはバルティック海沿岸の諸都市関係だとて捨てたものではないといえるが、——バルティック海‐最内奥のケーニヒスベルクのカントにフランス系の啓蒙思想が早めに到着するのは、このバルティック海路の成果である。逆にカントの次代の青年ヘルダーは、同じケーニヒスベルクからフランス留学に向かうバルティック海上で稀有な解放感を味わうことになる——ただし、目下は哲学史的に大きな意味は与えられていない。それより、重要なのは、この未然の「内在平面」が、その脱‐宗教性において、古代ギリシャの「内在平面」と相似た境位にあるということであろう。フランスがラテンに満足して長らくギリシャを東方扱いしむしろ無知ですらあったに対し、ドイツのギリシャ贔屓は対フランス関係のなかで強化されていったが、「内在平面」に関するこの種の類縁性（脱‐巨大宗教権力性）にも一因があったともいえるかもしれない。ただし、ギリシャ的「内在平面」が先立つ地中海文明によってすでにある種の文化的ヒューマニティを得ていたに対し、当初のドイツ的「内在平面」は古ゲルマン的‐神秘主義の名残りのなかで、「未開で、野蛮」（QPh. p. 100）なものであり、フランス的‐大地の理性秩序を享受する（mieux partagé. 先述）以前に、まずは「踏み固め」（ibid.）られなければならない代物であった。「自らの土地から絶えず（sans cesse）障害物を取り払い（déblayer）強固にする（affermir）こと、すなわち根拠づける（fonder）こと。根拠づけ（fonder）、征圧（conquérir）への熱狂（rage）が、この〔ドイツ哲学という〕哲学の霊感を成して（inspiré）いる。古代ギリシャ人たちが土着的（autochtonie）に得ていたものを、ドイツ哲学は征圧（conquête）と根拠づけ（fondation）によって獲得する。その結果、ドイツ哲学は内在（l'immanence）を何ものか（quelque chose）〈へ〉（à.〔原文イタ〕）の内在（immanente）とし、自ら自身の哲学〈行為〉（son propre Acte de philosopher）への、自ら自身の哲学的主体性（sa propre subjectivité philosophique.〔主観性、としてもよい〕）への、内在とする（rendre.〔に帰着させる、とも解しうる〕）。（コギトは、それゆえ、土壌を征圧（conquiert）・固定（fixe）するのであるから、〔合理的秩序の認識としてのフランスのそれとは〕まったく別の意味（sens.〔方向、とも解しうる〕）を持つ（prendre.〔取る、と訳しても日本語として自然か〕）ことになる。）」（QPh. p. 100~101）。

重要な文章だが、急ぎ、三点、付言する。

①ドゥルーズ＝ガタリは、しばしば、いわゆる古代ギリシャ人たちが初めから地中海民族として現在のギ

リシャ地域に存在していたかのような、たとえば上記の「土着性」(autochtonie) という単語を使用してなど、口振りになるが、われわれが上記したように、ギリシャ人たちも北方由来で、やや誇張気味にいえば、主神ゼウスのみを担いだA・トインビーのいう文化的プロレタリアートとして、先住地中海民族社会に入ってきた。しかも、たまたまアッティカ地域先住のイオニア族と美味く融合し、そのいわば文化融合のなかから哲学が成立してきた、ともいわなければならない。実際、他の大部分の地域、たとえば、ミュケナイやスパルタでは、哲学など成立していない。別言すれば、ドゥルーズ＝ガタリのいう古代ギリシャ的「内在平面」だとて、多分に「獲得と再醸成」の結果なのである。そのかぎりで、ドゥルーズ＝ガタリのいう「領土化・脱-領土化・再領土化」理論を佳しとしなければならない。

②ドイツ哲学が「内在」を「何ものか〈へ〉の内在」としながら、「キリスト教・カトリック」流の「超越・神への内在」としなかったのはスペイン・イタリア・フランスとの違いともいえるが、他方、「自らの哲学行為・自らの哲学的主観・主体性への内在」としたことは、ドゥルーズ＝ガタリが「哲学行為・哲学的主観・意識・思考」すらをも「内在平面への内在」とするところと(ほぼ真逆に)異同し、「哲学の無節操な拡大」(une extension indéterminée de la philosophie) (QPh. p. 16) として、ドイツ哲学の特色・独自性・固有性を示すと同時に、とくに現代のような脱-主観・主体、さらには脱-哲学でもある時代には、ドイツ哲学、すくなくとももつい一世紀ほど前までには威を振るったドイツ観念論、の限界を示すものでもありうる。なお、この種の問題をめぐっては、仏・伊・西にカトリシズムの重要性を指摘する以上、ドイツ側には宗教改革との関係も考量してもらいたいものだが、両人に言及はない。デカルトの生得観念論議を脱-中世論議の一環として、これにカント流のア・プリオリ論議を並記してもいる (QPh. p. 99) が、フランスとくにトマス系のカトリシズムにいわせればデカルト哲学そのものが(フランス哲学というよりは、ドイツ・)プロテスタンティズムの一翼で

あり、他方、カント流・先験的・超越論的主体には（上記のところで）「超越性・普遍性・永遠性の幻想」の憑依が指摘されてもいたが。

③〈fondation〉（根拠づけ、根拠、根拠提示、根本、根源、……）問題は重要である。われわれここでの著者と読者はなんであれ事象の根本への関心に突き動かされて思考・言動する、表向きの職業その他はどうあれ、多少とも哲学的な性向の持ち主たちである。他方、ドゥルーズ＝ガタリは「起源ではなく、現時点における生成（devenir）や過程（processus）が重要である」（既述）と主張し、また、この時期、あるいは現代一般に、「哲学の終わり、（根本原理を求める）哲学は不要」の風評が流れているわけだが、本著のわれわれ（筆者）も、ドゥルーズ＝ガタリのいう「生成や過程」を尊重しながらも、両人があまり強調しない生成と過程の（起源ならぬ）根源――両人はこれを時に〈primaire〉（第一の、最初の）ともいう（cf. QPh. p. 200）が、われわれ（筆者）は「第一原理」のように解されると逆効果となるので、これを避け、あえて「根源」の語を採った――への然るべき配視をも心掛けざるをえず、これを「生起」（eventum）や「根源生起」（eventum tantum）といい、しかし、上記の諸事情にかんがみて、これに、おおむね「無底の」（sans fond）なる限定を付して表記してきた。この点、筆者には、たんなる私事にとどまることのない、ひとつの経験がある。筆者は高校時代はフランス関係ではマルローやカミュを読み、大学前期ではサルトルに移ったが晩年近い『弁証法的理性批判』になにやら行き詰まりを見て、当時、カミュの紹介で一挙に世に出てきたS・ヴェーユ遺稿の、その思想というより、ギリシャ文化とキリスト教の関係にかかわる考察をフォローしはじめたが、ヴェーユ自身の思想は結局『パイドン』（プラトン）の「生は生きるために嘘をいう。真理は死の側にある」であることを知るにいたり、筆者自身は「生が嘘をいうとしても、そういう生を背負って真理に向かうのが人間の条件なのだ」と考え、ベルクソン研究に移り、通常の留学年齢に達したので政府給費制度でパリ大学のV・ジャンケレヴィッチ教授のもと

に送っていただき、最初にノートルダム寺院の背後の広場とセーヌ河に面した教授の書斎で、文化や文明の諸問題を生の根本から捉え直したいと申し上げ、その過程で、結局、哲学語彙の不足・未熟から、〈fond〉(根本、根底、根源)とか〈fundamental〉(根本的、根源的)なる語も使用(濫用?)したところ、教授から、別に批判的にではないが、「〈fond〉という語はベルクソン語彙ではないよ」といわれ、ハッとして、それまでの自分の「内在平面」が一転して新たに開展しはじめることを直観した。つまり、「根本、根底、根源」という普遍的に使用可能なはずの語・概念すらもが失効しうる時点がありうるのだ、ということである。いまは、それがドゥルーズ=ガタリによって、「〈fondation〉とは独自(特殊、とはいうまい)ドイツ哲学の発想である」と、相対化されていることになる。筆者は、その後、帰国後は、「生」よりも「より根源的な次元」と予想された「存在」概念を追ってハイデガー研究に移ったが、そのハイデガーも『根拠の命題』[20]で伝統的・古典哲学の至宝の一ともいえる「根拠律」(Satz von Grund)を粉砕し、読者・研究者である筆者も、世の通常の理解とは別に、ハイデガー思惟の核心・到達点は「存在」ではなく「存在と無、〈Ereignis〉と〈Enteignis〉を、分開・投与する〈Licht-ung〉」であると結論するにいたった。[21]この根源的というより無底・脱-根源的な分開-生起動が、その後の現代フランス思想の差異律・自己差異化動と、相共に、現代哲学思想、というより現代世界の共存・協成・協律-地平を開起・生動させているといわなければならない。そしてわれわれのこの研究はこの種の現代哲学思想の到達点を踏まえて、未来への然るべき実践の投企をはかっている。

(v)イギリス。フランス・ガリカニスムから約二世紀遅れてイギリス・カソリック・アングリカン・チャーチが成立し、ドイツ宗教改革から約一世紀遅れてプロテスタンティズム時代に入っていくが、このローマ教会からの距離の変化・拡大についてのドゥルーズ=ガタリの言及はない。対比されるのは、ドイツ哲学がその「ア・プリオリ」(QPh. p. 99)な基本概念とそこからの派生概念群によってドイツ的「内在平面」を埋め尽くし、また、フランス文明が「生得観念」(ibid.)と「大地」との相互調整(s'arranger. 既述)によってその「内在平面」を「理性的に分割整序」(mieux partagée)(QPh. p. 99)するに対し、イギリスは経験的地平のあちこちから生活慣習(habitudes)を通じて「概念」を構成し、その複数の「概念-生活習慣」態からなる「群島」(archipel)の間を行き来しながら「内在平面」を織り上げていく……、ドゥルーズ＝ガタリ思想には有名な「遊牧民的-散開」(nomadologie)の概念があるが、それが海洋比喩(先述)とも合体して、このように語られる。十八世紀はフランス内陸主義、十九世紀はドイツ内陸主義とイギリス海洋主義、——これがやがて後二者あるいは(英)米独の太西洋制覇の闘争となって二十世紀に入っていくわけだが——、とまれ「内在平面」論議には十七世紀経験主義から直近の時代情勢までが重相するらしい。「イギリス人たちは内在平面をあたかも可動的(meuble)かつ事実上動いている(mouvant)土地〔動産〕、徹底的に経験レヴェルの領野(champ d'expérience radical)、として扱う。洋上の島から島へと自分たちのテントを張っていけばそれで済むと考えているまさしく群島世界(monde en archipel)の遊牧者たち(nomades)なのである。〔……〕彼らは、フランス人やドイツ人たちのように、概念を所有(aient)しているとすらいえない、彼らは概念を入手(acquierent)する、彼らは自ら獲得するもの(l'acquis)にしか、信を置かない。一切が感覚から由来する、ということではない。自分たちのテントを張って、住み慣れ、その習慣(habitude)を縮約(contractant)することによってこそ、概念は獲得されると考えるのだ。〔ハイデガー流の?-〕〈踏み固める—建てる—住む〉(Fonder-Batir-Habiter)の三位一体でいえば、建設するのはフランス人、立地を堅固にするのはドイツ人、そして住むのがイギリス人である。彼らにはテントひとつあれば十分なのだ。彼らは慣習から独自の概念(conception extraordinaire)を構成していく。〔……〕慣習が創造者(créatrice)なのだ。〔……〕慣習があるところいたるところに概念(concept)がある。慣習が〔……〕経験という内在平面において自己構成(se font)し自己変更

(se défont) し、そこからあの〔成文法なき〕〈黙約主義〉(« conventions ») が由来する。イギリス哲学が自由にして未聞 (libre et sauvage) の諸概念の創造 (création de concept) をおこなうのも、そのことによる」(QPh. p. 101. 一部、取意訳)。ドゥルーズが、現代フランス思想家には珍しく、ドイツ哲学寄りではなく、イギリス経験主義寄りであることも、確認しておこう。

(vi) アメリカについては、プラグマティズムについての形式的な言及 (QPh. p. 99) 以外の特別な論述はない。わが国の一般読者には『木を植えた男』で有名なJ・ジオノといういわば農村作家がH・メルヴィルの『白鯨』を仏訳していることに驚かされると同様、ドゥルーズがそのエイハブ船長のモービー・ディックとの死闘に常ならぬ関心を示すところには、なにか重要なものがありそうにも思えるが、あの文字通りの多民族国家に、東部の守旧イングランド系、西部の (ハリウッド) アイルランド系、以外の、総括的な「内在平面」を探索することは、少なくとも現段階では性急にすぎるだろう。残念ながら、ここでは省くほかない。

第四節　西洋と東洋

「内在平面」は「超越」に抗して主題化され、「超越」を宗教に任せて、「内在平面」を哲学の領野とするところに成立する。西欧近代に近づくにつれて明確化されはじめたこの二元論・自律論・多律-分律論は、東洋においてはどうなっているのだろうか。ドゥルーズ思想は東洋・アジア・日本の文化・思想のいくつかの側面にも大いに親近感を示し、また、一般論として東洋をどう定義するか等の問題もあるが、ここでは目下の「内在平面」論議に専念しよう。

まず、両人はいう。「超越はそれじたいそのものとしてはまったく〈虚ろ〉(« vide »)なものでありうる。〔……〕超越神は〔……〕世界創造の内在平面に自らを投影(se projetait)しなければ、虚ろ(vide)なもの、すくなくとも〈隠れたるもの〉(« absconditus »)にとどまるだろう。〔そして……〕内在平面に自らを投影する超越は、内在平面をさまざまの〈形象〉(Figures)をもって整序し満杯にする(pave ou peuple)」(QPh. p. 86)。

さて、東洋世界は、これらの「形象」、むしろ「抽象的な形象」(QPh. p. 90)、「中国の卦、インドの曼陀羅、ユダヤのセフィロート、イスラムの〈想像物〉(« imaginaux »)、ビザンチン・キリスト教のイコン」(QPh. p. 86. 訳語、財津訳、参照)によって、「整序・満杯」にされている。

そして、ここで注意すべきは、これらの「形象」は、「超越」に「外面的に類似」しているというわけではないが、「ひとつの内的緊張」(une tension interne)によって、「内在平面において、超越へと結びつけられている」(ibid.)、ということである。

別言すれば、ここには、「超越」と「内在平面」(形象)の間に、「範列的、投影的、階層的、準拠的」(paradigmatique, projective, hiérarchique, référentielle)(ibid.)な関係が前提されていることになる。

だが、「内在平面」を主題化するとは、もともと「超越」を宗教に委ね、「概念」をもって宗教的本質の「形象」に替え、「哲学」と「内在平面」と「概念」の自立性・自律性を確立するということではなかったか。すでに先行前著から、「真理」の(虚偽・誤謬に対する)排他性と自己同一性に対して、「意味」の(他の、虚偽・誤謬をも含む、別種の有意味性との)共存性・差異性が提示・認容されてきていた。ここでは、「超越」と「形象」に対する「内在」と「概念」のそれである。「いまや概念が内在平面を賑わせに来る。もはや形象への投影(projection dans une figure)などない、あるのは概念における相互連結(connexion dans le concept)である。〔……〕概念には、対外的(externe)にであれ、内的(interne)にであれ、近傍性(voisinage)という規則しかない。〔……〕概念の創造ということが示唆するのは、まさしくそのことなのだ。〔……〕ひとつの概念は複数の意味を持ちうるが、その複相性・多声性(plurivocité)とはもっぱら近傍関係(voisinage)によるそれである。概念間の関係は階層なき水平性(aplats sans niveaux)、ヒエラルキーなき座標関係(ordonnées sans hiérarchie)である。〔……〕概念は範列的(paradigmatique)ではなく〈連辞的〉(*syntagmatique*)、投影的(projective)ではなく〈連結的〉(*connectif*)、階層的(hiérarchique)ではなく〈リゾーム的〉(*vicinal*)、準拠的(référent)ではなく〈共存・協成・協律的〉(*consistant*)なのである」(QPh. pp. 86~87. イタ、原著者)。

結局、「東洋は、たしかに、思考はしたであろうが、〔……〕概念は知らぬままだった。」(QPh. p. 90)「東洋の内在平面は、精確には哲学にいたっておらず、前‐哲学的にとどまっている」(QPh. p. 89)。

これらの西洋・東洋‐比較論議には、常識的な部分も見られるであろうし、われわれ(筆者)も「哲学」への成否に拘泥するつもりはないが、それでも西欧哲学者の考察としては焦点を絞ってそれなりに正鵠を得ているように思われる。

ただ、ここでは、ここで語りうる西欧哲学の問題へと戻ろう。

(i)キリスト教哲学とは、ドゥルーズ＝ガタリ的には、有(在)りうるのか(QPh. p. 88)。「キリスト教が無神論となって概念化するときのみ、哲学たりうる」(cf. QPh. pp. 88~89)と両人は示唆する。「ユダヤ思惟は、スピノザにいたって形象を概念へと突き詰めたとき、哲学となった」(cf. QPh. p. 89)。だが、「キリスト教が無神論となって概念化する」とは、どういうことか。「キリスト教」が「無神論」となって「概念化」するとき、「キリスト教」という名辞そのものが失効するのではなかろうか。まさか、「キリスト哲学」とは呼称しないだろう。他方、スピノザを「哲学者のなかのキリスト」（既述）とするドゥルーズ＝ガタリ自身の哲学は、「スピノザ哲学」「キリスト哲学」とは自称しないとして、その系譜上（généalogique）の、という言いかたが不可能（既述）であるなら、その一変容態・一生成‐地成態（géoéologique）としてのドゥルーズ＝ガタリ哲学、ということになるのであろうか。

（ⅱ）両人は西欧哲学史に取り憑いてきた「四つの幻想」として「超越性、普遍性、永遠性、言述性」（既述）を挙げていた。ここ（QPh. p. 89）では「哲学的概念が再生産（reproduisent）しうる〔する危険のある〕〈三つの形象（figures）〉」として、「内在性」がそこ〈へ〉（à）と「帰属」させられうる、①「観照による対象化」（被‐観照的・対象性）（objectivité de contemplation）、②「反省の主体」（sujet de réflexion）、③「コミュニケーションの間‐主観性」（intersubjectivite de communication）、を挙げている。西欧哲学史の、（キリスト教哲学時代を除く、むしろ、含める？）三つの主要な時代を貫く、ただし、上記四つの幻想にも取り憑かれている、基本テーマといってよいだろう。①は、人間の主体的能作が左右しえない、たとえばプラトン的イデアのような、絶対的な客観態。②は、人間が自らの裡に見出す、たとえば近代デカルト・カントのそれの絶対化であるような、主体的・創発的な能作性。③は、①②の主体的能作性がそこで、その一派生態としてなされる、たとえば現代ハーバーマス等のいう人間的相互可解化性。……ドゥルーズ＝ガタリ哲学は、「幻想と形象」を避けるべく、これらすべての外に、位置づく、あるいは、生起・生成する、そのような哲学としてフォローしなければならないことになる。

（ⅲ）実のところ、すくなくとももう一点ある。「東洋の前‐哲学的段階とギリシャの哲学的段階を分けるものが何か、それがよく解らない（on ne voit pas très bien）」（QPh. p. 90）。当面、解らない、ということか、一般に理解されていない、ということか、次節で再考しよう。資本主義は、なぜ、東洋でではなく、西欧で？　哲学は、なぜ、東洋でではなく、古代ギリシャで？　の問題にかかわっていくはずである。

第五節　現代と古代ギリシャ

（1）西欧のギリシャ発見――ギリシャは西欧の「東方」か「先祖」か

「内在平面」をめぐって、西欧哲学史上の諸対応、西欧近代国家‐諸国民の心性、西欧的発想一般と東洋思想との対比、を見てきた。このあたりで、「内在平面」が現出する古代ギリシャ哲学と現代西欧一般との関係も考察しておかなければならない。われわれは既述のところで、フランス文明が古典ラテン文化に依拠するに（も）満足しえたにたいし、ドイツ近代思惟は、フランスに対抗するかのごとく、古代ギリシャ思惟への、（ラテンを経由することのない）直接的な絆合を、主張する傾向にあると指摘した。しかし、古代ギリシャ哲学が西欧に浸透してくるのは、もともとスペイン・トレドにおけるイスラムから再興キリスト教が継承してフランス・シャルトル等におけるあの十二世紀ルネッサンスに提示することを通じて、である。対ギリシャ哲学における両者の関係に優劣があるわけではない。ただし、多少驚くべきは、両者あるいは西欧の古代ギリシャ関心はどうやら漸く二十世紀近くになってから本格化したらしいということである。ドゥルーズ＝ガタリの目下の著作やその研究書であるR・ガシェ著ではR・ルナンの『アクロポリスの丘での祈り』（一八九三年）あたりから、われわれ哲学研究者の認識では、ヘーゲルの哲学史講義（一八〇五年頃から開始）は前提として踏まえ、病疾で大学・公論の外にあったニーチェを別とすれば、実質的にはハイデガーの一九三二年夏学期講義「西欧哲学の始原――アナクシマンドロスとパルメニデス」あたりから。要するに、近代西欧思惟が自らの限界に気づきはじめ、反省期への第一歩を踏み出すに対応して、ということであろうか。ただし、前者が「白き大理石」の「西欧に本来あるべき理性」のギリシャであるとすれば、後（二）者はA・バディウの指摘するところ初期ギリシャ（トルコ沿岸）イオニア植民地の「アジア的‐思考[22]」にすぎず、本来のギリシャ思考はあくまでもプラトン以後の数学的‐合理性にある[23]。ここで、先に準備した問題のひとつにドゥルーズ＝ガタリ的な回答ができることになる。「東洋の前‐哲学的思考とギリシャの哲学的思考を分けるものはなにか?‐」。前者が曼陀羅その他、世界を一般的な抽象的形象（figures abstraites）をもって思考していた（QPh. p. 90）に対し、後者はプラトン以来の数学的（mathème）思考を開始していたか、あるいはすくなくとも（水、火、地、……等、その後の物理学的‐基本元素（éléments physiques）に思考を集中させていた（QPh. p. 87）、この種の限定・規定・自己規制の思惟方式だといってよい。

（2）哲学は、三度、「自己‐再領土化」する

もっとも、いまは、西欧あるいはむしろ現代西欧と古代ギリシャの問題に絞ろう。

両人はいう。「哲学は、三度（trois fois）、自己‐再領土化（se réterritorialise）する。〔①〕過去に関してはギリシャ人たちのうえに、〔②〕現在に関しては民主主義のうえに、〔③〕未来に関しては来るべき民衆と新しい大地のうえに。ギリシャ人たちと民主主義‐民衆はこの未来の鏡のなかで独自に自己変容していく」（QPh. p. 106）。

（ⅰ）哲学はもともと脱‐領土化の成果であった。メシアンの小鳥（既述）をはじめとしてすべての生きとし生けるもの、あるいは、むしろ、在るとし在るものは、自らの領土において生き・存在する。渡り鳥は複数の領土の上を飛んでいくように見えるが、毎年同じ経路を飛ぶことからも明らかなように、彼らも彼らの領土内

に棲息している。だが、人類だけは、自らの領土に生き存在すると同時に、他者たちの領土と対立・抗争することもあるが、すくなくとも哲学の営みにおいては、旧来の哲学用語でいえば、自己を超越し、普遍性の視覚において、他者の領土と共存・協律し、それらを包摂することもできる。旧来の哲学用語に抗するドゥルーズ＝ガタリ用語では「俯瞰動」(sur-vol) において。この「俯瞰動」(sur-vol) が渡り鳥たちの上空飛翔 (sur-vol) と異なるのは、むろん。他者たちの諸領土をその多様性・生動性において視野に収め、尊重することができるということによる。哲学は本質的に脱-領土化動のほぼ最高の形態である。

(ii) だが、ここでは哲学を再-領土化動としている。どういうことか。基本から確認しよう。

①まず、領土化―脱-領土化―再-領土化（動）は「大地」(terre, Terre) のうえでなされる。「うえで」(sur) という空間表示は好ましくないが、ドゥルーズ＝ガタリも頻繁に使うから、やむをえないとしよう。他方、「大地」とはいかにも平凡な語で、哲学の魅力を新しい概念の創出にみる両人にしては、いかにもお粗末である。パリっ子（？）哲学者たちには、サルトルが京都の庭園の池に子亀たちが泳ぐ風情をみて感嘆・驚喜したように、「大地」概念も新鮮なのか。ただし、ここにいう大地はＥ・ゾラやＰ・バックの自然主義的な大地ではない。実のところ、あまり決定的な定義は示されていないのだが、われわれはこれまでの研究を通じて、通常の自然大地や領土化―脱-領土化―再領土化（動）がその弛緩態・延長態・物象態として成立するあの「無底の根源的生起 (eventum tantum sans fond)、無限運動 (mouvements infinis)、無限自己差異化動 (différentiations infinies)、強度スパティウム (tentio, tensio-spatium) 動」等と解してきた。ここでも、これらを最終定義とすることなく、あくまでも、仮の、暫定的な、概念規定とさせていただく。

②さて、そうして、ドゥルーズ＝ガタリは、(領土化、再-領土化、についても、そうだが)、「脱-領土化」(動、態) を、「相対的」なそれと、「絶対的」なそれ、に分ける。前者は、いわゆる社会史・歴史学が語

る、原始領土が封建領土へ、封建領土が国家領土へ、国家領土が帝国領土へ、と、脱-領土化されていく動きであり、前著などでは、国民国家からグローバル資本主義世界へのそれが語られていた。他方、後者は、これが肝心なわけだが、「脱-領土化」（動）が上記の「大地」（動）を「吸収」しながら展開する場合である。「吸収」（absorbe）ではなく、むしろ「吸着」（adsorbe）だとも念を押している（QPh. p. 85）が、「吸収」が全面的でありえないことは説明するまでもないこととして、「吸着」としてみると、いささかえげつない言表ながら、われわれが現代思想に通有気味のあの、――近代的主客-二元対立論に代わる――、地成・地勢学的-〈Zwiefältigkeit〉（二重異質-複相態、相反-相伴態）（既述。QPh. p. 86, P. p. 163, etc.）論へと分類してきたドゥルーズ＝ガタリのc／t、mol／molé、同一／差異、現勢／潜勢、意識的綜合／無意識的総合、時間・空間／時空-生起動、欲求充足機械／産出欲望機械、ロゴス／ドラマ、……の一として、この「脱-領土化／大地」総合・同異態（synthèse, œcumène, con-sistance）（既述）を位置・意味づけうることになる。

③そして、このかぎりにおいてなのだ、哲学が、脱-領土化／大地として、「哲学者のテリトリー」（territoire du philosophe）（QPh. p. 82）として、「再-領土化」（reterritorialisation）（上記。QPh. p. 106）されるのは。ギリシャ・アテネは、ペルシャ帝国軍によって脱-領土化され、しかし、ペルシャ帝国のなかへと「相対的」に脱-領土化される代わりに、サラミス湾への脱-領土化とその国境なき海洋としての大地での「絶対的」な脱-領土性の諸体験を経て、やがて廃都アテネへと戻り、あのアテネ全盛時代と人類史上初の「哲学」の創造という「再-領土化」、あるいはむしろ「真-領土化」を、成果させるにいたった。「ギリシャ人たちの独創性（originalité）は、相対的なもの（le relatif）と絶対的なもの（l'absolu）の関係のなかに求めなければならない。相対的な脱-領土化は〔帝国的国家化にもつながりうるが〕それ自体で水平〔平等〕志向（horizontale）〔……〕であるとき、絶対的な脱-領土化（動）と重合（*se conjugue*. 原文イタ強調）し、後者が〔……〕前者の諸運動（mouvements）

を変形（transformant）させつつ絶対的な境域（l'absolu）へと推し進め（pousse）ていく」（QPh. p. 86）。実のところ、アテネとギリシャを、先にもすこしく触れたように、簡単に同一視してはならない。アテネは、北方由来のギリシャ・イオニア人たちと先住地中海民族との社会的融合が旨く進み、あの優美なイオニア建築装飾が象徴するように、上記の全盛期も、あの有名な民主主義体制も、そして我らが哲学も、そこから結実しえたが、同じギリシャでも、スパルタも、ミュケナイも、テーベでさえも、哲学も民主主義も産みはしなかった。その前提のもとでしか、このドゥルーズ＝ガタリのギリシャ讃美も黙って首肯することはできない。

④とはいえ、アテネ・ギリシャ軍がサラミスの海戦でペルシャ帝国軍を撃破し、ギリシャ諸都市国家連合軍が総力を挙げてペルシャ帝国軍を追放し、大帝国に対する自律の体制を再建したこと、「脱‐領土化」からその「相対化」の途を選ばず、上記の「絶対化」の途を取って「再‐領土化」を目途（もくと）したことは、程度の如何は別として、事実である。ここに、国内の僭主政への危険をも廃嫡し、外来人たちの来住をも許容しての、いわゆる古代ギリシャ民主制が開礎・創設される。先に引用した一文、二つの〔……〕を施した文、この〔……〕内には、あの、われわれのここでの主題である「内在平面」の語が留保されていたのだが、後者を解除すれば、こうである。「ギリシャ人たちの独創性は、相対的なものと絶対的なものの関係にこそ求められなければならない。相対的な脱‐領土化はそれ自体で水平〔平等〕志向で〔超越的な再‐領土化を求めることなき〕内在性を自恃する（immanente）とき、内在平面（plan d'immanence）レヴェルの絶対的な脱‐領土化（動）と重なり、後者が前者の諸運動を（〔……〕へと）変容させることによって、絶対境域へと無限に推し進めていく。」「ギリシャ人たちはひとつの絶対的な内在平面（un plan d'immanence absolu）を創出（invente）した。」「〔そして〕内在態（immanence）は〔相対と絶対との、領土化・脱‐領土化・再‐領土化（動）と大地（動）との〕二重態（redoublée）〔二元異質‐複相性、相反‐相伴態〕なのである」（QPh. p. 86）。また一つ〔……〕を残した。ここ

には、哲学と民主制を支える、ギリシャ・アテネの創出した三要素（QPh. p. 84, 86）が示されている。（a）主従・上下・支配‐被支配なき水平・開放の社会性（sociabilité）・社会環境（milieu）・社会的‐中庸性（mi-lieu）、（b）信仰・崇拝・盲従・服従なき水平・開放・平等・同等性の友愛（amitié）関係、（c）命令・強制・黙従なき発言・意見（opinion）の尊重。大切なのは、これらがまた、哲学・民主制以上に、ギリシャ・アテネ「市民」たちの共通了解、つまり「内在平面」を構成していたということである。

（iii）われわれの目下の問題意識の冒頭で、ドゥルーズ＝ガタリは「哲学は三度、再‐領土化する。過去に関してはギリシャ人たちのうえに、現在に関しては民主主義国家のうえに、未来に関しては新しい民衆と新しい大地のうえに。ギリシャ人たちとデモクラシーはこの未来の鏡のなかで独自に自己変容していく」（QPh. p. 106）と記していた。そして、われわれはここにドゥルーズ＝ガタリの、あるいは両人がわれわれ今日の人類に提案する、哲学的方位をみた。目下は「過去に関して」の「ギリシャ」論が主題で、他の二つ（「現在」と「未来」）については今後の考察を十分に考量しなければならないわけだが、しかし、いまからでも少しずつ追考を始めていこう。なお、ドゥルーズ＝ガタリ思想は「内在」論で、なんらかの超越的なものを基準・規範・参照系として、という発想は避ける。実際には、既述の「俯瞰」論議や後述の「ユートピア」観念にそれが入り込んでくるが、方針としては避ける。ために、通例は「古代ギリシャを範例・参照系として、そのもとに（sous）」ともいいうるところを、「〜のうえに、〜の事例のうえに（sur）」といったあの地成・成層・地層（géologique, généologique, stratification）学的な言い回しとなる。細事に見えるが重要なことなので注意しよう。

①さて、古代アテネ・ギリシャは、敗北としての相対的・脱‐領土化と絶対的・脱‐領土化としての大地（海洋）の二重異質‐複相性（redoublée）のうえに民主制‐都市国家としてのひとつの絶対的・再‐領土化態を創設し、それを「内在平面」としてあの全盛期アテネ文明を実働化した。

②これに関して、ドゥルーズ＝ガタリはいう。（なかなか豊かで興味深い対比考察で、われわれの後注①〜⑥も付す。各位も御一考あれ。）「ギリシャ人たちはたしかに、〔対ペルシャ戦‐勝利の〕熱狂と陶酔のなかで構築した内在平面を有していた。しかし、〔あの抽象的な〕東洋〔オリエント〕的形象〔後注①〕に落ち込まないためには、どのような概念によってそれを充たす（remplir）べきなのか、問わなければならなかった。他方、われわれ西欧人は幾世紀にもわたる思惟の積み重ねを経て、さまざまの概念を所有している、そう思い込んでいる。しかし、われわれは、キリスト教的‐超越に心的世界を奪われてきた（distraits）ため、真の（véritable）内在平面に欠け（manquons）〔後注②〕、それらの概念をどこに定位（mettre）させるべきか〔後注③〕よく判らずにいる（nous ne savons guère）。要するに、〔……〕、今日のわれわれは諸概念を所有するが、ギリシャ人たちはまだ所有していなかった〔後注④〕。彼らは〔ペルシャ帝国軍撃退による充足感という〕内在平面を所有していたが、われわれはもはや〔後注⑤〕所有していない（nous n'avons plus）〔後注⑥〕。プラトンのギリシャ人たちが概念を、なにかまだはるか彼方（très loin）、高所のもの（au-dessus）と観照（*contemplent*. 原文イタ）するに対し、われわれ概念を所有するものたちが、自らを内省（*réfléchir*. 原文イタ）すればすぐ手に入る生得観念のように〔それを〕精神のなか（dans）に所有している〔と思い込んでいる〕のも、そのためである」（QPh. p. 97）。

〔後注①〕　ここにいう〈Orient〉とは、古代オリエント（シュメール、エジプト、等）なのか、東・南アジア（支那・中国、インド、等）のそれなのか、それとも、……ドゥルーズ＝ガタリとて、やはり西欧人らしく、この語の使用が大雑把である。文脈からペルシャのことか、ともいいうる。しかし、ペルシャとて、ギリシャと相似て、もともと北方由来人種と原住民の混淆である。ここでの「形象」が、東アジアの卦や南アジアの曼陀羅に対応するゾロアスター教のアフラ・マツーダでもあるというのであれば、これは被‐支配側の宗教神で、しかも、それまで多少とも御利益祈願の対象であった宗教に、人類史上はじめて善悪・光闇の道徳観念を持ち込んだ（創造神以上に）救済神であり、たんなる（抽象的な）形象にとどまるものではなかった。たしかに、ギリシャに来襲したペルシャ帝国軍は支配者・為政者側の非‐宗教的行為であったろうが、彼らもこの宗教を否認・弾圧した形跡はない。

［後注②］　いわゆる中世一千年とその後のこれまでの近・現代も、である。大仰すぎて首肯しがたいが、いちおうドゥルーズ゠ガタリの見解としてそのまま受け取っておくほかない。

［後注③］　この指摘はそれなりに理解しうる。たとえば「人権」観念は、「キリスト教」的に人間を神による被造物とすれば簡単に可解的であるが、「神」「超越」「天地創造」等を捨象すれば、なにをもってその正当性を根拠づけうるのか、理解困難となり、根拠づけは個々の思想家や思考集団に任せるほかなくなる。

［後注④］　最近、興味深い事例に出会った。「人間の尊厳」をめぐるZoomシンポジウムで、カント研究者の加藤泰史氏が（近代的な）「尊厳」概念の哲学史的過去を推量して古典哲学では〈axis〉がほぼ該当するか、と発言し、ギリシャ哲学研究者の納富信留氏が、批判としてではなく、専門研究者からの説明・注釈として、「〈axis〉はギリシャ哲学では概念ではありません」と対応した。目下のわれわれのドゥルーズ゠ガタリはまさしく「概念」をめぐって議論している。右述の〈axis〉は、近代哲学・近代的「内在平面」での「尊厳」(Wurde, Dignitat)と同等の「概念」ではないとしても、そのギリシャ・ラテン的「内在平面」における対応態、「前‐概念」とは、いえるだろう。もっとも、重要なのは、ここでの議論上の正否ではなく、なにをもって「概念」とするか、の一般理論である。ドゥルーズ゠ガタリに関しては、上記もしたし、今後も最後まで注意深くフォローする。ここでは一点のみ確認しておけば、「概念」とは、両人の前著における「意味」[24]と相似て、三次元の事象よりも四次元での他の「概念」（「意味」）との相関・共立（con-sistance）において自己規定する思

念態（entité）で、佳き場合には膨大な人間たちに通有可能な言語次元の展開となるが、悪しき場合には現実事象から遊離する空転次元をも結果させる。古代ギリシャ世界、ここで念頭に置かれている古代アテネ市のような人口数万のしかも佳き教養人たちの小世界では、前者は必要なく、ただ、後者の悪弊を知る近現代人にとっては、概念なくして言葉と事象が一致しているギリシャ哲学界はある種の垂涎の的であった。哲学教科書的には、このことは、ギリシャ哲学においては「存在」と「価値」が一致しており、近代とくにその末期の近現代哲学においては「存在」と「価値」の忌まわしいまでの不一致が自覚されることになった、とされるあの事態の問題である。とまれ、ドゥルーズ＝ガタリのここでいう「ギリシャ人は概念をまだ所有していなかった」なる一見ネガティヴ評言のポジティヴ真意はここにある。なお、われわれ（筆者）のここでの一連の研究は〈praxiologie〉と副題しているが、これは〈praxis〉と〈axiologie〉の組み合わせである。後者は日本語としてはまだ使われていないが、筆者は仏国大学院で論文（These）準備過程中に幾度も提出する〈dissertations〉で〈ontologie〉との対比がなかなか佳いのでこの〈axiologie〉をよく用いたが、指導教授も別にネガティヴ反応は示さず、ためにおのずから筆者のものになった。

［後注⑤］「もはや（有していない）」とは、「ギリシャの終了以降は」の意味であろう。この後の記述から「まだ有していない」ともいえるはずである。「ギリシャ終了以降」「中世キリスト教時代以降」、さらには、前著『資本主義と分裂症』流にいえば、近代的自由が開礎するはずであった「真の内在平面」が「資本主義」によって簒奪されてしまってから「以降」、である。

［後注⑥］直接的には右述⑤の「真の充足感という内在平面」を「所有していない」ということ。具体的範例としては、例えば、「イデア」「善のイデア」、つまり近現代的には（「概念」というより）「理念」と呼ぶほうがより適切なものを、ということであろう。ところで、ドゥルーズ＝ガタリはプラトン『国家論』等ではあれほ

ど重要な「正義」問題にはまったく触れないが、プラトン・ギリシャ的「正義」は、これも「彼方」「高処」の「理念」であって「概念」ではないのか。ソクラテスの刑死の正当性如何が問題になっているというのに[25]……？

　注釈言辞が多くなってしまったが、ここでは、最終的には、一点のみ取り上げることにしよう。ドゥルーズ＝ガタリによれば、現代世界は「もはや」「まだ」、「真の内在平面」を所有していない。「古代アテネ・ギリシャの〈うえに〉それを所有する」には、では、どうすればよいか、……？『資本主義と分裂症』が提起し、一応の基本的解決を提案したあの問題が、われわれ自身の問題でもある。

　③古代ギリシャが現代に教示してくれるもう一つの要事は「大地」（terre, Terre）の重要性である。地理学上のギリシャは多くの細やかな海岸線と穏やかな起伏の内陸からなるさして大きくはない半島であり、哲学的思惟の精緻さを思い起こさせ（cf. QPh. pp. 83~84）はするが、「大地」の威容を示すものではない。むしろ現代のイランにあたるペルシャの側にこそ「大地」は予想されるだろう。しかし、ドゥルーズ＝ガタリのいう「大地」は、たんに空間的な広がりの延長態ではない。「領土化―脱‐領土化―再‐領土化」の動きがそのうえでなされる（延長態 extensio ならぬ、むしろ、あの潜勢動 virtuel とすらいわれる）「強度緊張態スパティウム」（tensio-spatium）（既述）である。ここでも、いう。「思考は主体と客体〔対象〕の間でなされるわけではない。思考は〔地成学的にいえば〕領土（territoire）と大地（terre）の間でなされる。フッサールは思考の土壌（sol）を不動のものとみなした。〔しかし〕大地（terre）はそれじたいで脱‐領土化の動きを絶えまなくおこなっているのであり、まさしくそれによってすべての領土（territoire）を超える（dépassé）。〔それじたいにおいて〕脱‐領土化する動きにして脱‐領土化される動きなのである。それは集団で自分たちの領土から離れていくものたち、海底で線状に動きはじめる伊勢エビたちや、天の逃走線に沿って飛翔する砂漠飛びバッタや鴫科の鳥たちの動きと絡み合う（se confond）。大地は多くの自然元素のなかのひとつではなく、それらの自然元素を一

か処に集め、そしてそのひとつひとつを使って領土を脱-領土化していく。脱-領土化の動きは領土の動きと、後者は後者で他の諸領土へと開かれているのであるから、切り離すことはできず、再-領土化のプロセスは領土を再投与（redonne）する大地の動きと切り離すことができない。領土と大地は、（領土から大地への）脱-領土化の動きと（大地から領土への）再-領土化の動きという二つの不可識別化（indiscernabilité）ゾーンとともに、二つの相互合成態（composantes）なのである。いずれが先かともいうことはできない。ギリシャは哲学者の領土（territoire du philosophe）にして哲学の大地（terre de la philosophie）である」（QPh. p. 82）。

先に、われわれは、サラミス湾への脱-領土化のなかに国境なき海洋としての大地と絶対的な（つまり、大地のうえにこそ成立する）再-領土化への出発点を見た。「脱-領土化は、〔その絶対性においてなされるとき〕、再-領土化を排除することなく、後者を来たるべき新たな大地の創造（création d'une nouvelle terre à venir）として定立する」（QPh. p. 85）。

現代西欧にとってこの「大地」とはなにか。十八世紀はフランスが大陸の覇者であり、十九世紀はイギリスが海洋の覇者であり、二十世紀はドイツが双方の覇者たろうとしたが、いずれも二つの「領土」レヴェルの（世界大戦といわれる）（欧州）内戦によって自壊した。これからの西欧と世界にとって、この「真の大地」と「来たるべき新たな大地」の如何が、古代ギリシャの「うえ」に、問われなければならない。

④現代西欧あるいは現代世界が然るべき、新たな、あるいははじめての「内在平面」を開礎し、「新たな大地」を伴うなんらかの「絶対的・再-領土化」を果たすには、もうひとつ、古代ギリシャと近現代民主主義の「うえに」、「新たな来たるべき民衆（people）を来たらしめなければならない。「民衆」という（訳）語は、既述もしたように、「上から目線」の発想で佳くない。「人間（たち）」とでも記すようにしよう。他方、「内在」とは「超越」の排除を意味するが、しかし、いましがたの「相対的」と「絶対的」の差異と接合（二重-複相、

相反‐相伴）に準ずるかたちで、これまでに何度も論じてきた、意識に対する無意識、現勢に対する潜勢、c動に対するt動、molレヴェルに対するmolé レヴェル、……コギトに対する分裂・裂開コギト、Sに対する♀、……等も考量して、「内在」に対する（「超越」transcendance とは反対側に）「降越」（transdescendance）、というより、むしろ、「内在」の裡に、「降越」レヴェルというものを考えておく必要があるようにも思われる。また、さらに、「海洋」や「大地」が「相対的」な「国境」の解消を含意するものであるとすれば、ギリシャ・アテネは、サラミス湾への脱‐領土化以前に、すでに、北方より脱‐領土化してきた人間群と、アテネ・アッティカでそれ受け容れるために脱‐領土化をはかった先住地中海民族の間の、相互織成（既述）の成果であった。こう確認しながら言おうとしているのは、こういうことである。「来たるべき新たな人間たち」が何を意味しているか、それはこれまでも何度か示唆してきたし、今後も可能なかぎり決定的な定義に向かって考察していくが、とりあえず、ここでの思考範域で試答しておけば、それは、ドゥルーズ＝ガタリの今回のこの著作（一九九一年）の時期にはさほど重大化していなかったが、その後の特にEUにとって重大化してきた、あの移民問題の創造的解決によって成立してくるような人類ということになるのではないか、ということである。そのようにして成立してくる単一であれ複数であれ、その「絶対的な再‐領土化」への行程を、ドゥルーズ＝ガタリのこの差異と多様性と生起の哲学は、上手く、つまりその諸困難や破壊的諸要素を克服していくかたちで、想定・創定できるであろうか。これまでの諸概念をもってその道筋を粗描することも不可能ではないが、机上の空論になる危険も大きく、自制せざるをえない。とまれ、この方向に、ひとつの大きな試金石があることになる。

（3）哲学は、なぜ（古代）ギリシャに成立したのか？

だが、そのまえに、一般的にも、あるいは関係者のあいだでは、有名な、一～二の問題への両人の対応を見ておかなければならない。まず、なぜ、（古代）ギリシャで哲学は成立することになったのか、という、あの問題である。既述のところにも、両人の回答は含まれ示唆されているといえるが、どちらかというと相対的・脱‐領土化→絶対的・脱‐領土化（大地化）→絶対的・再‐領土化という、いわば地成学的‐構造論の問題であった。なぜ、ギリシャで……？　のいわば地成学的‐歴史的発生論の問題は、とりあえず抜け落ちていた。実際、後者に関しては、有名な二つの回答がある。①ひとつは、先述のルナン以前に未刊行のヘーゲルの哲学史講義が、ギリシャ人は他の古代諸文明と違って「精神の自由」というものを知っていたので、「客観性」なるものを定立することができた。哲学・諸学の成立は、そこに由来する、と（QPh. p. 90）。動植物も（精神性に欠ける）人間たちも、自らの（主観的）我欲という非（不）‐自由の函数において事象にかかわり、事象そのものを事象そのものとして（客観的に）尊重することができない。古代諸文明はいかに巨大であっても人間たちの主観的我欲の所産であり、ギリシャ人はその例外であった、と。②もうひとつは、ハイデガーのギリシャ理解（ibid.）で、ソクラテス・プラトン以後のいわゆる古典ギリシャ哲学ではなく、それに先立つ最初の、それゆえ至純のギリシャ思惟、自由の気風のあった植民地イオニア地域の思索者たちは、人間であれ事物・世界・宇宙であれイデアであれ、およそ存在しているもの（存在者、étant, existence, Seiende, Was-sein）が（無ではなく）存在しているということ（Daß-sein, Sein-selbst, Être）の不思議さに関心を抱き、ヘーゲル流の「客観」ではなく、「客観」も「主観」も含めた一切の「存在者」たちが「存在している」（ということ。〈Daß-sein〉）、その不思議さを解明しようと思索しはじめたところに、他の古代諸文明と異なる、古代ギリシャの独自性と「哲学」の成立の原点があった、とした。

　ところで、これに対して、ドゥルーズ＝ガタリは、ヘーゲルではギリシャ人における「客観」と「主観」の関係の考察が不十分（現代哲学では「客観」は「主観」による「客観化・対象化」の所産にすぎず、ドゥルーズ＝ガタリでは既述のとおり「主観」すら「被‐主観化」の所産にすぎないと、されうる）（cf. QPh. p. 90）、ハイデガーではギリシャ人の「存在」への関わりの分節化（« articuler »）が不十分（既述の論脈に乗せて簡述すれば、ギリシャ思惟は〈Daß-sein〉を求めていながら〈Was-sein〉（自然的‐元素、等）レヴェルで応えている、と批判しながら、ハイデガーは、ドゥルーズ＝ガタリら現代思想の指摘するように、前者（Daß-sein）の分裂・裂開的な「シミュラクル」性にまで思惟が達していない）（cf. QPh. p. 91）、とし、目下の主題に関しては、両人（ヘーゲルとハイデガー）とも（common）「ギリシャと哲学の関係」を「西欧（Occident）の内的歴史の起源（origine）・出発点（point de départ）」（QPh. p. 91）、前者（Occident）は後者（Grece）からの「必然的」（nécessaire）（ibid.）帰結、とする、「歴史主義」（historicistes）（ibid.）に内閉している、と指摘する。

　では、ドゥルーズ＝ガタリ自身はどのような立脚点にあるのか。まず、著名な同時代の歴史学者F・ブローデルの〈géo-histoire〉に準じて、〈géo-philosophie〉と自称する（QPh. p. 91）。前者は「歴史地理学」と邦訳されるが、後者は「哲学地理学」や「地理哲学」とは邦訳せずに、われわれは既述のように「地成哲学」と（仮）称しよう。さて、ドゥルーズ＝ガタリの主張によれば、〈géo-〉（地の）は、たんに「歴史」「哲学」という「形式・形相」（forme）の〈matière〉（材料、内容。ibid.）を提供するのでなく、「心的情景」（mental, paysage）（QPh. pp. 91~92.「内在平面」と同じか？）を含意する。別言すれば、「地成学」（géo-philosophie, géo-logie, généologie）は、「歴史から必然性（nécessité）を抜き去ることによって、偶有性（contingence）の還元不可能さ（irréductibilité）を顕わにし」、「ニーチェがギリシャに見たように」、「歴史から起源（origines）礼拝を抜き去ることによって、〈最中（さなか）〉（« milieu »）の力の横溢を肯定し」、「構造（structures）を抜き去ることによって、ギリシャ世界から中世を貫く逃走線（lignes de fuite.〔既述〕）を開拓し」、要するに「歴史（histoire）から歴史を抜き去って、生成（devenirs）を開披（découvrir）する。」（QPh. p. 92）「〈生成〉は歴史に属さない。」

(ibid.) それは「何か新しいものを創り (créer quelques choses de nouveau)」(QPh. p. 92)「諸概念の予見不可能な創出」(QPh. p. 91) を出来させる。「生起 (événements) は非‐歴史的 (un élément non-historique) な要素・境域として生成 (devenir) を必要とするのだ。」(QPh. p. 92)「恩寵の瞬間、とニーチェはいっている」(ibid.)。この最後の二つの引用文は、既述の「生起が生成を投与・創出する」に矛盾せず、同一のことを語っており、ドゥルーズ＝ガタリ思想の核心の核心を言表し、「恩寵」とは「超越」を感じさせるが、ニーチェ的には、かの有名な「影なき正午の一瞬」(太陽が中天にさしかかり、万物の影が消失する一瞬) と同じく、ドゥルーズ＝ガタリの「俯瞰動(飛翔動)」(survol) に対応する。かくて、ここでのひとつの結語は、こうなる。「なぜ、哲学はギリシャで、このような瞬間を得たのか?」(QPh. p. 93)「哲学がギリシャで出現したのは、なんらかの必然性 (une nécessité) によってというより、むしろ (plutôt) ひとつの偶有性 (une contingence) によって、なんらかの起源 (une origine) があったことによってではなく、その最盛期 (milieu)〔の横溢する力〕によって、歴史によってではなく、ひとつの生成によって、ひとつの歴誌学 (historiographie)〔たとえば、ヘロドトスの『歴史』を考えよ〕によってではなく、ひとつの地誌〔地成〕学 (géographie)〔ストラボンの『地理学』ではあるまい。大帝国ペルシャに対する一都市国家アテネとサラミス湾の記念碑的な意義への想いは強い。われわれ(筆者) はそれゆえ〈généologie〉と既述のところで造語した〕によって、自然 (nature) によってではなく、ひとつの恩寵 (grâce) によって、なのである」(QPh. p. 92)。

　ヘーゲル、ハイデガー、さらにフッサールらが、「哲学」のギリシャ「起源」、そこからの西欧史的‐「必然性」を高言するとき、ドゥルーズ＝ガタリというこの二人の現代思想家は、そこに西欧中心主義・西欧至高主義の先入主・イデオロギーを見た。両人が「哲学⇅ギリシャ」の「偶有性・偶然性」を強調するのは、哲学が、今後とも、同様・他様の地成学的‐活力状況 (milieu) の (反復というより) 反覆によって、然るべく、新生、生起、生成、開起、成起、開展、展開する、大地・海洋・宇宙を、想定するがゆえのものである。

(4)「資本主義は、なぜ、西欧で?」と「哲学は、なぜ、ギリシャで?」

哲学はなぜ古代ギリシャで? という問題は、両人はM・ウェーバー見解(一九二〇年)などにはまったく触れないが、同時代(一九七〇年代〜)ブローデル等の、資本主義はなぜ西欧で? 問題に対応している。ただし、純粋に経済・社会問題としては、マルクスによる問題提示とE・バラーシュ『中国文明と官僚制』(一九七一年)への小さな言及があるのみである。「マルクスは富と労働の商品価値としての出会いのうえに資本主義の成立を指摘した。なぜ、資本主義は、三世紀あるいは八世紀の支那ではなく、西欧で? それは、東洋が両要素〔富と労働〕を商品価値にまで還元しなかったに対し、西欧は長期間をかけてその還元を現実化したからである」(QPh. p. 94. 簡潔化のため取意訳)。つづくイタリック体の一行がわれわれには重要である。「〔かくて〕ただ西欧のみが、自らの内在平面(*ses foyers d'immanence*)を拡大・遍在化(*etend et propage*)させるにいたる」(ibid.)。この「内在平面の展開」としてのかぎりにおいて、古代ギリシャと近現代西欧の類同性と反立性が指摘される。

①類同性。「資本主義は、〔中世キリスト教時代を越えて〕、その経済、政治、社会的な基盤のうえに、ギリシャ的世界を再活性化する。新しきアテネである。資本主義的人間とは〔マルクスのいう〕ロビンソン・クルーソーではなく、ユリシーズ、大都市在住で小才のよく効く中クラス人間である。」(QPh. p. 94)「資本主義の世界市場は地の果てまで拡大していく。〔……〕古代〔後期?〕ギリシャ〔アテネ?〕の野望(tentative)に準じてではないが、その、別の形態、別の方法での、前代未聞の規模での再開(reprise)として。かつて〔後期?〕ギリシャ〔アテネ?〕がイニシアティヴをとったデモクラシーと帝国主義の結合の、民主主義的-帝国

主義（impérialisme démocratique）、植民地主義的‐民主主義（démocratie colonisatrice）、の再開（relancer）として。ヨーロッパ人とは、それゆえ社会心理的タイプの一ではなく、かつてギリシャ人たちが自恃した、しかし、彼ら以上により広闊な力と使命意志をもつ〈〔普遍的〕人間〉（Homme）として、自己規定することになる。」（QPh. p. 53）「近代哲学と資本主義の関係は、〔……〕古代哲学とギリシャの関係と、同じ種類のものである。絶対的‐内在平面と、これまた内在平面によって展開する相対的‐社会場の連結である」（QPh. p. 94）。ユリシーズが「狡猾（rusé）な平民（plébéien）」であるか、そういうユリシーズが「広闊（expansive）な力と使命意志をもつ〈〔普遍的〕人間〉（Homme）」と同じであるのか違うのか、よく判らないが、「規模」の大小は別にしてのギリシャ港湾都市国家と近代国民国家のこの対比は、なかなか精彩がある。ただし、ここでも、「ギリシャからヨーロッパへの、キリスト教中世を間においての、必然的な連続性（continuité nésessaire）があるということではない。一個の同一の偶有的（contingent）プロセスの、別々の諸与件を踏まえての、偶有的な再開（recommencement contingent）がある」（QPh. p. 94）ということである。

②反立性。とはいえ、古代ギリシャ（の一都市国家）の活動が今日の資本主義の展開に重なるところがあるといっても、それは後者をそのまま是認するということにはならない。規模の大きさが悪弊を露わにするということもある。「資本の巨大な相対的運動は、不断の脱‐領土動をおこなうことによって、ヨーロッパの他の諸民族への支配力とそれらの民族のヨーロッパ的・再‐領土化を確実なものとするためにこそなされる」（QPh. p. 94）ということがありうる。それゆえ、こうもいわなければならない。「近現代哲学の救い（salut）は、古代哲学が古代都市国家の従僕（amie.〔擁護者〕）ではなかった、それ以上に、資本主義の従僕（〔同〕）ではない、ということである」（QPh. p. 95）。なぜなら、「近現代哲学は、資本の相対的・脱‐領土化動を絶対の域にまで押し進め、内在平面の無限運動たらしめると同時に、〔それ、前者を〕内的限界たるだけに制圧すること

を通じて、自己背反させ（*le retourne contre soi.* 原文イタ強調）、ひとつの新しい大地、新しい人間群へと、向かわせる（*en appeler à une nouvelle terre, à un nouveau people.* 原文イタ強調）、そうすることによって、コミュニケーションも、交換も、合意も、意見言表も、そこでは自己無化（s'néantissent）する、非‐言表的命題のかたちを取った概念（forme non propositionelle du concept）へと、到達させるからである」（QPh. p. 95）。末尾の諸行はアドルノの「否定弁証法」からの借用らしく（ibid.）、「無化」（s'anéantir）ほか、上記のドゥルーズ＝ガタリ追考では準備するいとまのなかった語彙も入り込んでいるが、さほど拘泥することなく、理解可能であろう。「概念」（concept）が、最終的には、「言語的命題なき」（non propositionelle）、あの「無底の根源生起」への〈cipio〉であるとは、まさしくあの「意志的直観」（intuition volitive）[26]を想起させるが、とまれ、ドゥルーズ＝ガタリに決定的な言語論がない以上、迂闊な自己矛盾言表の類いではない。

③創出性。近現代西欧あるいは現代西欧は、こうして、古代ギリシャからの（必然的反復ならぬ）「偶有的反覆」を通じて、「別の諸与件」（既述）のもとに、「新たな」歩みをはじめることになるが、ここではドゥルーズ＝ガタリ思想の実践論的総括とは別に、目下の対‐古代ギリシャ関係論の範域内で、一〜二点のみ、整理しておこう。

（a）ひとつは、「新しい人間群（peoples）に向かう」とは、先にも少し触れたように、やはり、今日重大化・深刻化しつつある移民問題――実際、目下（二〇二一年段階）、アメリカ副大統領府でも、この問題をめぐって危うい諸亀裂が奔（はし）っている――にかかわるということである。近代革命思想にとってのプロレタリアート、現代哲学の課題の一としての、大量移民問題。「土着のプロレタリアートか、異国からの移民群か。彼らが無限運動のなかに身を投じはじめる。資本主義を貫いて、ひとつの叫びではなく、二つの叫びが、響く。万国の移民たちよ、団結せよ。万国のプロレタリアートよ、……。西欧の二つの極、アメリカとロシア、プラグマティズムと社会主義が、ユリシーズ〔既述〕の帰還を演出する。新たな兄弟（frères）たちあるいは僚友（camarades）たちの新たな社会（nouvelle société）が、ギリシャの夢（rêve grec）を再開（reprend）し、〈デモクラシーの尊厳〉（« dignité démocratique »）を再構築（reconstitue）する」（QPh. pp. 94~95. 趣旨明確化のため一部取意訳）。三十年後の今日では「ロシア」と「社会主義」ではなく「中国」と既述の「超越的・専制帝国的‐資本主義」ということになるかもしれないが、大した違いはない。西欧にとって、あるいはわれわれ哲学徒にとって、重要なのは、「〈ギリシャの夢〉の再開」と「〈デモクラシーの尊厳〉の再構築」である。

（b）移民たち＝異民たちから成る社会、とは厄介で、ドゥルーズ＝ガタリは、国境廃止論者でもなければ、EU派でも反EU派でもなく、この種の社会の具体的な細目を伴う提案もないが、哲学思想には相応しく原理論的な示唆はあり、今日良識の「コミュニケーション」論、「共同‐主観」論、「我と汝」論、「人格共同体」論、〈plébéien〉根性丸出しの付和雷同・ハイエナ流‐共謀主義、……等とは、たしかに一味違うものを見せている。この「生成」（devenir）哲学は、「種子から果実」への（同一性の）生成ではなく、（人間から）「動物への生成」、（マジョリティから）「マイノリティへの生成」、（「男」から）「女性・子供への生成」、（復讐船長エイハブから）「モービー・ディックへの生成」、要するに（多くは既述の）「同から異への生成」、……の哲学であり、しかも、前著の分子生物学関連の記述[27]で見たように、「同」がそのまま「異」に変容するのではなく、「同」が分子・微分レヴェルへと自己分解・自己差異化し、「異」もまた同様に自己分解・自己差異化（自己反覆化）し、両者の相互織成において、それこそ見えざるかたちで、一方から他方への、他方から一方への、変容が成される。目下の「移（異）民‐兄弟‐社会」についても、たんなる、あるいは、およそありえない、移民との、あるいは、移民と移民との、一体化ではなく、おのおのの分子論的‐自己分解・自己差異化を通じての共立・共存・協成・協律（con-sistance）が前提・含意されている。いう。「ひとは動物に成る、動物もまた他のものに成って、動物であるがゆえに味わわなければならない苦から解放されるように、と。一匹の鼠の苦痛、これから食用に殺される仔牛の不安、それらがわれわれの脳裡に残るのは、憐憫からではない。人間と動物の間の交流ゾーン（zone d'échange）、なにものかが一方から他方へと移っていく、その交わりの場としてである。それは哲学と非-哲学の関係を構成する場でもある。生成はつねに二重（double.〔先述〈redoublée〉〈Zwiefältigkeit〉参照〕）であり、そして、この二重性こそが、来たるべき人間群と新しい大地を構成する。哲学は、非-哲学が哲学の大地と人間群になるためには、非-哲学にならなければならない。」「人間群〔民衆〕である（être-peuple）ではなく、〈人間群〔民衆〕へと生成する〉（devenir-peuple）というかぎりにおいて人間群〔民衆〕なのであるから、思惟するものの思惟のなかに有り、思惟するものも、同様の未定の漠然たる生成として、人間群〔民衆〕のなかに有る。」「芸術家も哲学者も、たしかにあれこれの人間群を創造（créer）することはできず、全力を挙げて彼らを呼び迎える（appeler）ということしかできない。〔他方〕、真正の人間群も、また、数々のおぞましい苦患（souffrances abominables）のなかでしか自己創造（se créer）されえない。〔……〕とはいえ、哲学書と芸術作品もまた想像を超える量（somme inimaginable）の苦患（souffrances）を内包しているのであり、それらが真正の人間群の到来（avènement.〔cf. avenir, 未来〕）を予感せしめる。両者のいずれも、抵抗（resister）の力、死（mort）への、隷従（servitude）への、不寛容（intolérable）への、恥辱（honte）への、現状（présent）への、抵抗の力を共有しているのだ。」「脱-領土化動と再-領土化動は、〔こうして〕二重生成（double devenir）のなかで交錯しあう」（QPh. p. 105. 傍点、引用者）。〈people〉は型どおり「民衆」と訳すほうが、これらの文は判りやすくなったかもしれない。しかし、われわれ（筆者）は、翻訳者ではなく、理解の努力をしている研究者にすぎないのであるから、このままにしておこう。なお、ドゥルーズはどこかで、「A・マルローは、〈芸術とは死への抵抗である〉、といったが、これも一個の立派な概念

(concept)である」と述べている。〈people〉を「民衆」と訳すことへの「抵抗」も、ひとつの概念であるといってよい。とまれ、「異」と「異」は、分子レヴェルへの自己分解・自己差異化を「プロセス」して、「存立・成存(consistance)」論的-「共立・協成」(con-sistance)の「実働化」(réelisation)へと達することになる。

第六節　内在平面とカント的-革命

内在平面論を古代ギリシャから近現代資本主義社会までたどって、現未来世界の問題のひとつ(唯一、ではない)に到達した。そろそろ「歴史」を脱去(既述)して「生起・生成」の現在へと立ち戻らなければならない。

「世界兄弟たちの新しい社会」とはかつての空想社会主義の「ユートピア」だが、ドゥルーズ゠ガタリは悪くはいわない。周知のとおり、ユートピアは〈ού, τόπος〉で、英訳では〈no-where〉(どこにも無いところ)、有名なバトラー変換で〈Erewhon〉(理想郷エレフォン国)だが、ドゥルーズ゠ガタリは、彼らが最初の指摘者か、他に出典があるのか、判らないが、〈Now-here〉(いま、此処)(QPh. p. 96)の現実性(réel)(ibid.)と解する。「ユートピア社会主義と科学的社会主義の区別など重要ではない。さまざまの種類のユートピア思想があり、革命はそのひとつなのである。(哲学においてと同じく)ユートピア思想にはリスクがある。超越を復権させ、ときにはそれを厚かましく顕揚するという、それだ。それゆえ、権威主義的な超越のユートピアと、自由尊重で、革命的で、内在的なユートピアをこそ、区別しなければならない。ただし、まさしくここで、革命はそれじたい内在性のユートピアであると言明することは、革命などひとつの夢、実現されないもの、実現されればかならず裏切るもの、と言表することではない。それどころか、それは、革命を、内在平面（plan d'immanence）、無限運動（mouvement infini）、絶対的‐俯瞰（survol absolu）、として定立することであり、それらの諸表徴を資本主義にたいする闘いにおける今・此処の現実性（réel ici et maintenant）と連結することであり、先立つ革命が裏切るや、そのたびごとに新たな闘いを再開することを含意する。ユートピアという語は、この哲学もしくは概念と現在・現実の状況との結合をこそ指し示しているのだ。〔……〕（ユートピアという語は、世の常識の一部がそれに付与している不全の意味ゆえ、最良の該当語ではないかもしれないが）」（ibid.）。

ドゥルーズ＝ガタリ思想を革命論とする解釈もあるが、彼らの前著はすでに「レーニン革命（révolution）」をも、ここでいう相対的な社会・歴史レヴェルの権力交代に止まるものとして、絶対的な「生起」（eventum tantum）への「回帰」（involution）による「再‐開展」（ré-volution）の立場から、否認していた。ここでは、後者が「カント的‐革命」とされ、われわれもこのほうが両人の実践思想により適合するように考える。後注による補足・説明を前提として、引用しよう。

「現代の二つの巨大な革命、アメリカ革命とソヴィエト革命が、あのように方向逸脱してしまった〔後注①〕とはいえ、革命概念が内在性の途〔後注②〕を突き進むことが禁じられるわけではない。カントが言うように、革命概念は、それが社会という必然的に相対的なレヴェルで遂行されうるからとて、そのレヴェルでの遂行方式〔後注③〕に本質があるわけではなく、それが絶対的‐内在平面〔後注④〕の裡で、いささかの合理性（rationnel）〔後注⑤〕も理性的なもの（raisonnable）〔後注⑥〕すらもなきままに、今・此処（ici-maintenant）でのひとつの無限性の発顕（une présentation de l'infini）〔後注⑦〕のように思惟されるとき、その〈熱狂〉（« enthousiasme »〔後注⑧〕）のなかにこそ、その真髄はある。革命概念は資本主義機構が課しつづけてきた

（あるいは、なにやら超越的なものとして立ち現れている［後注⑨］資本主義機構のもとで、内在平面が、自ら、自らに［後注⑩］課しつづけてきた）あらゆる制限［後注⑪］から内在平面を解放する。この熱狂のなかでは、感受者と行為者の区別よりも、行為そのものにおける歴史的ファクター（facteurs historiques）と〈非-歴史的な噴煙〉（nuée non-historique）［後注⑫］、事物の状態（état de choses）［後注⑬］と根源生起（événement）、その区別こそが肝要である。概念（concept）の名において、また、根源生起（événement）として、革命は自己参照系（auto-référentielle）［後注⑭］であり、自ら内在的熱狂（enthousiasme immanent）のなかに、事物の状態（état de choses）や生体験（le vécu）におけるなにものも、理性の幻滅（déception de la raison）［後注⑮］すらもが、それを軟弱化する（attenuer）ことなく、自らを捕縛されるがままに捕縛させる（se laisse appréhender）という自己定立性（auto-position）［後注⑯］を享受する。革命は絶対的・脱-領土化動（déterritorialisation absolue）であり、それが［後注⑰］新たな大地（nouvelle terre）、新たな人間群（nouveau people）を呼び寄せるに至るのである。」「絶対的・脱-領土化動は再-領土化動を伴わないわけではない。哲学は概念のうえに再-領土化する。概念は、物体ではなく、領土なのである。対象を持つではなく、［そのつど］ひとつの領土と成るのである」（QPh. pp. 96~97. 一部、取意訳）。

［後注①］　前著『資本主義と分裂症』流にいえば、ソヴィエト革命は「独裁君主機械-社会」に行き詰まり、アメリカ革命は「資本貨幣機械-社会」に行き詰まった、ということか。

［後注②］「内在性の途」とは、右記二つが「歴史-社会」の「相対的」レヴェルで進行したとすれば、（こちらは）より根源的な「大地」の「絶対的」レヴェルをも含めた、「重相性」（redoublée）（既述）の途、ということになる。両者合わせて「絶対的」という場合もある。

［後注③］「相対的」レヴェルでのたんなる政治権力の交代というケース。われわれとしては、旧「歴史-社

会」の破壊の局面を憂慮する。

［後注④］右記［後注②］の「重相性」の途のこと。

［後注⑤］〈rationnel〉とは、計量可能な合理性のこと。

［後注⑥］〈raisonnable〉とは、計量不可能なものも含めて、理性的に納得可能なもののこと。デリダの〈raison rationnelle〉と〈raison raisonnable〉については、筆者は別著『正義・法‐権利・脱‐構築――現代フランス実践思想研究』（二〇〇八年、二〇二〇年）で、苦肉の策として、「計量的‐合理性」と「合‐理性的・異殊考量‐理性」と訳し分けた。

［後注⑦］「無限性」とは通常は「超越神」のそれを考えるかもしれないが、ここドゥルーズ＝ガタリでは「内在平面の根源生起」のそれである。「無限運動」（mouvement infini）といわれることのほうが多い。

［後注⑧］思惟は合理的・合‐理性的であるばかりではない。ドゥルーズ＝ガタリでは、前著『資本主義と分裂症』のいうように、〈cogito schizo-phrénique〉（分裂・裂開的‐思惟）なるものもあった。「熱狂」のなかではそのような「思惟」が作動する。

［後注⑨］マルクスのいうように、資本主義機構による剰余価値産出は、実際は人間行為によるものであるにもかかわらず、機構そのものの所為であるかに見え、また、そうも主張され、「超越化・神秘化」される。

［後注⑩］「内在平面」だとて「歴史‐社会」レヴェルの機構に侵食されて、そのように盲目化することがあり うる。『資本主義と分裂症』では「第一巻 反オイディプス」にその言及がある。

［後注⑪］例えば、最終的には、経済利潤追求のための公理系、など。

［後注⑫］〈nuée〉とは天雲の一のように解されることが多いが、そう邦訳すると「超越」を導入すること

にもなりかねないので、ここでは、ドゥルーズ＝ガタリ流の「根源的-生起・生成・地成」論に合わせて、地理・地質学の〈nuée ardente〉（火山噴煙）の〈nuée〉を借用した。

〔後注⑬〕　上記の「相対」レヴェルとは、この「物（物象）の状態」に当たる。こういう場合、ハイデガーの「存在（そのもの）」に対する「存在者」レヴェルとすると、簡単に分けられる。まったく同じというわけではないが。

〔後注⑭〕　辞書的訳語はないようだが、内容的には、何か外的参照系に準拠して自己評定する・できる、のではなく、なんら既定の尺度なきままに、自己評定すること・できる力・能力。こういう場合、いわゆる「自己責任・自己引責」行為が主題になる。「革命」こそ「自己責任」において新たな客観的・普遍的-妥当の尺度を創設していくための行為であるが、多くの場合、逆の「無責任」の恣意的行為となり、その修正のためにはむしろもうひとつの革命が必要となる。ドゥルーズ＝ガタリら現代思想家たちのいう革命とは、上記の「アメリカ・ソヴィエト革命」に対するこの「もう一つの革命」である。

〔後注⑮〕　上記引用文のなかに、「先立つ革命が裏切るや、そのたびごとに新たな闘いを再開する」（QPh. p. 96）なる痛切な一行があった。「理性の幻滅」とは、そのことをいう。

〔後注⑯〕　「自らを捕縛されるがままに捕縛させるという自己定立」とは、「自己定立」の名などには値いしないなんともだらしのない有り方にみえるが、既述の、近代的主体に対する現代的主体が「被-主体化的-主体」であったように、これは「自らを内外から包囲する実在（réel）を受託しながらまさしく現実的な主体（sujet réel）として自らを構築していく」に該当する。既述の「分裂的・裂開的-コギト」も同様である。近代的な主体・コギトが、独りよがりな能作性を楽しんでいたとすれば、現代的な主体・コギトは、受作性をも受諾することによって、より成熟した新たな能作態として自己構築する。

［後注⑰］「絶対的・脱‐領土化動」は、「歴史‐社会」レヴェルの「相対的・脱‐領土化動」とともに、それ以上に、「大地」の、というより、「大地」という、「絶対的・脱‐領土化動」なのであるから、自ずから、「歴史‐社会」レヴェルの「再‐領土化動」をも、産出する。「自ずから」といったが、これは、むろん、「人為」と「原為」の重相的‐総合態（synthèse, œcumène, redoublée）の作動である。

第三章　哲学は、概念を、内在平面において、「概念人物」を介して、創造する

第一節　概念人物とは何か

歴史‐社会・相対化レヴェルの脱‐領土化動は、そのままでは帝国的‐再領土化動へと向かいうるが、それを避けるためには、前者は大地という絶対化レヴェルの脱‐領土化動を「吸収」(absorbe)・「吸着」(adsorbe)して自ら絶対化レヴェルの脱‐領土化動とならなければならない、とあった。われわれ流に簡述化すれば、これは、「人為」がそのままで進むか「原為」を「吸収」してもしくは「原為」に「吸着」して進むかの問題であるが、ドゥルーズ＝ガタリではこの地成学的な異次元・重相‐動態は実在界の多くの局面に見られた。あるいは、ドゥルーズ＝ガタリ的な実在界は全面的にこのような異次元・重相‐動態から成り立っているといってもよいくらいである。ここでその詳細・全容を多言することはしないが、これに関連する次の三点は、ドゥルーズ＝ガタリにそれとしての論述がないとしても、筆者による解釈として記しておきたい。①ドゥルーズ＝ガ

タリは、無意識界・分子界・潜勢界の動向を、常識的には認識不可能であるはずであるのに、見てきたように語り、われわれはこれをドゥルーズ＝ガタリにおける認識問題として、可能なかぎり両人のテクストを尊重しながら、推量（présumer, inférer）によって、認容（reconnaître）のかたちで、シミュレーション操作（simurer）によって、地図作成（cartograhier）のかたちで、ダイアグラム抽象（diagramme-abstraire）として、伝統的認識論に近づければ、意志的・創造的-直観（intuition volitive）、行為的直観（intuition en acte）によって、等々と理解してきた。②また、さまざまに相互に異質の諸実在動のあいだには、それらのあいだの差異・自己差異動を前提しながらも、たとえば、典型的には社会的・充足-欲求・機械動と根源的・産出-欲望・機械動のあいだ、歴史-社会的・脱-領土化動と大地的・脱-領土化動のあいだ、等には、いわばデカルト以来の、緊張・強度態から弛緩・延長態への、根源的生起から強度スパチウムを通って惰性的-現実態への、実在そのものの自己移行的・地成学的-動性を想定してきた。③しかし、同時にまた、①の「人為」的次元と②の「原為」的次元のあいだに、カント的な「先験的・超越論的-統覚」の営みにたいする「魂の奥底に作働する隠れたテクノロジー（un art caché, eine verborgene Kunst）」の、カントならぬ、まさしくドゥルーズ的な駆動性を見て、両者（①と②）の連関もはかってきた。さて、そこで、今度は、この①と②のあいだに③が「隠れた」かたちで働きかけている動態場である。われわれは以前から哲学者ドゥルーズ＝ガタリとともにこの動態場に立ち会ってきた。今回の「内在平面」論のこれまでの段階では、（古代）ギリシャ人や近代西欧諸国民のたちの「アジャンスマン」ともいうべき「集団心性」とともに立ち会ってきた。しかし、ここで、なんらかの「隠れた」主体のようなもの（cf. QPh. pp. 62~63）がこの動態場として立ち働いているような気がしないであろうか。すくなくとも、そのように仮想してみるほうが、この動的-実在界の理解に相応しいのではあるまいか。

こうして、ドゥルーズ＝ガタリのいう「概念」と「内在平面」と並ぶ第三項としての「概念的人物」

(personnage conceptuel)（QPh. p. 10, etc.）、多少簡略化して「概念人物」、の登場となる。「ニーチェは概念的思考を放棄したといわれるが、そういうことはない。多くの概念を創出し（〈力〉、〈価値〉、〈生成〉、〈生〉、〈ルサンチマン〉、〈疚しい意識〉）、新しい内在平面を開礎し（力への意志と永遠回帰の無限運動）、旧来の哲学思惟を転覆させた（真理への意志の批判）が、さらに、〔神話や宗教のいうディオニュソスやツァラトゥストラとは別の〕〈哲学者ツァラトゥストラ〉や〈十字架に架けられたディオニュソス〉や〈反キリスト〉のような〈概念人物〉たちを発明し世に送り出した」（cf. QPh. p. 63. 簡略化、意訳）。「概念人物」とは哲学者の発明するものとはいえ、その哲学者ならぬその哲学者が思考するその哲学思考と言表の「真の主体、活動態」（véritables sujets, vrais agents）（QPh. pp. 62~63）の謂いである。「経験的、心理的、社会的、な規定ではなく、いわんや抽象態などではなく、いわば、思考する者の思考の仲介者、結晶体、胚芽態」（QPh. p. 68）といってもよい。「存在者（être）ではなく生成態（devenir）。ニーチェがディオニュソスへと生成（devient）し、ディオニュソスがニーチェへと生成（devient）する」（QPh. p. 62）。初期著作のなかでわれわれが強調した、「非‐、反‐存在」(extra-être, non-existence）と「第四次元」としてのあの「存立、成存」(insister, consistance）概念が久しぶりに蘇ってくる。「概念人物は、哲学思想の抽象的擬人化でも象徴でもない。彼はそこで生き（vit）、存立・成存(insiste）する。〔彼の真にして純粋な哲学的‐主体・思考ぶりに比べれば〕哲学者のほうがその別名・異名・偽名（hétéronyme, pseudonyme, idiosyncrasie）にすぎない」（QPh. p. 62）。これはニーチェの独創・独断ではない。プラトンの「ソクラテス」も、クザヌスの「白痴」も、キェルケゴールの「信仰の騎士」も、メルヴィルの「船長エイハブ」も、同様であった（QPh. pp. 63~64, etc.）。

「概念人物」たちの活動について、二例のみ挙げておこう。

①「彼らの役割（rôle）は、〔メシアンの小鳥と同じように〕思考の諸領土を明らかにし、〔たんなる動物

本能的な縄張り操作を超えて」さまざまの絶対的な脱-領土化と再-領土化の動きを明示化することにある」(QPh. p. 67)。われわれがこの主題に入ったのは、相対的・歴史-社会レヴェルの脱-領土化動へと大地という絶対的・脱-領土化動を「吸収」するあるいは前者を後者に然るべく「吸着」させるには、「原為」や実在論的-純粋動態以外にどのような「人為」の主体的能作が介入すべきか、という問題意識からであった。

②より根源的・全面的には、彼らは、「内在平面」を開礎 (instaurent) し、そこへと到来 (avènement, à venir)・生成 (devenir) してくる無底 (sans fond) の根源的・差異生起-無限運動 (mouvements infinis des événements différentiels) を捉え (cipio)、あるいはそこから開披・奪取 (ouvrir, dévoiler) して諸・全-「概念」(concepts) を創出 (créer) し、……むろん、一回的にではなく、絶えず、不断に、ということだが、それが彼らの役割 (rôle) である。「概念人物と内在平面は御互いに御互いを前提しあって (présuppositions réciproques) いる。或るときは概念人物が内在平面に先行し、他のときは、内在平面が概念人物に先行する。概念人物は二度現われ、二度介入する。一方では、概念人物はカオスのなかに飛び込み、そこから諸規定を引っ張り出し、それをもって内在平面のダイアグラム特徴線を構成する。さながら、カオスの偶然のなかで一握りの骰子を奪い、卓上でそれらを投擲するかにように。他方では、彼は、骰子が落下するたびに、概念の強度線をそれに対応させ、概念が卓上のしかじかの場所を占めにくるよう按配する。あたかも卓上平面が落下骰子の黒点数に従って亀裂線を得ていくかのように。〔……〕概念人物は、それゆえ、カオスと内在平面のダイアグラム特徴線のあいだに介入するとともに、また内在平面とそれを埋めに来る諸概念のさまざまの強度線のあいだに介入することになる。〔……〕」(QPh. p. 73)。

いまは、概念人物の登場とその能作概要を示せばよいということで、引用はとりあえずここで中断する。

第二節　『イジチュール』『骰子一擲』——マラルメ問題をめぐって

読者の誰しもが考えるあるいは期待するのは、では、ドゥルーズ＝ガタリ自身における「概念人物」とはどのようなものか、ということであろう。

実のところ、明示・詳論はない。関連文脈の印象から判断すると、意外に関心の大きいＨ・メルヴィル『白鯨』のエイハブ船長や、フランス現代思想家の多くが注目するマラルメの哲学的‐寸劇『イジチュール』の主人公や、プラトンにおけるソクラテスに対応する哲学者スピノザ、……といったところかもしれない。しかし、アメリカ巨大海洋文学の概念人物エイハブをドゥルーズ＝ガタリのそれと見るのはいささか無理があろうし、プラトンにおけるソクラテスほどドゥルーズ＝ガタリ著作へのスピノザの登場は頻繁ではない。結局、まさしくフランスの栄誉のためにも（笑）、マラルメの概念人物を両人の概念人物でもあるように見なすのが最良であるように思われる。実は、右の引用文を中断したのも、『イジチュール』への言及がはじまったからであった。

『イジチュール』とはなにか。マラルメ研究者たちのあいだでは長年にわたる議論・論争の主題のひとつで、一般のひとびとに然るべく説明・紹介することは難しい。ただ、マラルメ青年期の文学的‐苦闘をハムレットを想わせるような青年イジチュールの或る日・或る時刻の或る振る舞いと死を通じて再考する、未完の幾つかの断片しか残っていない小さな哲学的‐寸劇であるとのみ確認して、あとは、ドゥルーズ＝ガタリに準じて

「イジチュール」なる名称の含意を追考するだけにとどめよう。

「イジチュール」とはラテン語の〈igitur〉のことで、マラルメ研究者のあいだでは、おおむね二つの意味を孕む。（ｉ）ひとつは、辞書にあるとおり、「①それゆえ、そこで、したがって、②かくて、かくのごとく、前述のように、③要するに、一言でいえば」であり、先立つ文章の文意と後続の文章の文意の連結を示す。（ii）もうひとつは、フランスの墓碑銘にみられる定型句〈ci-gît〉（ここに眠る）を読み取ることである。

ここから出発して、われわれの理解・解釈は後述するが、ドゥルーズ＝ガタリは、どうやら（ｉ）の側面にとどまる。「〈Igitur〉（原文イタ）とは、〔……〕内在平面に引き込まれた芸術的形像〔後述〕であり、〔……〕名称そのものがひとつの結合（conjonction）である。」（QPh. p. 65）「〔それが〕『イジチュール』（Igitur. 原文イタ）〔の思想なのである〕。」（QPh. p. 73）「諸概念は内在平面から自動的に帰結するわけではない。内在平面において諸概念を創出するには、概念人物が必要である。内在平面そのものを開礎するのに、〔概念人物が〕必要であると同じようにである。とはいえ、これら二つの操作はその概念人物のなかで融合してしまうわけではない。概念人物そのものが一個の別の操作者なのであるから。」（ibid.）「概念人物たちは、複数の内在平面を相互に区分したり接近させたりするさまざまの視点を構成する。と同時に、おのおのの内在平面が同一グループの諸概念によって充塡されるための諸条件をも構成する。思考はすべてひとつの〈発出・指令態〉（Fiat）なのであり、骰子一擲（un coup de dés）の構成行為なのである」（ibid.）。

上記の（ii）を（われわれが）指摘するのは、イジチュールが最終的には「地下廟の先祖たちの墓のうえで」「死する」からである。この場合、「先祖たち」とは、上記のところでは説明する余裕がなかったが、「旧き合理主義者たち」である。イジチュールが「彼らの墓の上で死ぬ」とは、彼が「旧き合理主義者たち」に敗北して、そこへと引き戻されることを意味する。別言すれば、イジチュールは「旧き合理主義」とは別の方向に向かいえたか、向かいつつあったのに、旧弊に屈した、ということである。

われわれの理解・解釈は、つまりこういうことだ。

（A）イジチュールは、ドゥルーズ＝ガタリがいうように、積極的な意味での〈conjonction〉（結合・連結）主体（上記）でありうるかもしれない。われわれはここでの議論へと「相対的・脱-領土化動と絶対的・脱-領土化動の吸収・吸着」関係を通じて入り、ドゥルーズ＝ガタリは「カオスと内在平面と概念」の「仲介」問題を明らかにした。われわれがこれまで何度も関説してきた異次元-重相態・複相態-形成・維持の典型的な二例への追加論議といってよい。ドゥルーズ＝ガタリはここで「ハイブリッド」（hybrides. 異殊-複合）なる語も初めて使い（QPh. p. 65）、今後とも利用可能だろう。

（B）しかし、他方、ラテン語「イジチュール」には、「①それゆえ、そこで、したがって、②かくて、かくのごとく、前言のように、③要するに、一言でいえば」なる原義があり、これは、御覧のとおり、先行する文意と後続する文意のあいだの、（反覆ではない）反復関係、（原因-結果の）因果律、（根拠と帰結の）根拠律、それらとしての必然性関係、結局は同一律、を前提的に孕んでいる。

（C）これに対しては、われわれのドゥルーズ＝ガタリの思想からは、（反復ならぬ）反覆、（必然性ならぬ）偶然性・偶有性、（根底なき）無・反・非-根拠律、要するに（同一律に対する）差異律、の境地を指摘・主張することができるだろう。（A）の異次元・ハイブリッド-複相-関係も、ここで成立・存立-可能である。ドゥルーズのいう（例えば、c／t、mol／molé、意識能作／無意識能作、現勢／潜勢、ロゴス／ドラマ、内在平面／概念人物、……等の）相互前提関係（présuppositions réciproques）、われわれのいう「相反-相伴」関係もである。

さて、そこで、マラルメの『イジチュール』を見るとき、青年イジチュールの「先祖たち」とは「合理主義者たち」ゆえ（B）の「種族」であり、その「墓」とはその「合理主義」の失効を意味し、そこでのイジチュールの「自死」とはその「合理主義」への「屈服」と「敗北」と解することができることになる。

だが、このことは単にネガティヴ事態を意味するのみではない。マラルメは詩人としての青年期の「苦境」、「書けない」という「不毛」性の苦境を乗り切ったからこそ、その後のこの「哲学的‐寸劇」（やその他の諸傑作）を「書けた」のであり、そのことによって後世の青年詩人たちに「理解困難だが、なぜか重要と思え、魅惑的」（ドゥルーズ＝ガタリ、既述）な主題を提起することになった。筆者は、以前、別著で[1]、（単なる合理主義的な）「思惟‐必然性」の域を脱開し、さりとて単なる「非・反‐合理の乱雑」に陥ることなく、（両者を超える）「詩惟‐必然性」の域に達するとき、あるいはその「境域」を「現勢化・実働化」（réelisation）するとき、「詩の名に値する詩」が成立すると記した。いわゆる、マラルメの〈un coup de dés〉（骰子一擲）も、常識的には「偶有性・偶然性」を成立させる行為にも見えるが、上記引用文のいうように「カオスのなかに飛び込み、偶有性‐カオスのなかで、骰子を握り、諸規定（déterminations）を引っ張り出すことによって内在平面のダイアグラム特徴線を開礎する」（QPh. p. 73）「骰子一擲は構成行為なのである」（ibid.）とあるように、ある種の人間的‐合理性の行為であり、「カオス」をもっとも積極的に上記「無限運動」と取れば、ここには「詩惟‐必然性」も成り立ちうるが、この引用文段階ではやはり「カオス」は常識のいう「混沌」にすぎず、「骰子一擲」が「思惟‐必然性」へと逸脱する可能性は十分残っている。マラルメ詩『骰子一擲』の副題のいう「（骰子一擲）偶然性を廃絶することなからん」（*Un coup de dés n'abolira pas le hasard*）は、この意味で、〈coup de dés〉の人間的‐合理性としての正体と限界を露呈するとともに、そして、こちらのほうが重要なのだが、「偶然性」の「排除」不可能性、というより、「偶然性」の受諾への当為、「偶然性」の開放への志向を含んでいることになる。「イジチュール」は、その「死」によって、マラルメの「詩惟‐必然性」と、ドゥルーズ＝ガタリ、さらには現代思惟一般の、「脱‐因果律、脱‐根拠律、脱‐論理的・科学的‐必然性、脱‐惰性的反復、脱‐同一律」から、「差異律、偶有性、反覆性、……」の顕揚と、「同一律、因果律、根拠律、必然性、……と、差異律、無底律、偶有性、……との相反・相伴的‐相互異質・複相性（ハイブリッド）」の荷担への途を、開くのである。

われわれはドゥルーズ＝ガタリにおける認識問題の理解に苦慮したが、ここにいう概念人物のたとえば「吸収・吸着」の営みが、われわれのいう「意志的直観・行為的直観」も具現しているといえるのかもしれない。

第三節　概念人物、行為と基準、創造と協律

既述の「中断」していたところに戻って再出発しよう。
われわれは「概念人物」の所為をもっと具体的に明確化したい。たとえば――
①概念人物は、どのように内在平面を開礎する・していくのか。概念人物は内在平面に先行的に存在して後者を後発的に開礎する・していくわけではない。概念人物は内在平面の開礎と同時進行的に、つまり、相互前提的（présupposition réciproque）に、成立していくのだ。とまれ、それはどのようにしてか。
②概念人物が内在平面を開礎しうるのは、内在平面の（ドゥルーズ＝ガタリ的な）本質をなす無限運動、われわれのいう無底の根源的生起・自己差異化動と、これも相互前提的に協働しあうことにおいてであるが、この「人為」と「原為」の協働作動、「そこに飛び込んでの構成行為」（上記）は、さらに詳しくいえば、どのようになされ・なされていくのであるか。別言すれば、われわれのそのつどの有限な固有性・独異性（singularité）

の貌を備えた内在平面は、どのように、（他のもろもろの独異性における内在平面をも成立させていくはずの）根源生起の無限運動から、「構成」されていくのであるか。概念人物はそこでどのように作動しているのであるか。

③概念人物は、内在平面と根源生起の無限運動とから、どのように、概念という、むろん無数のといえるおのおの有限・独異態であり、ついには当該‐内在平面から外み出て、他の多くの内在平面にも有意味的に通用していく現勢態を、（どのように）構成・創出し・していく、のであるか。概念という、少なくともその一面において有音・有形で「物的事象の状態」（既述）にも属しうる・属す事象を、どのようにして、内在平面・根源生起動という無形・無音の非・前‐物象態との「ハイブリッド」複相性において、構成・創出する・していくのか。「思惟の結晶体（cristaux）」（QPh. p. 68）なる発想もあるようだが、内在平面・根源生起動からの「概念」への原為・人為的‐結晶ということもありうるのか。その場合でのスタンダール的な?[2]「結晶化」の条件とは、どのようなものであるか。

実のところ、これらの問いへの直接の回答はない。しかし、問題の複雑さを示唆する諸文言はあり、それなりに有益である。

「思考するとは、ひとつの発出指令（un Fiat）であり、構成行為としての骰子一擲である。しかし、これがはなはだ複雑な動きなのである。〔この場合の〕投擲は可逆的無限運動から成り、しかも〔それらの無限運動が〕相互に一方から他方へと折り込まれる。それゆえ、投擲落下は無限速度において出来せざるをえず、それらの運動の強度座標に対応する多くの有限形態を創造していくことになる。〔かくて創造されていく〕概念はすべて先在などしていない〔初めて現出する〕一個の暗号のようなものである」（QPh. p. 73）。

「内在平面は無数に開礎され、そのおのおのが多様な変化曲面を生じさせ、概念人物たちの構成する視点によって相互にグループ化されたり分離されたりする。おのおのの概念人物は複数の特徴線を持ち、自らと同じ平面あるいは別の平面に、他の概念人物たちを生じさせる。概念人物たちの自己増殖・自己繁茂が成されることになる。ひとつの平面上にも無限数の概念が可能なのだが、それらは響き合い、相互接近して、多くの動的-架橋点を構成し、しかし、それらがさまざまの曲面変動に対応するかたちで採る進行形式は、予測可能ではない。それらの概念は突発的に自己創成し、絶えず自己分岐していく。それらの動きたるや、おのおのの平面上でのポジティヴな運動のなかにネガティヴな運動も無限に包み込まれているために、それだけますます複雑となる。ために、思考が対決しなければならない多くのリスクや危険が現出し、それらを取り巻いて擬-知覚や悪-感覚も出没する。不快な概念人物というものも登場する。好感のもてる概念人物にぴったりと貼りつき、後者が拭い落すにいたらない人物たちだ。(なにも、ツァラトゥストラばかりが〈彼自らの〉猿や道化に憑きまとわれているわけではない。ディオニュソスはキリストから訣別できず、ソクラテスも自らのうちなるソフィストと廃出するにいたらず、批判主義哲学者も、自らの分身たちと絡み合うことを止めることができない)。さらには、魅力的な概念のなかに、唾棄すべき概念が含まれていることもある。それらが平面上に低レヴェルの虚ろな強度領域を描き、魅力ある概念との邪縁を、断ち切り、分離・対立する、ということ決してしない。(〔既述もしたように〕超越概念そのものが、この種の〈それに固有の〉邪概念を含んでいなかったろうか?)。ともあれ、内在平面、概念人物、概念、は、それらの垂直関係においてよりも、よりいっそう、水平関係においても、区別標識が曖昧で、相互に隣接し合い、締め付けあい、折れ込みあっている。哲学するということは、それゆえ、絶えずそのつど〔それらの絡み合い・相互織成を、確たる意志と直観による決意をもって、揉みほぐしながら〕哲学するということなのである」(QPh. pp. 72~74. 取意訳部分あり)。

引用が長すぎたかもしれないが、概念人物、内在平面、概念、のすべてに目配りするためには、やむをえなかった。しかもこれは数すくない関係言及の二つである。

哲学するとは、要するに、われわれ流に判りやすくまとめ直してしまえば、われわれ「被-主体化的-主体」が、われわれがそのなかで生き・生活している「生起・生成」の「環境-世界」（mi-lieu）を、われわれのいわば意中の「ミクロ主体」（既述）である「概念人物」を通じて、「展望・俯瞰」（sur-vol）しながら、そここに「湧出・噴出」（sursit, jette）する見えざる無底の根源的-差異生起、その「無限運動」と「相互-異殊織成」しつつ、自らに固有の「内在平面」を「開礎・開展」させ、その内在平面と根源生起と自らの「行為的・意志的-直観」によって諸「概念」を創出し、それによって当初の環境-世界を「世界そのもの」ともいうべき「絶対的-再領土化動」へと「変革・刷新・創成」させていく、そのような「概念」の創造にある。

この、統一化・単一化ならぬ、差異・多様・散開の「ハイブリッド-総合態・複相態」（œcumènes hybrides）の創成を、ドゥルーズ＝ガタリはさらにふたつの発想をもって語る。

ひとつは、「哲学的-三位一体」（trinité philosophique）（QPh. p. 74）という纏め方である。（三位一体などという言表には、あの超越思想が憑依していないかともいえそうだが、小さな異論はせずにおこう。）「哲学は三つのエレメントを持つ。そのおのおのは他のふたつに呼応するが、それ自体においても尊重されなければならない。〔まず〕、哲学が開礎しなければならない前-哲学的-平面（*plan pré-philosophique*）（*immanence*. 内在平面）、〔次に〕、哲学が発明し活動させなければならない単数・複数の親-哲学的-人物（*personnages pro-philosophiques*）（*insistance*. 存立態。〔概念人物〕）、〔最後に〕哲学が創造しなければならない諸々の哲学概念（*concepts*〔*proto-?*〕*philosophiques*）（*consistence*. 成存態・恒存態・共立態。〔概念連関〕）。開礎（tracer.〔instaurer〕）する、発明（inventer）する、創造（créer）する、これが哲学的-三位一体である。〔……〕」（QPh. p. 74）。この文は、内容的には既述のところとほぼ同じで、とくに新しいものではない。

もうひとつは、上記のいう「三者の呼応」に該当するもので、これは、とくにわれわれには重要である。「いずれのエレメントも他の二つから導出されないのであるから、三エレメントの相互‐適合（co-adaptation）があるのでなければならない。われわれはこの種の相互‐適合にかかわる哲学的能力、諸概念の創造を律する（règle）能力（傍点、引用者。以下、同じ）を、〈goût〉（趣味センス）と呼ぶ」（QPh. p. 74）。われわれにとって重要といったのは、「概念の創造を律する」ものが「真理」ではないとすれば、そしてドゥルーズ＝ガタリはまさしく「真理」ではなく「注目を引くもの」（Remarquable）「関心を呼び起こすもの」（Intéressant）「重要なもの」（Important）（QPh. p. 80）がそれなのだと高言しているわけであるが、それは、結局、この〈goût〉（趣味センス）に適うものだということになるであろうからである。しかも、この種の発想はドゥルーズ＝ガタリばかりではない。大分以前の頁で紹介したように、ノーベル賞受賞者の利根川進氏は、独創的な発見・発明の鍵となるのは、「テイスト（taste）ですよ」と、天才（？）らしく論証なし（！）の断言をし、われわれのこの一連の研究の『序論』[3]で考察したカントの『判断力批判』は「美学的判断力」を「趣味判断」（Geschmacksurteil）からの超越論的還元によって導出し、両者に先立ってフランス語の「知」（savoir）は、刑事の嗅覚に対応するかの、思惟するものに特有の〈sapere〉覚（味覚的センス）に起源・立脚するものであった。

さて、ドゥルーズ＝ガタリは、いう。（これもやや長文の引用になるが、重要な部分ゆえ、御寛恕願う）。「内在平面の開礎・設計（trace）〔能作〕を〈理性〉（Raison）と呼び、概念人物たちの発明〔能作〕を〈想像力〉（Imagination）、諸概念の創造〔能作〕を〈悟性〔知性〕〉（Entendement）、と呼ぶとすれば、趣味センスは、いまだ未確定の概念、いまだ漠然たる薄明のなかの概念人物、いまだのっぺらぼうの内在平面、これら三重の〔未然〕能力として、立ち現れてくる。それゆえ、開礎（tracer）し、発明（inventer）し、創造（créer）

しなければならないが、趣味センスはこれら三つの本質において相異なる審級（instances）の相互照応の律法（règle de correspondance）〔傍点、引用者。以下、同じ〕の態をなす。それはたしかに決定尺度（mesure）の能力ではない。われわれは、内在平面を構成するあの無限運動、あの輪郭なき加速線分、あの傾きや曲面動態に、決定尺度など見出すことはないであろうし、おおむね異形で、ときには不快な、あの概念人物たちにも、また、あの形態不規則で、耳障りな強度を孕み、生ま生ましくかつ野蛮でそれゆえある種の〈嫌悪感〉（« dégoût »〔……〕をもよおさせうる色彩を伴う諸概念にも、決定尺度など見出すことはないだろう。だが、しかし、これらいずれの場合でも、哲学的趣味センス（goût philosophique）として立ち現れてくるものあり、それが佳くできた上出来概念（concept bien fait）への愛着というものなのであるが、ここで〈佳くできた〉とは、おとなしく収まる（modération）といったようなことではない。そうではなく、ある種の再開（relance）・転調（modulation）をもたらす概念ということで、概念としての活動の限界（limite）が、それ自身のなかにあるのではなく、他の二つの活動、つまりこれまたそれら自体においては限界（limite）を持たない内在平面・概念人物の開礎・発明、によってのみ制約（limite）を受ける、そのような〔相互前提的かつ相互適合的な関係にある、あるいは、そのような協律関係を構成する〕概念、ということである。もし、諸概念がすでに出来上がっている（tout fait）状態で先在（préexistaient）しているのであるとすれば、それらが〔後からくる諸概念の〕遵守すべき境界線（limites）を持つことになるだろう。しかし、〈前‐哲学的〉（pré-philosophique）な内在平面だとて、それがそう呼ばれるのは、それが開礎される以前から先行的に存在（préexisterait）しているからではなく、そう前提的（présupposé）に開礎されることによってはじめてそう呼ばれることになるにすぎない。三種の活動態は、厳密に同時生起的（simultanées.〔相互前提的〕）であり、不通約的な関係（rapports incommensurables）を持っているにすぎない。諸概念の創造は、それらが充填しにいくであろう内在平面以外の、他の制約は持たず、内在平面も、それ自身は無-制約的で、その内的地図は、これから創造しかつ共-適合させていかなければならない諸概念と、また、これから発明して維持していかなければならない概念人物たちと、相互順応するほかないのである」(QPh. pp. 74~75)。「概念にかかわる哲学者の趣味センスは、色彩にかかわる画家の趣味センスと同じである。哲学者は未確定(indéterminé)の概念に畏怖(crainte)と畏敬(respect)の念をもって近づき、永きにわたる躊躇い(hésite longtemps)の果てに、確定作業に取りかかる。しかし、なんらかの決定尺度などなき純粋創造行為(en créant sans mesure)において、自らが開礎する内在平面を唯一の律法(seule règle)とし、自らが産出する異形の概念人物を唯一のコンパス(seule compass)として、規定していく(傍点、引用者)。哲学的趣味センスは、神による創造に取って代わることも、その小規模化をはかる(modéré)こともしない。逆に、概念創造のほうが、神的創造を変容・転調(module)させるような趣味センスへと呼びかける。決定的概念の自由な創造は、未決定概念(concept indéterminé)への趣味センスを前提とする。趣味センスとは、そのような力量のことであり、概念のこの可能的・潜勢的-存在(cet être-en-puissance)のことなのである。〈合理的もしくは理性的〉(rationnelles ou raisonnables)〔既述デリダの場合と訳語を同一化する必要はない〕な諸理由(raisons)が、あれこれの概念を創造し、あれこれの合成要素を選択させるのではない。ニーチェは、概念創造と独自哲学的(proprement philosophique)趣味センスのこの関係を、予感していた。哲学者とは諸概念を創造する者のことであるとすれば、それはほとんど動物的な本能的〈味覚〉(« sapere »)に近い趣味能力によってなのである」(QPh. pp. 75~76)。

多くを語っている引用文であるが、われわれは簡明化のために、われわれの主題にかかわる一点といくつかの関連事項を、常識の言葉で確認しておくにとどめよう。

哲学は概念の創造であるが、その創造は、哲学者のミクロ主体というべき概念人物が、内在平面を開礎し、内在平面とそこに生起する根源的‐自己差異化の絶対運動と自ら自身の三一協律性を実働化する動きのなかで、結実する。

　創造は、したがって恣意的になされるものなどではない。それは内在平面と無底の根源的‐生起動と概念人物の存在論的‐強度・緊張性における三位・差異‐一体の相互協律性、その律法による制約を受諾し、それを純粋能作へと変容させつつ、絶対的な脱‐領土化による再・新・真‐領土化態を実働化することにおいて、成立する。

　ドゥルーズ＝ガタリは、決定尺度（mesure）ではなく、相互協成律法（règle）という。われわれはこの目下の一連の研究考察を、カントの「規定的判断」から「反省的判断」を峻別・主題化することによって開始した。それは既定の判断基準を超えて、新たな成員化・協律化へと向かうための「そのつどの基準の創定」というパラドクスを荷担することにおいてであった。

　ドゥルーズ＝ガタリ思想は、多くの現代思想とともに、使用言語こそ異なれ、われわれの営みと軌を同じうする。

　ただし、両人は、「真理」を、もっぱら「決定尺度」「同一律」に帰属するものとしてのみ見ている。「差異律」から「協成律」への動きのなかで「真理」概念が再生・新生することはありえないのであろうか。

第四章　科学、芸術、と、創造

第一節　哲学と三大思考——カオスとの三つの闘い

人間の思考は哲学でのみなされるわけではないし、哲学が至高特権的な思考なのでもない。「ヘーゲルは、概念は、抽象観念や一般観念（idée générale ou abstraite）とは別であり、哲学や創造行為に依存しない神的慧智（une Sagesse incréé）ともなんの関係もないことを示した。しかし、哲学の範域を無際限に拡大した代償として、科学や芸術には自律的な運動の余地をほとんど残さないかたちになった。哲学は、自らに固有の諸契機をもって普遍的領域を再構成し、哲学そのものを創造する人間主体など、いわばたんなる亡霊エキストラとしてしか扱わなかった。ドイツ観念論の哲学者たちは概念の普遍的エンサイクロペディアの周囲を回っているだけで、概念の創造などたんなる主観の徒事(あだごと)にすぎないと見なしたのである」（QPh. pp. 16~17. やや取意訳）。

ドゥルーズ＝ガタリは、これにたいして、人間のなす思考の「三大形態」（trois grandes formes）として、哲学のほか、科学と芸術を挙げる。「思考」とは、「カオスと対決し、ひとつの〔内在〕平面を開礎し、その〔内在〕平面をカオスの上に維持する営みである。」(QPh. p. 186)「哲学、科学、芸術は、宗教の天空を引き裂き、われわれがカオスのなかに飛び込んでいくことを求める。われわれは、この代価を支払うことによってしか、カオスを征服することはできない」(QPh. p. 190. 両文、やや取意訳)。「カオス」とは、「無秩序というより〔無秩序ともいえることになるが〕、無限の速度(vitesse infinie)、そこに描かれる形態がそのまま霧散してしまう無限速度のことである。ひとつの虚ろ(vide)ではあるが無(néant)ではく、ひとつの〈潜勢態〉(*un virtuel*)、あらゆる可能的な粒子(particules)を含み、そこからすべての可能的な形態(forms)を引き出すが、それらは、堅牢さもなければ、指示対象もなく、結果を残すこともない、そういう生誕(naissance)と死滅(évanouissement)の無限速度のことである」(QPh. pp. 111~112)。

では、科学と芸術とはどういうものか、哲学とも比較しながら、瞥見してみよう。

第二節　科学的思考と創造

哲学が概念を主題とするとすれば、科学のそれは「関数関係」(fonctions)(QPh. p. 111)である。〈fonctions〉とは「内実多様で複雑な観念」(ibid.)で、一見しただけでも数学の場合と生物学の場合は違う(ibid.)、とあるが、それは重々尊重したうえで、ここでは、便宜上、例えば、原因と結果の関係、因果関係[1]のようなものを考えておこう。哲学は、例えば、目の前に起きている事態を、正義であるか否かと自問し、正義とは何かと改めて問い、正義のイデアとして定義し、事態をして可解的たらしめるイデアの認識論的な力を、やがて、正義を在らしめる存在論的な力、へと昇格させていったが、科学にとっては、これが認識論とも存在論とも直接の関係はない、たんなる何が原因で何が結果であるかの因果関係の問題となる。

ドゥルーズ＝ガタリによる対比考察のひとつを見てみよう。

右述した「カオス」を前にして、いう。

「哲学は、どのようにすれば無限速度を維持しうるか、を問う。そして、そこから〔霧散せずに〕存続するもの（de la consistance）を獲得し、それを〔これまた無限速度に属する〕潜勢態（*virtuel*）へと、それに固有のひとつの成存性（*une consistence propre*）を賦与するというかたちで、それ〔その維持〕をおこなう」（QPh. p. 112)。「無限速度」は出現‐即‐消失ゆえ通常の知覚・感覚の対象ではないが、「内在平面」の根源におけるこの出没運動を、人間の思考は概念（concept）化に先立ってまず〈cipio〉（把握）し、そこにいわばひとつの脱‐存在的（既述。extra-être, non-existence）で前‐概念的・前‐意味的な存続性（con-sistance. 粘稠性、持久性、恒存性）を発生させ（con-cipio）、これを、多くの無限速度運動（mouvements de vitesses infinies）の一というべき実在的「潜勢動」（virtuel）に「賦与」（donnant）して、そこにいわば存在・実在性を踏まえた「ハイブリット複相態」（既述）として意味的・概念的‐「成存態」（une consistence propre）を成立させる……。哲学が、この種の思考の操作を通じて、「無限速度運動」や「カオス」、既述の語彙では「無底の根源的‐自己差異‐生起動」等を「保持」（garder）しようとする営みであることを、この一文はいっている。すぐ続く一文はこうである。「哲学という篩（ふるい）（crible）は、カオスを裁ち直す（recoupe）内在平面として、思考におけるあれこれの運動を選択し、思考と同じく迅速に運動する成存態粒子（particules consistantes）のように形成される諸概念をもって、自らの活動装備とする」（ibid.)。

哲学思考の再説明——しかも、精確を期して直訳型の——になってしまったが、ここでの眼目は科学思考との対比考察だった。急いで戻ろう。

「科学は、カオスにたいしてまったく別の、ほとんど逆の、アプローチをする。科学は、無限なもの、無限速度を放棄して、潜勢態を現前化できる準拠系（*une référence capable d'actualiser le virtuel*）[(2)]を得ようとする」（ibid. イタ、原著者）。

「哲学は、無限なものを保持するために、概念による成存性（consistance）を潜勢態に与えるが、科学は、無限なものを放棄して、潜勢態に、それを現前化させる準拠系を、関数関係（fonctions）として与えるのだ」（ibid.）。

「哲学は、内在平面あるいは成存性をもって、対応するが、科学は、準拠系をもって、対応するのである」（ibid.〔繰り返して、強調している〕）。

「科学の場合は、〔無限速度を〕イメージ的に停止（arrêt）させてしまう。架空の〈緩慢化〉（*ralentissement.*〔強度の弛緩化〕）をおこなうのであり、これによって〔無限速度という〕実在事象（matière）が現前化され、同時にまた、科学的思考はそこ〔実在事象〕へと命題表現（propositions）をもって侵入できることになる。関数関係とはひとつの〈緩慢態〉（Ralentie.〔弛緩態〕）なのである」（ibid.）。

「哲学は、物的事象（état de choses）から、成存的生起（événement consistant）を概念をもって抽出（extraire）することを止めないが、〔……〕、科学は成存的生起を物的事象へと関数関係をもって現前化することを止めない」（QPh. p. 120）。

科学論はこの後も続くが、そちらに深入りしている余裕はないので、われわれの主題にのみ限定しよう。

つまり、実在事象・無限速度にたいして「架空の緩慢化」（fantastique ralentissement）をおこなってしまう科学において、創造とは、「架空ファンタジー」ではないとすれば、何なのであるか。

ドゥルーズ＝ガタリの応えは、これはこれで内容的には重要であるが、文言上はかなり簡単である。「科学においても、哲学や芸術においてと同様、創造がおこなわれる。いかなる創造も経験なしでは存在しない。」（QPh. p. 121）「座標系も、関数・等号関係も、法則も、現象・結果も、病気がそれを名づけ、主題化し、分類化した医師の名を残しているように、それぞれの固有名詞に貼りついている。」「見よ、生じている事態（ce qui se passe）を見よ、これがつねに、数学においてさえ、証明以上に大きな本質的重要問題なのだ。」「哲学と科学は（芸術を第三として）〈私は知らない〉（*je ne sais pas*）からポジティヴ能作と創造への二つの途を担っている。創造そのものの条件、ひとは〔まだ〕知らない（on ne sais pas）によってこそ（*par*）成立する条件〔……〕」（QPh. pp. 121~122）。

要するに、哲学は無底の根源的生起が内在平面に現働化する生成をいわば縦型に思考するが、科学はその生起動と現動態を事物的状態レヴェルにて横型水平関係へと平板化することによって原因と結果の関係として捉える。カントは因果律を超越論的統覚のカテゴリーとしたが、それは現象レベルでの対象の構成と知解を説明するに過ぎない。カント的には、認識論的カテゴリーを成立・展開させる「魂の隠れた技倆」、ドゥルーズ＝ガタリ的には無底の根源的生起へと立ち戻って再開するときに、科学にも創造への途が開かれる。

第三節　論理学的思考と創造

哲学のほかは科学と芸術とあったが、実際は論理学にかんする論述がかなり長文の章節として挿入・加筆されている。論理学とは通常は哲学の一部であろうし、あるいは哲学のうち最も科学に近い部分とされているはずであるが、ここでは両者とはやや独立に区分けされていることになる。実のところ、この章節の論は筆者には理解に難い。加えて、結局、既述の哲学と科学の異同についての立論と同様のものにも見える。双方の理由からここでは省かせていただこうとも思ったが、しかし、他方、筆者が著者たちであれば、筆者も、筆者の理解するかぎりにおいてであるが、この部分で同種の論を加えるであろうとも思われ、とまれ、是か非か、正か誤か、簡述しておくことにする。

両人は、科学を三種の「函数関係」(fonction)論から成るとし、第一は、既述の科学思考、論理学は第二のそれ、とし、いう。(文中①②③は引用者付記)。

「函数関係こそ科学の真の主題である。函数関係とは、まず、①物的事象の状態(états de choses)にかかわる函数関係であり、その場合、第一種プロスペクト(prospects.〔探望〕)としての、科学的諸命題を構成する。構成項はおのおの独立の変数であり、そのうえに諸項の相互関係網とそれらの諸関係の必然性を規定するポテンシャル化がなされる。つぎに、②函数関係は〔物的事象の状態ではなく〕物的事象〔そのもの〕(choses)にかかわるそれ、もろもろの論理学的命題を構成する諸対象(objets)・諸物体(corps)にかかわるそれ、である。それらの構成諸項は、相互に独立的な論理学的アトムとしての個別的特異態(termes singuliers.〔各個独異態〕)であり、そのうえにそれらの賓辞を規定する諸記述(物的事象の論理学的状態。état de choses logique)がなされる。最後は、③生体験にかかわる函数関係であり、〔……〕〔後述のため、ここでは略す〕」(QPh. pp. 146~147)。

ここで重要なのは、①と②の違い、簡述化してしまえば、「物の状態」と「物と物の関係」のそれ、である。これまで、既述のところでは、われわれは「物の状態」を「根源的-生起動」から区別することに腐心してきたが、そこでは、ドゥルーズ゠ガタリ自身が、もっと後の頁（QPh. p. 148sq.）で詳述するように、「物の状態」と「根源的‐生起動」は、そうはいっても、相互重相的なのであり、それゆえ、「現働態─根源生起」と「現働態─原因」の間に、前者の後者への平板化とともに、後者から前者への回帰とそこからの再出発、つまり哲学的創造への途も含まれていたのであった。いまは、しかし、もはや「物─生起」の関係ではなく、「生起」を忘れ得る「物─物」の関係である。しかし、これもたんなる平板化・「下降」（QPh. p. 133, etc.）のネガティヴ事態ではない。「論理学は、宗教とも科学とも異なる第三のとすらいえるパラダイムを持っている。情報命題というプロスペクト（探望行為）において〈真なるものを認知（recognition.〔再認〕）する〉という、それである。〈メタ‐数学的〉（méta-mathématique）という学界用語は科学的言表から認知〔再認〕というかたちでの論理学的命題へのこの移行をよく示している。〔ただし〕、このパラダイム投射によって、今度は論理学的概念のほうがたんなる図式（figures）となり、論理学が〔たんなる〕観念図式（idéographie）になるということもある」（QPh. p. 131）。われわれは、科学のかかわる第一の函数関係の一例として因果律を挙げてみたが、あれは現前態から原因という過去への遡及であった。ここでは、現前態から出発して未来情報に依拠しつつ到来しうる事態の真偽を予断する営み（〈prospects〉には「前望」の意味もある）が含まれているように思われる。その場合、われわれは、これからよほどの異常事態が発生しないかぎり、あるいはその種の異常事態発生の可能性を捨象して、将来事態もわれわれの現在事態あるいは現在までの事態展開と、ほぼ同じように、到来するはずだということを前提にして、未来に関わっている。一言でいえば、ここでは、因果律もその一部として含まれる同一律の作働が、含意されているのだ。ただし、「ただし」と上記にも付記したように、ドゥルーズ゠ガタリ的にはこの同一律の支配する常識世界は、そのままでは通用しない。「物─物」連関のなかに「生起」が入り込んでこないということはありえないからだ。というより、「物─物」連関への「生起」の介入が世界の「生成」性を成立させている。「物―物」連関も「論理学」も、自らの同一律へと差異律を回復してこそ、生成的・創造的になりうる。既述デリダの〈rationnel〉（合理的・計量的）からの〈raisonnable〉（異殊考量‐理性的）の区別と両者の複相・重相が、すでにそれを含んでいた。ドゥルーズ＝ガタリにおいても、「相対的‐脱領土化働」の「絶対的‐脱領土化働」への（この場合は逆でもよい）吸収・吸着による「絶対的‐再領土化働」という発想は、ここでの前提になっていたはずである。

第四節　芸術的思考と創造

芸術も人間における三（四）大思考の一とされているわけだが、芸術とは何か。ドゥルーズ＝ガタリは「〈Percept〉と〈Affect〉の合成働（composition）」（QPh. p. 155, 181）と端的に定義する。〈percept〉とは〈perception〉（知覚作動）からラテン語式に術語化したもので、この『哲学とは何か』の訳者の財津理氏は「試訳」として「被知覚態」[3]と記しており、われわれもこの労作を尊重するが、「被‐」という受け身・受動態ニュアンスは、著者たちのいうこの事態の「独立性・自立性・自律性」（cf.〈indépendant〉、〈tenir tout seul〉、〈autonome〉、〈des êtres qui valent par eux-mêmes〉、p. 154, 155, 158）に抵触しかねず、なるべく避けたい。こういう場合、ドゥルーズ的には、経験的レヴェルの知覚とその知覚「され」る対象（percu）に抗して、超越論的経験論によるアプローチとして、〈vert〉から〈verdoyer〉、〈arbre〉から〈arbrifier〉を抽出するように[4]、「知覚、知覚作動、知覚対象」にも「超越論的」なる術語を冠するのが哲学的には至当のように思われるが、ただ、先にも触れたように、この時期、ドゥルーズはもはや「超越論的」なる語そのものを使用しなくなっている。他方、今さっきの引用文には〈particules consistantes〉（成存態粒子）（QPh. p. 111）なる〈consistance〉の形容詞的使用がなされており、ここから、認識論的とも存在論的とも異なる、「第四次元」の「意味」論的境位における「成存論的‐知覚態」というものも、ドゥルーズ＝ガタリ独自の問題として定式化可能になっているといえないこともない。とはいえ、「超越論的」も「成存論的」も、ここでは言表として大袈裟・ごたつきすぎるだろう。なお、これも既述の〈sur-vol〉（俯瞰・鳥瞰）の〈sur-〉から「超‐」を使うのも、これは、「超‐知覚態」では、これこそ旧い超越思想を思わせて、かえってよくない。あと三つ残るのは、ドゥルーズが結構安易に使う優等生的なあるいはボキャ貧的な「純粋な」「真の」という形容詞と、初期から独特の重みを与えていた「パラ・ドクス」「パラ・サンス」の「パラ」で、これは「異のための異」の印象なきにしもあらずではあったが、ドゥルーズ的ではあり、結局この三つの重合をもって、ここでの問題に対応することにする。〈affect〉についても同様で、〈affect〉そのものは、芸術問題ゆえ、感性・感情・情感ではなく、触発でもなく、これも「純粋〜、真正〜、パラ〜、情動態」と「試訳」しておくことにする。

さて、芸術活動、「〈percepts〉と〈affects〉の合成作働（compositions）」（先述）とは、こうして、「内在平面」においてそれなりに知覚される事象を「根源的‐生起動」に「飛び込む（浸す）」（plonger）ことにおいて「純粋・真正・パラ‐知覚・情動態、超越論的・成存論的‐知覚・情動態」へと「再・新・真‐」形成していくことにあるということになる。こう要約する文章が主客関係に曖昧であるという指摘があるかもしれないが、ドゥルーズ＝ガタリでは主客関係より人為・原為の成層関係のほうが重要であるためで、やむをえない。「合成作働」（composition）も、日本語の美術用語（コンポジション）にもなっているが、ここでは〈com〉（相互・共・協）‐〈position〉（位置づけ作動）として、芸術家の主体的行為と根源的生起のあの相互重相・協律的‐相反・相伴‐働である。「働」と「動」もこの意味ではそれなりに使い分けつつ同義化させている。

さて、芸術活働のこの基本態を、すでに御判りのかたは多いと思われるが、一応ドゥルーズ＝ガタリ語で引用しておこう。

「芸術活動の目的は、〔絵具、音響、等の〕物質的資材を手段として、純粋・パラ‐知覚態を対象知覚や知覚主体の諸状態から分離（arracher）させること、純粋・パラ‐情動態を或る状態から他の状態への移行としての情動展開から分離させることにある。一ブロックの感覚（sensations）から、ひとつの純粋感覚存在（un pur être de sensations）を、抽出（extraire）すること」（QPh. p. 158）。

「生経験としての知覚から、純粋・パラ‐知覚態へと、生体験としての情動から純粋・パラ‐情動へと、上昇（s'élever）すること」（QPh. p. 160）。

もっとも重要なのは、この先である。どのように分離させ、抽出し、高めるのか、どのように飛び込み、浸し、再・新・真‐形成していくのか。それが判れば、多くの人間が『モナ・リザ』を描き、『白鯨』や『骰子一擲』を書き、『第三』『第五』を作曲し、「相対性原理」を発見・定式化することができることになる。だが、そのようなことはありえないし、また、そのためのハウ・トゥ・マニュアルも言語化することはできないだろう。しかし、この種の「創造」営為はすくなくとも筆者から見るとき人類にとってもっとも重要な事柄の一であり、ドゥルーズ＝ガタリ思想も、それなりに詳しく主題化している観がある。そのかぎりで、追考を進めようということだが、ただし、両人の論述すら、細部にわたってすべて追考・論述することはできない。読者各位には、必要があれば翻訳も出ているゆえ原書に当たっていただくことにし、ここでは可能なかぎりで対応するにとどめる。

両人は、まず、この「どのように」を、おのおのの芸術家の「方法」（QPh. p. 158）「スタイル（様式）」

（QPh. p. 160）の問題とする。「高める〔高まる〕ためには、ひとつのスタイル（様式）が必要である。」「作家たちもこの点に関しては、画家たち、音楽家たち、建築家たち、と別様の状況にあるわけではない。」「作家には修辞法、音楽家には旋律法とリズム、画家には表現法と色彩、〔……〕」（ibid.）。

ここまでは常識であり、この先の細部については全文引用を諦める以上、筆者責任でポイントを、むろん体系的にではありえず、断片的に並べてみるほかない。（ポイントに傍点や付記〔　〕を加える。）

「作家たちが用いる独自の物質的材料〔資材〕は、単語〔語（mots）〕と統辞法（syntaxe）である。創造されていく〔創成していく〕統辞法〔統辞連関〕（syntaxe créée）が作品のなかに〔作品成立過程の展開とともに〕抗いがたく迫りあがってきて（monte irrésistiblement）、〔文字という〕感覚レヴェルに移っていく。生体験レヴェルの知覚から脱する（sortir）ためには、過ぎ去った知覚を呼び出すにすぎない記憶（mémoire）や、現時点での保存ファクターとしての想起内容（réminiscence）を加える無意識的記憶（mémoire involontaire）だけでは、あきらかに充分ではない。記憶など（プルーストにおいてさえ、わけてもプルーストにおいては）芸術に介入することはほとんどないのだ」（QPh. p. 158）。〈créée〉は、長年にわたる経験からその作家にはすでに「創造されている、創造ずみの、創造された」ではなく、現時点の作業のなかでも「さらに創造されつつある、いまなお創造されていく」であろう。「創造」が主に作家の「人為」を意味するとすれば、既述のところからして、われわれは「原為」あるいは「人為」をも含む「原為」としての「運動」も考量して「創成」ともせざるをえない。「統辞法」とするとすでに出来上がっている「法」のニュアンスが強くなるので、これも「創造・創成」の場合と同じく、未全の「連関」動とする。「作品のなかに」も、「作品」はまだ出来上がっておらず既在でもないのであるから、「作品への動的過程において」と解するほかない。最大のポイントは、「抗いがたく迫りあがってくる」である。すでにかなりの程度その作家に独自の統辞法となりつつあるしかし未完の統辞法・統辞連関が、根源的生起の動態性に突き上げられながら、その作家の現時点の作業のなかに、作家の意に適うかたちで、むしろ作家の慶びとして、自己主張・自己創成（se créer, auto-création, auto-poiesis）、以前（既述）のドゥルーズ＝ガタリ語では自己定立（auto-position.「自分で場を占める」）・自己‐領土化（auto-territorialisation）しようと能作しているわけである。

いわゆる回想記が記憶作業ではなく創造作業あることは、こう記されている。

「あらゆる芸術作品はひとつの〈モニュメント〉（*monument*.〔記念碑〕）であるとは、そのとおりである。しかし、ここでモニュメントとはなんらかの過去への公的頌徳碑の類いではなく、維持されつづけるとすればそれ自身の力によってでしかありえない現時点における一塊の感覚物（un bloc de sensations présents）、出来した事柄にそれに心を留めるべく与える〔一〕感覚合成態（composé）、の謂いである。モニュメントという行為は、記憶（mémoire）の行為ではなく、〔ベルクソンのいう〕仮構行為（fabulation.〔後述〕）に属する。ひとは〔自分の〕幼年時代を回想（*souvenirs*）によって書くのではなく、現時点において幼年時代へと生成する（*devenirs*-enfant du présent）、その一群の幼年生成事態（blocs d'enfance）によって〔において〕書く。〔……〕われわれは、〔あたかも〕なにか自律的で自足している存在物（êtres autonomes et suffisants）へと到達するのであるかのように、純粋・パラ‐知覚態・情動態へと到達する、そうでしかありえないのである」（QPh. p. 158）。

「出来した事柄」の原語は〈événement〉である。しかし、それはまた、あの根源的な生起‐事態（Événement）へとも、通じうるような小さな事柄である。ここでは、もともと幼年期の自分にだけかかわるにすぎないのだ。それに、それを「心に留める」ための「合成態＝作品」を「与える」とは、なにやら「心のことがら」でしかないような想いがする。「心に留める」の原文は〈qui le célèbre〉で、「祝福する」とも「称揚する」とも訳せるが、あえて控えめなつぶやきにした。〈sou-venirs〉と〈de-venirs〉における〈venir〉の重合にも、想いを寄せられたい。〈自律的で自足的〉な存在態、とは、既述した。

もうひとつの引用・注釈をしよう。先述のベルクソン概念の説明にもなる。

「純粋・真正・パラ‐知覚態〔ここでは「パラ‐」が主役になるかもしれない〕は望遠鏡的（télescopiques）もしくは顕微鏡的（microscopiques）でありうる。人物たちや風景に、生体験レヴェルの知覚など到達できないほどの生命力に溢れかえっているといった巨大なスケール感を与えるということである。バルザックの描く巨大さ。それらの人物が凡庸であるか否かなど大したことではない。〔重要なのは〕彼らが巨人のごとくに〈生成〉（deviennent）する〔描かれる〕ということである。」（QPh. p. 162）「〔ベルクソンは高等宗教以前の自然宗教に、神格や悪魔に異様な誇大形態表現を与える傾向をみて、これを〈fabulation〉（仮構作業）と呼んだ。〕われわれの芸術活動にも、創造的な仮構作業（fabulation créatrice）といえるものがある。〔……〕芸術家も作家も生体験レヴェルの知覚や情動から外み出す。彼らは見者（voyant）であり生成者（devenant）なのである。〔……〕彼らは人生になにかとてつもなく大きいもの（quelque chose de trop grand）、また許しえないもの、生命を抱擁するもの、それを脅かすもの、を見た。〔……〕生を、それが囚われとなっているその場で、開放（liberer）すること、それがつねに最重要事なのである」（QPh. pp. 161~162. 両文、一部取意訳）。

もうひとつだけ加えよう。

「世界の一瞬に永続性を与え、それがそれ自身において存在するようにするには、どうすればよいか。ヴァージニア・ウルフはひとつの回答を提示するが、それは、文学と同様、絵画にも、音楽にも、通用するものである。〈おのおのの構成原子を飽和（saturer）させること。われわれに純粋・真正・パラ‐知覚態を与えるような構成原子の飽和動（saturation）のみを維持しつづけること〉。〔……〕〈聖なる源泉〉（source sacrée）としての純粋・真正・パラ‐知覚態に到達した、生あるもの（vivant）のうちに〈生そのもの〉（Vie）を見た、あるいは生活体験（vécu）のなかに生けるもの（Vivant）を見た、作家も画家もそこから両眼を真っ赤にして戻ってくるのだ」（QPh. pp. 162~163）。「構成原子」（atome）概念に目が留まるのは、むろん、前著（『資本主義と分裂症』全二巻）が「分子論的‐産出動」を語り、前々著・最初期著作（『差異と反覆』『意味の論理学』）がそれに先立つ「自己差異化と微分的‐微粒子」・「〈t〉動態」を語っているからである。[5] それを「飽和」させるとはどういうことか。科学的には現代‐計算科学によって産出される超・極小‐微粒子が、芸術論的かつ哲学論的には、まずまずそれと確定困難でマニュアル化など不可能な諸条件によってだが、そのほとんど無に近い極小性から次第に内実化・「飽和」化して、まずは「純粋・真正・パラ‐知覚・情動態」となり、その「聖なる源泉」から「抗いがたい駆動力」（前出）をもって作品という「合成態‐合成動態」（同）へと移行・変容していく、そういう「プロセス事態」（既述）を認めないわけにはいかないからだ。「あの人、目が真っ赤よ、おかしいんじゃない？　フフフ」の日常的‐知覚状態の「奥底なる隠れた魂のテクノロジー」の次元で、「純粋・真正・パラ」次元への「裂開」と「聖なる源泉」からの「再・新・真‐合成・総合（synthèse）・統合（œcumène）」への「開礎・開起・開基・開展」が「根源‐生起」しつつある。「芸術家たちは、哲学者たちと相似て、しばしば健康虚弱者である。病や神経疾患ゆえでなく、彼らが人生のなかになにか、誰にとっても、彼ら自身にとっても、あまりにも甚大なもの（quelque chose de trop grand pour quiconque et pour eux）を観取し、その過剰さが逆に彼らに死の秘かな刻印を押してしまうからだ。しかし、この何ものかは同時にまた彼らを生かしめる（qui les font vivre）源泉・息（souffle.〔プネウマ、霊、魂、精神〕）なのであり、ニーチェはそれを端的に〈健康〉（santé）と呼んだ」（QPh. p. 163）。ここには多少、近代的天才論の余韻が見られるし、われわれもまた、この種の芸術家・哲学者たちの思惟・行為プロセスに「説明・論述・言語化‐不可能」な行程項を指摘せざるをえなくなっているわけだが、現代最先端の計算科学が産出‐発見（既述の「意志的・創造的‐直観」概念、参照）する「準拠」態にそれが平行しえているということだけからのみであっても、このドゥルーズ＝ガタリ立論の功を認めないわけにはいかない。

もっとポジティヴな芸術家像も、それゆえ、加えておこう。「芸術家とは、純粋・真正な知覚態・ヴィジョンとともに、同じく純粋・真正の情動態を、提示（montreur）し、発明（inventeur）し、創造（créateur）してくれる人間のことである。彼がそれらを創造するのは作品においてのみではない。彼はそれらを〔直接に〕われわれにもたらし、われわれをしてそれらとともに生成させ（ne fait devenir avec eux）、われわれをそれらの合成態のなかに取り込んでくれる。〔……〕芸術は、日常レヴェルの知覚、情動、発語の三一有機活動を失効（défait）させ、純粋・真正・パラ‐次元の知覚態、情動態、感覚態から成るモニュメント合成態へと置き換えてくれるのだ。〔……〕そして、モニュメントとは〔既述のように〕なにごとか過去のものを公頌するものなどではない。そうではなく、われわれをめぐって生じた出来事（événement）を体現するかのあの忘れがたい諸感覚、間断なく襲い来る苦患、それらへの不断の抗議表明、不断に再開さるべき闘い、それらを未来の耳（oreille de l'avenir.〔cf. de-venir, a-venir〕）に届け委託（confie）する営みなのである」（QPh. pp. 166~167）。

この芸術論は爾余の諸問題も多く論じて豊饒だが、後述のところで可能なかぎり補完することにして、ここではひとまず断念しよう。

第五節　哲学、科学、芸術、対比考察——〈consistance〉概念の総括

ここではむしろこの第四章の総括として、ドゥルーズ＝ガタリ自身が数度にわたっておこなっている三活動の対比考察と、両人の思考を貫く基軸としての〈consistence〉概念の最終規定に、目を向けたい。これまでの記述の整理・確認・補完として、またもう一歩前進のための基盤として、有益のはずである。

A

この節の冒頭に引用した「三活動はカオス〔後注①〕に立ち向かう」（QPh. p. 186）につづく整理・考察。

☆

「哲学は無限態〔後注②〕を、成存性〔後注③〕を与えることによって救う〔後注④〕。〔哲学はカオスの上に〕内在空間〔後注⑤〕を開礎〔後注⑥〕し、それが成存態となったさまざまの出来事〔後注⑦〕あるいは諸概念〔後注⑧〕を、概念人物〔後注⑨〕の行為を通じて、無限態へと運んでいく〔後注⑩〕」（QPh. p. 186）。

〔後注①〕　われわれ人間が生きそのなかに存在している実在の根源は、ドゥルーズ＝ガタリの場合、シェリング辺りから由来する「無底」（sans fond）の、不断の自己差異化的（différentiel）‐生起動（Événement）であるが、第一著作『差異と反覆』が旧哲学のほぼ全体に抗して提示したそのような脱‐合理的な事態を、ここでは「カオス」と呼んでいる。常識のいう混沌や無秩序としてのカオスではなく、人間的な合理・非合理を超

えているということで、「脱‐合理的」とでも仮称しておくほかない。(なお、いま、旧哲学のほぼ全体に抗して、といったが、筆者は、この発想は、ハイデガーが、これまたシェリング等を踏まえて、存在概念のみでは不充分、とし、存在と無、エルアイクニスとエントアイクニス、を分開して投与してくる動き、とする、「リヒト‐ゥング」(Licht-ung. 試訳すれば「分開‐光与動」(あの〈Es gibt Sein-Nichts〉にもあたる動き))に連なり、近代からの存在論的‐転回を踏まえる現代哲学思想にほぼ共通の究極概念と理解している。[6]

[後注②] そのような「無底」の「根源的‐生起動」を、ここでの著作『哲学とは何か』はおおむね「無限運動」(mouvements infinis)・「無限速度」(vitesse infinie)(QPh. p. 111, etc.)と呼んでおり、ここにいう「無限態」(l'infini)はそれにあたる。

[後注③] 原語は〈consistence〉。いまさらいうまでもなく、ドゥルーズ＝ガタリの最重要語の一であり、多義的である。一応、整理しておくと、……。

(i)もともとは、日本語の慣用句のいう、「〜の本質は(要点は)〜にある」(consiste en 〜)の「ある」にほぼ該当し、〈être, existence〉がまずまず物質的存在物モデルの「在る」であるに対し、別様のありかた、試行的に漢字を当てれば「有る」とでもいうべきような、たとえば下記(ii)の場合のような、ありかたを含意する。

(ii)前著『意味の論理学』は、「意味」を、「存在する」(être, existence)ではなく、物象的三次元とは異なる「第四次元」に、〈extra-être, non-existence〉(脱‐存在、非‐存在)的に〈insister, consister〉する、とし、筆者はこれを、一方では、山内得立著『意味の形而上学』のいうドイツ語〈bestehen, Bestand〉に準じて「存立、存立する」と訳し、他方では、B・スティグレールの〈subsistance, existence, consistence〉を「(物象的に)実在する、(人間的に)実存する、(意味や価値が)成存する」と訳し分けた。[7] ドゥルーズ＝ガタリ〈consistence〉

も、ほぼこれに類すると解する。
（iii）その場合、〈insister〉は、三次元物象の「内部」（in-）に「有る」（-sister）（言語の場合など考えよ）ともいえるが、逆に「外部に有る」（商品価値、等）ともいえるのであるから、日常感覚的「内外」にはさして関係ない。
（iv）仏語〈consister〉は、ある種の強度・存続力も含意する。意味・価値の有りようは、一方では物質的存在より「あえか」（précaire）[8]だが、他方、たとえばギリシャ文化の意味・価値は、古代ギリシャ国が滅びた今日も、存続する。われわれ（筆者）が、「存在」と相似て相異なる「成存」という訳語を造語するのも、このことによる。ドゥルーズ＝ガタリの〈plan de consistence〉（存立・成存‐平面）にも、〈plan〉そのものにも、たんなる「平面」性を超える〈planning〉（計画動、存在慫慂動、有りよう駆動性）が含意されている[9]が、〈consistance〉にもこの種の地成学（géo-logie, généologie）的に根源的ないわば有性・有性‐慫慂動・有成‐駆動力が含まれている。なお、ドゥルーズ＝ガタリは〈géo-logie〉と記すが、われわれ（筆者）が〈géné-o-logie〉と記し直すのは、両人の〈géo-〉には「地理・地質」より〈genesis, generatio, genre, général〉（発生、生成、普遍的より類的の準‐一般性）が勝義的に含まれているためと、ほぼ同時代のフーコーの〈géné-a-logie〉と対比させるためである。（この〈générique〉問題は別巻予定のA・バディウ論で再論・主題化する。）
（v）ドゥルーズ＝ガタリは、「真理」観念を嫌ってまず「意味」観念を優先する（その後、それが「概念」論議となる）が、真理論が真偽・真誤の二元論から偽・誤を廃嫡して真‐単元論を主張するに対し、意味論は「偽・誤」の有意味性をも擁護して（精神医学は心疾患者のいう嘘のなかにもその患者の真を見てケアしていく）多元論・多義性‐尊重の立場に立つ。〈consistance〉の〈con-〉にはその「共存性、協律性、協成性」の「共、協」が含まれている。本著『哲学とは何か』の財津氏邦訳はこの「共」性を主に主題化している。

（vi）かつての形而上学等は「意味」や「価値」を叡知界に祭り上げて永遠不滅の存在性を保証する傾向もあったが（むろん、「意味」のほうは主観的現象として貶価する傾向もあった）、現代哲学思想は〈généalogie〉（系譜学）をもって、これを権力相関的事象として、歴史的転変の渦中に位置づけるようになった。ドゥルーズ＝ガタリは歴史的相対主義を嫌って、生成論・地成論（géologie, généologie）のなかに位置づけるが、われわれ（筆者）のいう「成存」性には、右述の（iv）のように、この「生成」も含意されている。

結局、ここでいう「成存性を与える」とは、「無限速度」「無限運動」という根源的で重要だが、一般の人間たちには認識不可能・考量困難・忘失可能な「存在」事態を、哲学は「成存」次元で維持する、ということを含意する。

［後注④］「救う」とは、この「維持する」、人類にとって大切なものを（見）失わないようにする、である。

［後注⑤］「内在平面」については上記の第二章第一節でかなり詳しく考察した。あのときの筆者流の文言に翻訳すれば、人間あるいは各人が、「存在・実在・カオス」界の上に広げている、あるいは展げていく、「人間的・各人各様の全体了覚内容＝成存界」の謂いである。「平面」については上記［後注③］（iv）参照。

［後注⑥］原語はここでは〈trace〉で「描く」だが、別処では〈instaurer〉ともいっていた。いわゆる「建設」に先立つ土台づくりとしての「開礎」と試訳する。

［後注⑦］根源的‐生起は〈Événement〉とし、小文字の〈événements〉は日常経験次元でのさまざまの出来事・生起と解する。これらも言語化・理解可能化・有意味化するとは、それらに「成存性を与える」ということである。逆にいえば、〈Événement, événements〉を「成存化」することによって、われわれはそこで・それらとともに人間的に生き・実存しうる。

［後注⑧］「概念」についても第一章でかなり詳しく考察し、今後とも考察をつづけていくが、ここでは「成

存態化したもの」とほぼ同義として大過ないだろう。「言語」をもってそうするといってもよいと思われるが、どうも本著での両人は言語論的還元は嫌っているようである。むろん、『意味の論理学』の「意味」が、多少、姿を変えて、この『哲学とは何か』の「概念」になっているとは、いえるはずである。

［後注⑨］「概念人物」についても既述第三章で考察した。哲学者自身は思考しても入ってはいけない思考世界に、哲学者に代わって「概念人物」が登場して行動し、薄明・暗黒の潜勢次元をドラマ的に探索・構築していく、……。大分以前にR・フライシャー監督による映画『ミクロの決死圏』（一九六六年）が、病者の身体中にミクロ化した医療関係者たちを注入して手術にあたる、彼らがマクロに戻る以前に手術を完了させて体外に脱出できるか、というスリルつきで、上映された。筆者は実際には観ていないが、若年のころで新聞の小さな映画評を読んだだけで、充分に想像できた。あの発想と諸場面（？）を思い出す。なお、ちなみに附言しておけば、われわれは既述のところで、無意識や潜勢態レヴェルの動きをなぜあのように「見てきたように語(れ)る」のかと問い、ドゥルーズ＝ガタリにおける認識問題として、カント流‐超越論的統覚のその「魂の奥底に作働する隠れたテクノロジー」を介しての無意識論的再構成の所産であるか、あるいはまた、十九世紀末から成立しはじめた諸ミクロ科学の成果の応用なのか、と問いつづけたが、その後の本著におけるこの種の「概念人物」論は、あれらの諸問題の新たなかたちでの展開なのかもしれない。現代認識論一般にも敷衍可能な「興味深い」（既述）問題でもある。

［後注⑩］「無限態へと運んでいく」とは、むろん、われわれは人間と世界の根源へと達し、かつまた、そこから「なにか甚大なもの」（既述）を持ち帰って現実世界に寄与することが必要・重要だからである。

☆

「科学は、これに反して、無限態を放棄して［後注①］、準拠則［後注②］を得ようとする。とりあえずは無規定の座標平面［後注③］を開き、それが部分的観察者［後注④］の行為というかたちで、そのつどの諸事物の状態や、準拠系への関係のなかで規定される諸函数関係や諸命題を決定していく」（QPh. p. 186）。

［後注①］　科学は計量行為であるから、計量不可能の「無限態」にはかかわらない、そのストイックな合理主義が、このように哲学の無限態への敢為と対比すると、なにか、不思議な感じがする。

［後注②］「準拠則を得ようとする」とは、〈pour gagner la référence〉の取意訳であり、所与事象を然るべく規定するための「基準・尺度」を得ようとすることと解する。われわれのこの一連の研究も、反‐科学に向かうことは警戒して、カントの反省的判断概念から「そのつどの基準の創定」というパラドックスに賭けることを本意として出発した。われわれには無限回の基準創定行為を反覆しても「無限態」に挑む（affronter. 先述）という「哲学」があるわけだが、通常の科学は「無限態」への断念を代償として、合理基準の設定に専心するわけである。

［後注③］「とりあえず無規定の座標平面」とは、〈un plan de coordonnés seulement indéfinies〉の取意訳で、たとえば、とりあえずx／y軸のみからなる座標系のつもりである。「平面」は、これも一八六頁［後注③］（.iv）のとおり、これから諸要素を規定・決定していく駆動力を秘（潜）めている。あの「存立平面」（plan de consistance）が地成学的動態（dynamisme géologique）の無底の基盤を成すとすれば、この「座標平面」はその同異態から同一態に向かっての生成動というより成層動の一段階・一過程といってもよい。別言すれば、科学はその段階で自律する。

［後注④］「部分的観察者」とは、哲学における「概念人物」に対応するもので、おのおのの無規定座標を決定座標へと有限化していく営みである。

☆

「芸術は無限態［後注①］を奪回［後注②］する有限態［後注③］を創造［後注④］することを欲する。合成平面［後注⑤］を開礎し、それが、審美的フィギュア［後注⑥］の行為を通じて、さまざまのモニュメントや作品という感覚態をもたらす」（QPh. p. 186）。

［後注①］　上記の「無限態」と同じであるが、筆者としては「無限動」ともしたい。芸術作品には、「無限運動」への断念はなく、むしろそれが感覚的資材の上に漲(みなぎ)っているはずであるから。

［後注②］　原語は〈redonne〉。いま「無限動が漲っている」などといってしまったが、むろん忘失・閑却・看過されがちな根源的「無限動」を「奪回」するという局面も重要である。

［後注③］　「有限態」（du fini）とは初出だが、むろん個々の芸術作品の謂いである。

［後注④］　目下の引用文ではここにのみ〈créer〉（創造する）が出てくるが、三者すべてが〈créer〉行為であることは前提である。

［後注⑤］　「合成平面」の語は、この節の冒頭でも「合成作動」として触れた。「内在平面」「座標平面」に対応する「合成平面」である。三者の相互差異-相互交錯の関係は後述のところで確認される。

［後注⑥］　原語は〈figures esthétiques〉である。〈figures〉の語は本著では別々の意味で何度か出てくるが、ここでは近年流行のフィギュア人形を想ってカタカナ表記にした。上記『ミクロの決死圏』の医療グループの人形版である。〈esthétique〉の語は、筆者にはなぜかつねに訳しにくい。ここでも便宜上の訳語である。

B

次頁の対比も、もっと簡略で、記憶しやすい。

「これら三つの思考は、交叉（se croisent）・交錯（s’entrelacent）するが、総合（synthèse）も同一化

(identification) もされない。哲学は根源生起（événements）をそれらの概念（ses concepts）とともに湧出（fait surgir）させ、芸術はモニュメントをその感覚とともに屹立させ（dresse des monuments avec ses sensations）、科学は諸物象の状態をそれらの函数性において構成する（construit des états de choses avec ses foctions）」（QPh. pp. 187~188)。

われわれ（筆者）は、ここから一つといわれれば、「哲学は根源生起をその概念とともに発出・現働化・実働化させる」を取っておこう。〈événements〉は複数小文字表記だが、「哲学」の湧出させるものなのであるから、大文字「根源生起」（Événement）の内実の豊饒性・多様性・複相性の含意とみてよい。「総合・同一化ではない」とあるが、「同一化でない」ことはこれまでも何度か強調したが、「総合」（synthèse, œcumène, somme, ensemble）の語はドゥルーズ＝ガタリ自身、何度か使用していた。ここでは、使用言語の矛盾・不整合を難ずるより、われわれがすでにあの（絶対的・脱‐領土化‐動を前提にした）「絶対的・再‐領土化‐動」概念の論脈にいることを思い出せばよい。下記「C」にもこの種の「総」（somme, ensemble）態性の含意は浮かび上がってくるはずである。「生起」はどうやって言語としての「概念」となるのか、との厄介な問題もあるが、言語の内実が概念なのであるから、あまり言語にこだわらなくてよいということか[10]。宇宙超巨大インフレーション動の、そのエネルギーが減退したときに、重力と物質の現出とそれらの衝突によるビッグバンがなされ、われわれの宇宙が始まった。ビッグバンの以前と以後のほうが、ビッグバンより重要だといっても過誤にはならない。

C

これも「われわれはカオスに飛び込み潜り込むという代償を払ってしか、死の国からの帰還としてしか、カオスへの勝利者にはなら（れ）ない」（QPh. p. 190）としたあとで、三ケースを対比する。類同性と相違性を明示するためにここでも生硬な直訳態になって申しわけないが。

☆

「哲学者がカオスから持ち帰るもの、それはもろもろの〔根源的な〕〈多様・差異化‐動〉［後注①］である。それらは無限態のままにとどまるが、裂開［後注②］含みの内在平面を開礎する絶対表面・絶対容積［後注③］の上と中で、相互に分離不可能のものとなっている。もはや相互識別された諸観念［後注④］の連合ではなく、概念のなかでの不可識別ゾーン［後注⑤］による再‐連鎖態［後注⑥］である」（QPh. p. 190）。

［後注①］原語は〈*variations*〉であり、相当な取意訳だが、下記の科学・芸術の〈variables〉〈variété〉との対比のために、やむをえない。思い出していただきたいが、あの「無底の根源的‐生起動」「無限速度運動態」は、もともと絶対的「自己差異化‐動」でありそれによって万象を「差異化・多様化」させている根源動であった。それを、文脈上、ここでの〈variations〉に読み込んだ。他の〈variables〉〈variété〉にない語尾〈～ion〉の含意する動態性をも強調している。

［後注②］原語は〈secant〉。ドゥルーズ＝ガタリの著作のなかで初出のような気がするが、内容的には前著『資本主義と分裂症』以来の〈schizo-〉に繋がっている。「精神分析」（psychanalyse）は精神病・神経症の治療として人間心理（psycho-）を分析するにすぎないが、「分裂症」（schizo-phrénie）は人間的閉域の「外」へと開かれ繋がる方向性を孕んでおり、ドゥルーズ＝ガタリの「分裂分析」（schizo-analyse）は、この存在論的様態から、「分裂病」とはいわず「分裂症」と呼ぶのだが、筆者は前著[11]でさらにポジティヴに、人間的閉域の外への「開裂・裂開」と言い換えた。目下のここでも、「内在平面」へと「根源生起」が発出・湧出してくるとは、逆に言えば「内在平面」が「根源生起」へと「開裂・裂開」しているということで、それをここでの

〈secant〉に読み込んだ。この（固定的ではない、そのつどの）「裂開」口を通じて根源生起・無限差異化動は内在平面へと無限態のまま持ち帰られる。

［後注③］　われわれは前々著[12]で、こうも確認した。プラトン哲学からストア派思想への移行・変換は、超越的な「イデア」（idea）が分解して「シミュラクル」の大海のなかに砕け散り、しかし、そのなかの一断片が、父なき遺児としての「理念子」（l'idéel）として、ふたたび海上表面へと浮上し、そこ（その表面）に、もはや死して不在の父なる超越的イデアと対峙・対決するかたちで、「意味」（sens）の内在的・超越論的（超越的ではない）-地平・邦を開礎する、その動きにある、と。ここでいう「絶対表面・絶対容積の上と中に人間的-内在平面を開礎する」とは、ほぼこのことに対応する。

［後注④］　ドゥルーズ＝ガタリは、現代フランス思想家には珍しく、ドイツ観念論ではなく、イギリス経験論からカントへの連関のなかから出発するが、イギリス経験論の観念連合説には距離を置き、諸観念がそこから分岐してくる分岐以前の生成に戻って、そこから再出発する。

［後注⑤］　概念も、生成して来るのであるから、前-概念的な「不可識別態」（indiscernable）を引きずっている。この「不可識別態」という発想はライプニッツから（ドゥルーズにも近づく）バディウへの系譜に目立つもので、ドゥルーズ＝ガタリではさほど主題化されないが、やはり付帯していると見てよい、あるいは見るほうがよい。すでに引用してあるはずだが、「概念はすぐれてひとつのカオス的状態（un état chaoïde）である。成存態となったカオス（un chaos rendu consistant）なのだ」（QPh. p. 196）。

［後注⑥］　原語は〈ré-enchaînement〉。「再-」（ré-）とは、根源的生起の無限動においては微分動のなかで相互・差異-連鎖していたものが、内在平面としての人間的次元で新たに相互・差異-連鎖しなおす、ということと解してよいだろう。

☆

「科学者は、カオスから、〈多様・函（変）数化‐態〉〔後注①〕を持ち帰る。〔根源的多様・差異化‐動の無限速度・強度から〕弛緩・緩慢化〔後注②〕によって独立態となってしまった、別言すれば、他の介入しくる函（変）数態を排除し、残りの函（変）数態として或る一つの函数関係のなかで決定可能な関係のなかに入ってまった多様・函（変）数‐態を、である。これはもはやもろもろの物自身の特質のあいだの関係ではなく、もろもろの有限な座標のあいだのそれであり、後者は局所的に可能〔後注③〕なところから全体的なコスモロジーへと広がっていく、これまた裂開具備の、ひとつの準拠平面〔後注④〕を構成している。」（QPh. p. 190）

〔後注①〕原語は〈*variables*〉である。普通の数学では、ある函数関係のなかでの変数について、この語を使う。ここではいきなり「変数」というのもどうかと思い、とりあえず包括名詞「函数」と「変数」を並記した。「〜態」とすることによって、根源的‐生起・強度‐動態から、「弛緩・緩慢化」によってやや離れてしまった（「独立」してしまった）多少とも静態的・固定的な物象としての（数のような）計量体を示そうとした。

〔後注②〕原語は〈par ralentissement〉である。大分以前のところ、あるいは前々著の『差異と反覆』論のなかで、われわれは根源的・自己差異‐生起動の漲る潜勢的・強度空間・スパチウムの上・表層にあたる知覚・表象‐可能な次元・物象的次元を、前者の「強度動」に対してデカルトの延長態を参照しつつ「弛緩態」と呼んでおいた。それがここでまさしくそのように見なされ・呼ばれていることになる。

〔後注③〕原語は〈probabilités〉であるから、直訳的には「蓋然性」であるが、ここで「蓋然的」という語を使うのは日本語として無理なので、ここでは置き換えてもさほど問題のない「可能的」にした。

〔後注④〕哲学における「内在平面」に対応する科学における「平面」が、この、むしろ外なる「準拠系・尺度系」（référence）への参照（référence）において成立する「準拠平面」（plan de référence）である。このことは内容的には既述の該当箇所で説明してあるはずだが、言葉としてはここで補完すべき筋合いのものであったようにも思われる。

☆

「芸術家はカオスから〈多様・合成化‐態（動）〉〔後注①〕を持ち帰る。この後者は、有機体レヴェルでの感覚態の再生産を構成するものではもはやない。そうではなく、無限態を奪回しうるような非‐有機体的〔後注②〕合成平面〔後注③〕のうえに、〔作品という〕感覚体〔後注④〕を打ち立てる」（QPh. p. 190）。

〔後注①〕原語は〈*variété*〉である。芸術作品とは、根源的・生起‐生成動を構成していた（る）多様な要素をそのつど人間（人為）側から「合成」する（した）ところのものであるが、既述のように、静態的・固定的にしてそれ以上に動態的な生起・生成力に充ちているものであるから、ここでは「態」と「動」を重ね合わせて、「多様・合成化‐態（動）」とした。

〔後注②〕原語は〈anorganique〉であり、ドゥルーズ＝ガタリはこの語を頻繁に使うわけではないが、あの自然哲学的にして、しかも〈CsO〉（Corps sans Organe）（器官なき身体）の思想家である両人に[13]、この「非‐有機体的」という賓辞は重要である。有機的‐自然の哲学ではなく、あの「第四」次元の思想であることを、改めて深く考えなければならない。

〔後注③〕原語は〈plan de composition〉である。むろん、哲学の〈plan d'immanence〉、科学の〈plan de référence〉、に対応させてある。

〔後注④〕原語は〈un être du sensible〉〈un être de la sensation〉である。ここでは訳し分けるほどの必要はないはずなので、一語で処理した。既述のところを尊重して、「純粋・真正・パラ‐感覚体」ともいうべきか。

☆

原書はこの次の頁で、これら、根源的‐差異・生起‐動における諸要素の、人間レヴェルにおける、哲学による「再‐連鎖化」（ré-enchaînements）、科学における「函数化」（fonctions）、芸術における「合成化」（compositions）は、容易に成されるわけではなく、多くの破壊的事態が介入しうることが、付加・強調されているが、これは自明のこととして、ここでの引用は省略しよう。

ただ、一点、これら三種活動相互の関係ではなく、これら三種活動の「カオス」とは「別の、もうひとつの敵」との闘いこそが、最大の要事なのだという指摘を記しておく。

「もうひとつの闘いが展開せられ、より重要性をもつ。〈オピニオンとの闘い〉（lutte contre l'opinion）である。この〈オピニオン〉こそが、われわれをカオスから護ってやるのだと、自称するのだから」（QPh. p. 191）。

オピニオン（世間的レヴェルでの恣意的な見解・意見）にかどわかされることなく、哲学と科学と芸術の困難にこそ、賭けなければならない。ドゥルーズの称揚するスピノザのいうように、「為すに値することは、なべて、困難なのである」。(14)

第五章　哲学は、概念を、内在平面において、概念人物を介して、「創造」する

第一節　「生起」（événements, Événements）とは何か

ドゥルーズ＝ガタリのテーゼ「哲学は概念の創造である」「哲学は概念を創造する」を、われわれは、これも両人の要請にしたがって、「哲学は、概念を、内在平面において、概念人物を通じて、創造する」に分解して、「概念」「内在平面」「概念人物」の如何を、直接的関係事項とともに、考察してきた。今度は、最後は、「創造、創造する」の如何である。

問題を不要に広げすぎないように、われわれはこれまでのところで効果的な取っ掛かり口になりうるところに目星をつけておいた。たとえば、「哲学は根源生起をそれらの概念とともに湧出させる」（QPh. p. 187）という発想である。それまでのわれわれの基礎的な理解では、「哲学は内在平面にそのつど自己産出（auto-position, auto-poieisis）的に生起（événement）してくる根源生起（Événements）を、概念人物の働きを通して、概念へ

と仕立てあげる」であったはずであるから、この着目に大過はない。そして、いずれの場合にも、「内在平面」「概念人物」をより詳細に規定した時点でも、諸生起（événements）・根源生起（Événements）そのものについては、むしろ未規定のままに保留しておいた。ドゥルーズ＝ガタリは、「カオス」「成存態になったカオス」「無限運動」「無限速度」、等とも呼び、であれば、ということで、われわれも先行大著『差異と反覆』『意味の論理学』の「無底の根源的・自己差異化-生起動」や『資本主義と分裂症』『千のプラトー』の「（無底の）根源的・産出-欲望・機械動」と関連づけ、さらに、伝統的哲学・形而上学が万象の根源・根底を明らかにするという目途（もくと）・使命感から同一律とともに根拠律・理由律を窮極的な主題の一としたにたいし、シェリングの「無底」概念やハイデガーの「根拠律（理由律）」批判がこれを形而上学的独断の業として斥け、ある意味では「万象に根拠なし・存在理由なし」のニヒリズムを宣告するとともに、別の意味では「万象の人間主義的規定・根拠づけ・理由づけからの自由・開放」の脱-人間主義的・積極性の思惟次元を開闢した、その現代思潮の主要論脈に位置づけたわけだが、さて、その場合、後者の一であるA・バディウは、端的に、ハイデガーの「存在」（Sein）に代えて「生起」（Événement）を持ち出し、[1] われわれ（筆者）はハイデガーの到達点は「存在」ではなく「リヒト-ゥング」（Licht-ung）であると主張するのであるから[2]（この場合、〈Licht-ung〉と〈Événement〉は相並ぶことになる）、これは現代哲学最大の問題の一ということになり、慎重に扱わざるをえない。あらためて、ドゥルーズ＝ガタリ自身の規定を追考することにしよう。なお、これも細密に、引用・注解のかたちをとることにする。

A

長文だが、長文のまま引用して細部に注解、とすると煩雑になるので、はじめから重要短文に寸断して明快化をはかることにする（QPh. pp. 147~148）。

（ⅰ）「われわれが〈〔根源〕生起〉（Événement）と呼ぶのは、到来するもの（ce qui arrive）において、それじたいでは現前化しない（qui échappé à sa propre actualisation）ところのもの（part）の謂いである。生起（événement）は〔あの〕物象事態（état de choses）には属さない。物象事態のなか、あれこれの物体（corps）や体験事態（vécu）のなかに現働化（s'actualise）するが、なにがしか秘かな影のようなものをもっており、それが絶えずその現働化から身を引いたり（soustraire）あるいはそれに付け加わったりする」（ibid. pp. 147~148）。①「生起」と「到来するもの」の違いは説明するまでもないだろう。簡単にいえば、後者は物的事象であり、前者は物的事象がそれとして成立するその存在論的な動きである。ハイデガーにおける「存在」（Sein）と「存在者」（Seiende）の「存在論的差異」にほぼ該当するが、ドゥルーズ＝ガタリでは「存在者、到来するもの」のそれとしての「成立」を「根源生起（存在）」が「成立させる」その「生成論的な動き」が強く押し出される傾向にある。②ドゥルーズ＝ガタリ思想の核心をひとつ挙げよといわれれば、この「到来するもの、到来したもの」からその「生起、根源生起」を取り出すことにある、といってもよい。③もうひとつ重要なのは、最初の二行で、「それじたいでは〈actualisation〉しない」と「物的事態のなかに〈s'actualiser〉する」と、同じ〈actualisation, actualiser〉が肯否逆様に使われていることである。この語は通常は「現実化、現働化」と訳されるが、筆者は前々著[3]で検討のうえ、〈現前化しない〉が〈現働化する〉、と訳し分けることにした。〈現前化しない、潜勢的で、見えない〉ままに〈作動、現働化する〉場合もありうるからである。ただし、筆者は、後者は最終的には〈実働化、実働性、実働態〉とする。

（ⅱ）「物象的事態とは異なり、根源生起は始まりも終わりもなく、無限運動を保ち、それに成存性〈consistance〉を与える」（QPh. p. 148）。〈consistence〉の多義性については先述（本書一八五～一八六頁参照）した。ここでは恒存性や人間的‐有意味性に近いニュアンスで解される。
（iii）「根源生起は潜勢態（le virtuel）で、現前態（l'actuel）からは区別される。しかし、もはやカオス的でなく、カオスから引き離された内在平面のうえで、成存（態）的（consistant）あるいは実働的（réel）となった潜勢態である」（ibid.）。文言からすると「根源生起」以前に「カオス」が実在しているような印象だが、「窮極の起源」は問わないはずであるから、このあたりは適当に受け取っておくほかない。「カオス」という言表そのものがすでに内在平面への帰属を露呈しているではないかともいえるし、他方、『資本主義と分裂症』の「分裂分析」は内在平面以前の「カオス」にまで達しなければその名に反するではないかともいえる。大過にいたらぬかぎり、適当に対応しておいてよい。
（.iv）「現前的（actuel）であることなしに実在的（réel）、抽象的（abstrait）であることなしに理念的（idéal）」（ibid.）。これでは「〈réel〉＝〈idéal〉」ということにもなりかねないが、上記のストア派論に見られたとおり、「シミュラクル」の「表面」における〈l'idéel〉というものもあるし、〈l'idéal〉の実働性としての〈réel〉もありうるから、これもあまり形式論で騒がないほうがよい。
（v）「根源生起が物象事態を俯瞰（survol）するのであれば、根源生起は超越的（transcendant）ということになるではないか、といわれるかもしれないが、根源生起に自らにおいてまた内在平面のうえ（sur）で俯瞰（se survoler）する能力（capacité）を与えるのは、純粋内在（immanence pure）なのである」（ibid.）。①〈Événement〉を、われわれは「無底の根源～」といい、ここでのドゥルーズ＝ガタリは「俯瞰～」といい、これでは「下から」と「上から」で背反矛盾するではないか、といわれるかもしれないが、これは、もともと空間的に規定しうる問題ではないから、「ものの言いよう」の違いにすぎず、騒ぐほどのことはない。ドゥルーズ＝ガタリは西欧流に神に代えて〈Événement〉を「上から」語り、われわれは（彼らが脱‐超越の内在論というから）はじめから「無底の根源」といういわば「下から」語ってきたということにすぎない。②「純粋内在」が「能力を与える」とはどういうことか、これは「内在平面」とは、要するに人間的‐実在了解‐範域ということであるから、それなりの「力、能力」も持っており、人間もしくは「概念人物」がその「力、能力」をもって「内在平面」界を「俯瞰」動と「被‐俯瞰」態に分節化して、ということと解して、大過ないだろう。その「力、能力」はどこから来るのか、と問えば、それは、ここでは、「根源生起」からではなく、「内在平面」そのものから、ということになるが、これでは、結局、いわゆる人間中心主義・人間主体中心主義になりかねず、ドゥルーズ＝ガタリ思想の前提に反することになる。われわれ（筆者）自身は、これも根源生起から由来して人間的内在平面がそれを人間流に分節化していくのだ、と解するが、いずれにせよ、ドゥルーズ＝ガタリ思想は「起源」は問わず「中間（mi-lieu）としての現状」を分析するのが自らの任（tâche）と考えているのであるから、この種の問題についての突き詰めた問いと解はない。

（vi）「超〔上〕越的（transcendant）、降〔下〕越的（trans-descendant）」なのは、むしろ、根源生起が自己現前化（s'actualise）する物象事態であって、そうした物象事態にいたるまでは、根源生起は、現前化されず現前化には無‐関与なまま（reste indifférent à l'actualisation）の純粋内在（pure immanence）である。その実在性（réalité）は物象事態になど依存していないのであるから」（ibid.）。①ここでの説明は、われわれの理解に一致する。図式化すれば、こうである。「内在平面」と「根源生起」の関係は、どうなのか。前者は後者の「現前化・現働化」（s'actualiser）の諸様態であり、後者は前者の「潜勢態」（le virtuel）、前者への「現前化・現働化」の動態性を生起・生成（devenir）させている「根源的」な「潜勢動」（Événement）。両者の間に時間的前後関係などない。存在論的関係なのであるから。「成存態」と「前‐成存態」、たとえば「成存態になったカオス」と「成存態になっていないカオス」の関係も、ほぼ同様である。「分裂分析」が「裂開・開裂‐分析」として出会うのも、この「いまだ成存態になっていない、ただしこれから新たな成存態になるであろう前‐成存態、根源的・潜勢動」である。それはまた、これまた「内在平面」側・レヴェルからの理解ではあるが、「無底の根源的・自己差異化‐生起動」「無償の根源的・産出‐欲望・機械動」「無限速度動」にも対応する。②ちなみに、「内在平面」界への〈actualisation, s'actualiser〉は、たんなる「現前態」となって上記の「超越的・降越体」や知覚・表象‐対象に成り終わることも多いが、「現働態」として「実働性」を維持し、物象事態レヴェルで「実働的・実働化的」能作として開展・展開していくこともありうる。ドゥルーズ＝ガタリの実践思想の本途は後者にある。

（v）「根源生起は、非物質的（immatériel）、非物体的（incorporel）、非実用的（invivable）。純粋〈保留態〉（réserve）である」（ibid.）。これは一見いかにも閉塞的な発想にみえるが、この「保留態」が「無限差異運動」「自己定立動」（auto-position）であることを考えれば、上記の実践思想へと繋がっていくはずである。

（vi）ここでドゥルーズ＝ガタリは、この種の発想の先駆として、「物象事態」と「無限運動」（mouvement infini）の異同をめぐるペギーとブランショの思想を挙げている（ibid.）が、詳説はなく、内実は上記われわれの展望と本質を同じうするもののはずである。

B

これも長文で、上記Aと同様に対応しよう（QPh. pp. 149~150）。

（i）「［ベルクソンは瞬間と瞬間の間も細かい時間だというが］、二つの瞬間の間（entre）は、もはや時間（temps）ではなく、ひとつの間‐時（un entre-temps）としての生起（événement）である」（QPh. p. 149）。①ベルクソンのために一言弁明しておくと、ベルクソンは、カントが時間を「直観の形式」であるとしたに抗して、時間は「実在（réel）の形式」であるとしたのであって、別言すれば、瞬間と瞬間の間も時間的形式で進展する（場合によっては、「創造的進化」を続けているともいいうる）実在である、といったのであって、単純素朴粗雑に時間であるなどといったわけではない。ドゥルーズはベルクソン哲学を敬愛しているから歪曲はないはずだが、ベルクソンを読まない読者諸氏が誤解しないように申し上げておく。②「間‐時」などという日本語はないが、〈entre-temps〉という語のために造ってやろうではないか。③この〈événement〉定義は次の（ii）につづく。

（ii）「間‐時は、永遠に属するもののことではなく、時間のことでももはやなく、生成（devenir）に属するものである」（ibid.）。時間と永遠に対する第三態が「生成」だということになる。「生起」もそうだ。ドゥルーズ＝ガタリには「生成」と「生起」の区別・関係についての論究はないが、われわれの理解では、「生起」の多少とも継続反覆的な展開が「生成」、「生成」の本質構造が「生起」ということになる。

（iii）「間‐時、生起、は、つねに死せる時間である。そこでは何ものも到来・通過・去消する（passe）ことがない。すでに無限の過去（infiniment passe）であるひとつの無限な待機（attente）、待機にして留保（réserve）」（ibid.）。「死せる時間」（temps mort）などというが、上記の通り、生ける「生成」（devenir）でもあることに注意。

（iv）「この死せる時間は、到来するもの（ce qui arrive）につづく時間ではない。到来する偶有事（accident）の瞬間や時間と共存（coexiste）するが、それも巨大な虚ろ時間、なんらかの知的直観の奇妙な無差別さ（étrange indifférence d'une intuition intellectuelle）のなかでその偶有事がこれから到来するともすでに到着しているともみなしうるような虚ろ時間として、共存するのである」（ibid.）。難解な言いかただが、こう解釈する。①「死せる時間」とは上記のところから「生起・生成」の謂いである。後者は「到来するもの」からはじまる

（つづく）過去→現在→未来の通常時間ではない。「到来するもの、到着しているもの」と「共存」する、「到来するもの」か「到着しているもの」かについては「無差別」な、その意味で「虚ろ」な時間である。②「なんらかの知的直観」と訳したのは〈une intuition intellectuelle〉で、不定冠詞付きゆえ、特定の哲学者のものではないが、ドゥルーズゆえスピノザあたりの「知的直観」とすれば、カント流「感性的直観」であれば「過去、現在、未来」つまり「到来するもの」と「到着しているもの」の「区別（差別）」をつけようが、スピノザ流の「知的直観」は通常時間とは別次元の「実体」を直観するものであるから、「到来するもの」と「到着しているもの」との「区別（差別）」などには無関与（indifférence）。ドゥルーズ＝ガタリの「生起・生成」「死せる時間」「虚ろ時間」についても同様、ということであろう。③「奇妙な」（étrange）という発語の真意は、目下、不明。「感性的直観」なら「区別」をつけるのに、「知的直観」ではなぜ「区別」をつけないのか、それが「奇妙」ということであれば、これは哲学一般の原理的問題になる。④要するに、この一文は、難解にみえるが、時間レヴェルの物象事態（état de choses）と生起・生成（devenir・événement）レヴェルの根源事態のあの（c / t, a / v, mol / molé, espace strié / espace lisse, ……等々の）地成学的-重相性（〈géo-logique〉というドゥルーズ＝ガタリ語で形容すれば〈dualité〉、というより、〈redoublée〉〈Zwiefältigkeit〉、あるいは、ライプニッツ論のドゥルーズ語〈pliage〉を用いて、〈pliage géo-logique〉と仏語表現することは許容範囲内であろうか）をいっているだけのことにすぎない。

（ｖ）「通常の時間は相次いで連続していく（se succedent）が、すべての間-時は相互に積み重なっていく（se superposent）」（ibid.）。〈se superposent〉は〈se succedent〉でない、という、相対関係のなかでの言表であろう。間-時の集積はこの種の空間的積み重ねですむわけではない。複雑・生動的で簡単な言語表現は難しい。

（vi）「おのおのの〔根源〕生起には多くの相互に異質（hétérogènes）な、同時的（simultanées）でもある、合成〔構成〕要素（composantes）がある。それらの合成要素はそのおのおのが間‐時なのであるから、すべてが間‐時においてあり、後者が合成要素たちを不可識別性（indiscernababilité）、不可決定性（indecidabilité）のゾーンによって相互コミュニケートさせる」（ibid.）。①遅まきながらいっておけば、ここでも〈événement〉は〈Événement〉と〈événements〉の双方である。そのおのおのがこのような多くの合成要素から構成されているということのほうが、ここでは重要である。②それらを相互コミュニケートさせている「不可識別的・非決定的ゾーン」についいては先述もしたが、常識的にも理解可能であろう。

（ⅶ）「これらの合成〔構成〕要素態が、〔先述の、〈哲学がカオスから持ち帰るもの〉とされた〕多様・差異化‐動（variations）であり、諸変化‐動（modulations）、諸インテルメッツォ（intermezzi）、諸特異態化‐動（singularités）であり、ひとつの新たな無限次元（un nouvel ordre infini）を構成していく」（ibid.）。重要な一文だが、説明の要なく明快であろう。二点のみ付言しておけば、①ここにいう〈singularité〉は、筆者は、この概念の重要さに鑑みて「独異（性、態）」と造語するが、ここでは大した支障はないので、通例訳にする。②ここにはドゥルーズ＝ガタリ的な「創造」作動の基本部分が粗描されているともいえることに留意。

（ⅷ）「生起のおのおのの合成〔構成〕要素は一瞬のなかに、また、生起はこれらの諸瞬間の間を通過する時間のなかに、〈現前化もしくは現実化〉（*s'actualise ou s'effectue*. 原文イタ）する」（ibid.）。①〈actualizer〉は先述のように両義的だが、ここでは次の（.ix）の〈virtuel〉（潜勢的）と対比的に記されているので「現前化」にする。②〈effectuer〉はドゥルーズ＝ガタリではつねに「現前」レヴェルでの「現実化」である。「潜勢・生成・レヴェル」にかかわるときは〈contre-effectuer〉とまでいう。ドゥルーズ＝ガタリに実践問題を問うときは、踏まえておかなければならない一点である。③とはいえ、「生起の合成要素」つまり「多様・差異化‐動」は、御覧のとおり「時間・瞬間」レヴェルに「現実化」（s'actualiser, s'effectuer）もするのだ。これもドゥルーズ＝ガタリの実践思想のポジティヴな側面である。「現実化」して「生起・生成の合成要素、多様・差異化-動」を失い、「物象事態」（état de choses）「延長態」「同一態」に「堕態化」（cf. degradation. DR. p. 247, 226, etc.）してしまうということか？　しかし、そこまで極端・偏向的なペシミズムはない。④解決の途のひとつは、既述のところにすでに胚胎（conception）されてはいたといえないこともない。「領土化、相対的・脱-領土化-動」は「絶対的・脱-領土化-動」を「吸収」して「絶対的・再-領土化-動（態）」への途を示唆していたではなかったか。このプロセスを安易な弁証法から切り離して、ドゥルーズ＝ガタリ的な「無底の根源生起・auto-position→強度空間スパティウム→地成学的開展→宇宙論的シンセサイザー」へと結びつけていくことが、ひとつの解決策だろう。

（x）「〔現前態レヴェルと違って〕〈潜勢態〉（la *virtualité*. 原文イタ）レヴェルでは何事も到来・通過・去消（se passe）しない。潜勢態は合成〔構成〕要素として〔到来・通過・去消の時間ではなく〕間-時（entres-temps）しかもたず、それらによって合成〔構成〕された生成（devenir）としての生起（événement）しかもたないからだ。何事もそこでは到来・通過・去消（se passe）しない。ただし、そこでは、すべてが生成のうちにあって生成している（tout devient）。それゆえ、生起は、時間が通過してしまった時点で、再開（récommencer）するという特権をもつ」（QPh. pp. 149~150）。このあたりから、ようやく、先述の「非-物質的で、非-物体的で、無-表情で、純粋保留態」とされていた「生起・生成」が、その能作性・力動性を開示しはじめることになる。「時間が過ぎ去った時点で再開する……」とはなかなかの傑作ではないか！

（xi）「何事も到来・通過・去消（se passe）しない。しかし、すべてが変化する（tout change）。生成はその合成〔構成〕要素〔の動態性〕によって絶えず反覆再開（répasser）し、生起を反覆先導（ramener）して、生起が他の場、他の時に現働化（s'actualise）するよう仕向けるからである」（QPh. p. 150）。〈répasser〉、〈ramener〉

は、取意訳した。
（xii）「時間が過ぎ去り（passe）瞬間を連れ去る（emmene）とき、そこにはつねに生起を反覆先導（ramener）するためのひとつの間-時（entre-temps）が存在する（il y a）」（ibid.）。〈il y a〉は「存在する」ではなく、「出来（しゅったい）する」「成存する（にいたる）」とでも取意訳したいところである。
（xiii）「〔このように〕生起を、その生成を、その分解不可能の多元・差異化-動（ses variations inséparables）を、把捉（appréhende.〔cf. (con-)cipio〕）するのは、なにがしかの〈概念〉（*concept*. 原語イタ）なのである」（ibid.）。本著の冒頭部分から、このことは陰に陽に確認しつづけた。
（xiv）「概念はひとつの反覆力をもつ」（ibid.）。確認するまでもないが、ドゥルーズ＝ガタリ用に再確認しておく。
（xv）「概念は、その産出、その再-産出において、潜勢的なもの、非-物体的なもの、非-表出的なものに、実在性（réalité）を賦与する」（ibid.）。そうだよな（笑）。
（xvi）「ひとつの概念を立ち上げることは、ひとつの函数関係を確定することと、同じではない。双方いずれにもなにがしかの運動があり、変容作動と創造作動があるのだが、……」（ibid.）。われわれの今回の中心問題であるから軽々には語れないが、あえてこのあたりで冒険的に要約しておけば、……。哲学は、現前的な事物事象（états de choses, l'actuel）を、その無底（sans fond）の根源的・自己差異化-生起-動（とカオス）(différence, Événement, événements）から、潜勢的（virtuel）・強度空間スパチウム（spatium）・生成動（devenirs）を構成する無尽の多様・差異化-動（c/d mouvements infinis, variations）を通じて、概念（concept）をもって、総態的に把握（con-cipio）すべく努め、科学は、それらすべての事象をさまざまの有限な函数関係（fonctions）への還元とその変数（variables）として、相互整合的に捉え直す。おのおのに固有の「運動、変容作動」については、この簡述のなかに見出せよう。「創造作動」についてのみ、これも冒険的に簡述を試みれば、哲学は、そのつど多様・独異（singuliers）であるはずの「総態把握」（con-cipio）の営みの如何を通じて、科学はその諸事象の相互整合的な函数関係（fonctions）への「還元・変数化」（transformation.〔ドゥルーズ＝ガタリは〈reduction〉という語は、おそらく一度も、使わない。そこにこの多様性の思想の節操が見られるといってもよい〕）の如何を通じて、おのおの「独異」な「創造性、創造力、創造行為」を自証していくはずである。

C

（i）すでに論じたことだが、再整理のために、……。「〔根源〕生起は、〔あの〕不可分離的な多様・差異化‐動から成る（est fait de）だけでなく、自らがそこへと自己現前化・自己現実化していく物的事象、諸物体・諸生体験からも不可分離的である。しかし、逆もいえるだろう。物的事象はそれ以上に、自らの現前化をあらゆる側面から超過（débordé）する〔根源〕生起と不可分離的である、と。概念に潜勢的な成存性を与える〔根源〕生起へと遡行（remonter）しなければならないと同じく、函数関係に根拠尺度（référence）を与える物的事象へと下降（descendre）していくこともなければならない」（ibid.）。両者（生成・生起と物的事象）の相即・重相性（相反・相伴‐性）は説明するまでもないだろうが、「下降・遡行（上昇）」言表のドゥルーズ＝ガタリとわれわれ（筆者）の違い（逆）は、既述もしたが、大したことではないので、誤解なきよう御願いする。

（ii）ここで〈contre-effectuer〉というドゥルーズ＝ガタリ特有の言いまわしが出てくる。〈effectuer〉は「物的事象」レヴェルでの現実化・現前化のことであるが、〈réaliser, actualizer〉とはいわず、稀にこの語を使うのは、実益追求上の効力を含意してのことらしい。実は筆者自身は前著[4]のエピグラフで〈運命（destin）を使命（destin）へと実効化（effectuer）する〉と記したように、この語を現実と理念を一体化した重要な意味で用いるが、ここではドゥルーズ＝ガタリ語として「現効化する」とでも試訳しておくことにする。〈contre-effectuer〉はしたがって〈反・脱・非‐現効化する〉である。「物的事象レヴェルでかかわらざるをえなくなるとき、ひとは生起（événement）を現前化（actualise）もしくは現効化（effectue）してしまうが、物的事象レヴェルから生起を抽出（abstrait）してそこから概念を取り出す（dégager）ときには、それ〔生起〕を〈脱‐現効化する〉（contre-effectue. 原文イタ）」（ibid.）。

（iii）今度は、ドゥルーズ＝ガタリには、これも珍しく、ただし、本質的にはこの種の問題を含んでの思想・哲学のはずだが、価値論的な発想になる。「〔根源〕生起の尊厳（une dignité）というものがあ〔有〕り（il y a）、それはつねに〈運命愛〉（« amor fati »）のように哲学と不可分であった」（QPh. p. 151）。別言すれば、哲学は己の運命愛のようにつねに根源生起を荷担してきた、ということであろう。「哲学が〔根源〕生起と同等（égaler）になること、あるいは自らに固有の生起（ses propres événements）の息子へと生成（devenir）すること。〔J・ブスケのいうように〕〈〔戦傷による半身不随という〕私の傷（ma blessure）は、私以前から存在（existait）していた。私はそれを受肉（incarnér）するために生まれてきたのだ〉。〔……〕哲学のいう運命愛以外の倫理（éthique）などない」（ibid.）。これは、ドゥルーズ的ともいわれるストア派のあるいはスピノザの倫理観であろうか。己の命を賭けても護らなければならない他者・弱者への倫理などないのであろうか？

（.iv）こちらのほうが、やはりドゥルーズ＝ガタリ的だろう。「哲学はつねに間‐時（entre-temps）〔生起・生成〕である。生起を脱‐現効化（contre-effectue）するひとマラルメは、それを〔パントマイムの〕〈マイム〉（Mime）と呼んでいた。物的事象を躱（かわ）すということで。〔……〕マイムは、物的事象の再産出、いわんや生体験の模倣などせず、事象イメージを提供するでもなく、概念を構成（construit）する。到来するもの（ce qui arrive）から、マイムは生起、あるいは現前化されるがままにならないもの、概念の実在性（réalité）を抽出

(extrait) する」(ibid.)。①マラルメを「生起を、現効化せずに、脱‐現効化する詩（人）」と見なすのは、なるほどと思わせるではないか。②「〔パント〕マイムは概念を構成する」も、とくに概念をドゥルーズ＝ガタリ的に解すれば、かなり容易に理解可能ではないか？　事象や生起のあの（既述の）ダイアグラムを構成する、といってもよいだろうか。③「概念の実在性を」というが、ここでの「実在性」は何か実体的な対象物などではなく、要するに「生起」、あるいは「生起」をして「生起」たらしめている、簡単には規定・言表できるはずもないが、既述の「多様・差異化‐動」、いま述べた「ダイアグラム」、（いずれもカオス付きの?!）……の謂いではないか。④もっと重要なのは、われわれは「無意識界・潜勢界・微分子界・無底の根源生起動」等をめぐるドゥルーズ＝ガタリ流の「認識」をどう規定すべきか、問うては試答を繰り返してきたが、ここでもうひとつ適正な回答を試みえそうだということである。マラルメ流の、と、あまり個人名に限定しないほうがよいが、要するに、ドゥルーズ＝ガタリ的‐認識は、既述の「行為的直観・意志的‐創出的‐直観」の一形態としての、ここにいう「マイム」によって成されるといってよいのではないか、ということである。

（v）「〔根源〕生起に相応しいものになる（devenir digne）こと、哲学に他の目的はない。そして、生起を脱‐現効化〔生起化、événementaliser〕[5] するのは、まさしく概念人物である。〔……〕すべての傷跡（cicatrices）に抗して傷創（blessure）の痛みを意欲し、すべての死（morts）に抗して断末魔の苦しみ（agonie）を意欲する、ただし、永遠性（l'éternel）の名においてではなく、生成（devenir）の名において。概念（concept）が総括（rassemble.〔con-cipio〕）であるのは、もっぱらこの意味においてである」(ibid.)。なにやらドゥルーズではなくニーチェ・マルローになってしまいそうであるが、しかし、ドゥルーズはどこかで、マルローは「芸術は死への異議申し立てである」と書いているが、これも一つの概念である、といっている。

第二節 「生起を、湧出させ、概念を、創造する」

さて、われわれの今回の主題と、目下の論点に戻ろう。主題は、ドゥルーズ＝ガタリのいう、①「哲学とは概念の創造である」とはどういうことか、であり、目下の論点は、②「哲学は概念の」、内在平面における、概念人物を通じての、「根源生起を踏まえての、創造である」とはどういうことか、になりつつあった。そして、①から②への諸段階においては、おおむね、概念とは、プラトンにおけるように永遠に先在しているイデアの観照ではなく、ヘーゲルにおけるように絶対精神の自己展開における自動的な諸局面でもなく、おのおのの哲学者が、自らに固有（propre）の内在平面において、自らに固有の概念人物を通じて、自ら構築（construire）していく、自らに固有の独自・独創的なもの（entité）であることが主張された。「自らに固有の直観（intuition）のなかに芽吹くもの（germe）を自らの手で育て上げ（cultiver）ていく」（QPh. p. 12）という、判りやすい経験主義的、ただしニーチェ経由の、構築主義（constructivisme）の自己規定もあった。

ところで、いまは、②の段階である。この段階での発想言表は複数ありうるが、われわれは煩雑化させないために「哲学は根源生起をその（ses）諸概念ととも（avec）に湧出させる」（QPh. p. 187）に絞った。「根源生起」とはこの引用文中では〈des événements〉であるが、〈Événement〉（根源生起）と〈événements〉（諸生起）の双方の含意として支障なく、ハイデガーの「存在」（Sein）やバディウの「生起」（Événement）に並ぶドゥルーズ＝ガタリに固有の重要概念として、上記のところに特記した。ここでこの引用文に絞ったのは、「根源生起」を「その（ses）諸概念ととも（avec）に」と、複数でもありうる「根源生起」と「それらに固有の諸概念」の相互性において捉えていることによる。「根源生起」の「湧出」の如何を明確化できれば、「概念」の「創造」も適正に把握できることになる、その目途による。

　さて、再開しよう。

「湧出させる」（fait surgir）とは、一般的には比喩的・文学的の観があるが、地成学的発想として尊重しよう。「生起」に関しては、この語は、①どこから湧出させるのかと問えば、最終的には、「無底」（sans fond）から、とするほかないのであるから、生起をして生起させる、純粋生起させる、真正生起させる（いずれも既述）、〈événementaliser〉（これも、既述）くらいにしか、言い換えられない。既述の「聖なる源泉」など、まったくの非ドゥルーズ＝ガタリ的な比喩表現で、問題にならない。また、「到来するもの」からの、も、下記⑧らのケースと異なり、超越論になりうるので、通用しない。活性化させる、の類いは、逆に、〈effectuer〉になりうるためか、この語も使われない。②「〜から」ではなく、「〜へと」、湧出させる、とはいいうる。既述のように、「カオス」にも二種類あった。「成存態になった」カオス、とあったから、「成存態にならない」カオスというものも考えられているのか。別言すれば、「成存態へと」「内在平面へと」「湧出」させる、……。この場合、「成存態へとならない」カオスとは、「無底」や「外」を予料させ、われわれの解釈には都合がよいが、ドゥルーズ＝ガタリ思想は、先述の通り、（「起源」ではなく）、「現況」（mi-lieu）の思想であるから、明言はなく、曖昧なままである。③この②の典型として、生起の〈auto-position〉（自己定立動）を湧出させる・駆動する、も位置づけうる。言及数は多くないが、われわれ（筆者）には、これがもっともドゥルーズ＝ガタリ的発想に思える。④もうひとつ、「無底」「外」の「行為的直観、意志的・創造的-直観」としての「マイム」化という理解もありうるかもしれない。認識論不全のままの実践論の思考として、われわれの理解にこれは適う。⑤〈incarnér〉。J・ブスケが自らの戦傷を、自らに固有の実存の「生起」として「受肉する」というのも、その（④の）一かもしれない。……他方、「湧出させる」を「生起」ではなく「概念」の問題としてしまえば、この語は、多くの代替語をもつ。⑥〈dresser〉。哲学は概念を打ち立てる、生起「とともに」、むしろ生起から、概念を打ち立てる。⑦〈construire〉。哲学は概念を構築する。⑧〈dégager〉〈extraire〉。哲学は「到来するもの」「物的事象」「現前態」から概念を引き剝がすように、分離させる、抽出する。⑨〈saturer〉。生起を構成する諸分子・諸要素をいやさらに「飽和させる」。⑩〈macroscopier〉〈microscopier〉〈fabulation〉。巨大化させる、極微部分まで拡大化する。……また、「生起」の問題としても、「概念」の問題としても、⑧〈s’évaluér〉〈devenir digne de〉。哲学は生起とそれが孕む概念に「同等、相応しく」なる。⑨〈reconnaître〉。直接的認識（connaitre）はなくとも、それとして「認容」する。⑩〈cartographier〉。同様に、いわば「地図作成」する。……結局、⑪われわれの総括的言表、「意志的・創造的‐直観」する、の諸局面ともいえることになる、……。

われわれ（筆者）としては、ここでは、この『哲学とは何か』の言表とはややずれるが、充分にドゥルーズ＝ガタリ的な発想として、〈actualiser〉を採りたい。この『哲学とは何か』では、両人は、この語を、上記もしたように、「現前態（化）」として、むしろネガティヴに扱っている。しかし、他方、上記「A（i）」に確認・強調しているように、「生起（événement）」と「物象事態」（état de choses）は、いわば不即不離、われわれのいう相反‐相伴の不可分離（先述）関係にある。例えば「概念」だとて、ここでの両人はその「生起」局面を強調するが、実際は文字・字形・音声……といった「物象事態」とあの「c／t、mol／molé、意識／無意識、ロゴス／ドラマ、……」と同様の地成学的・重相関係にある。われわれはこのことを前々著で、『差異と反覆』『意味の論理学』を追考しながら、例えば、「白色・無色‐光」と「有色態」の関係、「物的三次元事態」と「意味という第四次元態」の関係、つまり「現前態」と「潜勢動」の異次元・重相性（redoublée, Zwiefältigkeit）において論じた。別言すれば、「現前態」（l'actuel）は同時に「現働態」でありうる、「現働態」（l'actuel）は「現前態」においてまた、「現実態・現効態」（le réal, l'effectué）ではなく、「実働態」（le réel, réelisation, se réeliser）[6]でありうる、スピノザの〈n. naturans – n. naturata〉から近代末・価値哲学の「存在・実在・事実―価値・妥当」まで大袈裟に考量するまでもなく、常識的にもそうではないか、現働態とは現前的にして現働的・実働的でもありうるのだということであった。

今度は、哲学の側からではなく、生起の側から、その〈auto-position〉の側から、〈n. naturans〉や「事実存在」（existence）ではなく、現代諸科学がその内実を明らかにしつつある無意識・微分子動・潜勢態としての生成（devenir, événements）の側から、総括しよう。

『哲学とは何か』ではこれは「内在平面」と呼ばれる。「内在」は「超越」ではないということだが、「超越」はドゥルーズ＝ガタリではじめから存在しないのであるから、「内在平面」における「生起・生成の自己俯瞰」とされる。いわゆる「超越」とは反対側ともいえる（「内在平面」の）下・外は、「成存態でないカオス」とはいわれるが、主題的には論じられないまま、『差異と反覆』以来、「無底」、あるいは「無底の根源生起動」とでも呼ばざるをえない境域である。「平面」（plan）とは、通常の固定的な二次元‐地平ではなく、むしろ〈planning〉（計画駆動）の含意する、要するに、これも『差異と反覆』以来、「物的事象」（états de choses, choses）という三次元‐領域を生成動的に支える多元的・力動空間スパティウム（spatium）、ほぼ潜勢的（virtuel）な無限・自己差異化‐運動態（mouvements différentiels de vitesses infinis）である。そこでは、無数のスパチウム構成要素連関（séries des éléments）、またそのなかのなんらかの一定の特色と方向性においてこれまた微小の総態性（un tout, un ensemble）を成していく特異態（singuliers）構成要素連関が、無限の相互織成（s'inpliquer）動態を展開しており、そのなかから第四次元を構成しうる特異態要素連関がいわば浮上し、潜勢態（le virtuel）から現前態（l'actuel）としての三次元－領域のなかに、例えば『意味の論理学』のいう「意味」（sens）のような「存立態・成存態」（insistance, consistance）として、現働化（s'actualiser）していく。そこで、一方では三次元・延長態(ex-tension)としての現前態(l'actuel-présent)に弛緩(ralentir)するとともに、他方では、潜勢的・強度(tension)空間スパチウムの実働性（le réel）を維持しつづけ、そこにわれわれの経験世界としての、理念態（l'idéel）と現実態（le réal）、とくにドゥルーズ＝ガタリ的には、現前態（l'actuel）と現動態（l'actuel）、現実態（le réal）と実働態（le réel）の、相互－緊張・抗争世界が展開していくことになる……。

実のところ、ドゥルーズ＝ガタリは、われわれが期待するこの現実界・現前界（le réal, l'actuel）と実働態・現働態（le réel, l'actuel）の相互－緊張・対立・葛藤の世界を、『資本主義と分裂症・全二巻』のなかでも、充分には描いてくれていないように思われる。しかし、われわれ（筆者）は批判などするつもりはない。ここでドゥルーズ＝ガタリの問題関心はやや別のところにあり、それだけでもわれわれに裨益するところ大きい。こうだ。われわれは上記のところで、潜勢的な強度空間スパチウムを充溢させる無数の構成要素連関のなかから、一定の特色と方向性をもつ特異態連関（série singuliere des éléments）が、ちょうど『意味の論理学』が描いたあのシミュラクルの大海から浮上してその表面（surface）に今は亡き超越的イデア（Idea）に対峙するがごとく「意味」（sens）の地平を開礎・開展していく「理念子」（l'idéel）さながらに、これまた「意味」の現働化に向かって（その特異態連関が）浮上していく有りよう（勇姿！）を垣間見た。目下の『哲学とは何か』でいえば、ここにいう特異態連関動（série singuliere des éléments）とは、あの、われわれが上記に、「多様・差異化－動、多様・函数化－態、多様・合成化－態（動）」、その散開的にしてそのつど一定の（微小ではあれ）総態性（ensemble, tout）を成すと解したあの〈variations, variables, varieties〉、に対応する。「生起・生成界」「内在平面」における、これらの諸要素のそのつど「特異」(singuliers. われわれは「独異」と造語する)な「総態」(ensembles)構成が、「概念」(concepts)、「函数」(fonctions)、「純感覚」(percepts, affects)から、哲学、科学、芸術、の諸作品の構成へと、向かうのだ。『哲学とは何か』のいう「概念」(「函数」「純感覚」はとりあえず省こう)とは、『意味の論理学』における「意味」(sens)「理念子」(l'idéel)「成存態」(consistance)に、ほぼ対応する。

　われわれのここでの出発点である「哲学は根源生起をその概念とともに湧出させる」とは、こうして、「哲学」は、われわれ人間とすべての事象の有りようを投与(donner)してくる潜勢動としての根源的・生起-生成(Événement-devenir)を、それを構成する独異的・要素連関-総態(ensembles singuliers des éléments)としての「多様・差異化-動」(variations)と「ともに」(avec)、現働化する、ことを意味する。また、「哲学とは概念の創造である」とは、「哲学」は、そのような根源的・生起-生成を構成する独異的・要素連関-総態としての「多様・差異化-動」を、現働化する、ことを意味する。そして、「概念」(concept)とは、根源的・生起-生成動を構成するさまざまのほぼ無数の構成要素-連関から、そのつど独異的-要素連関(séries singulieres)としての「多様・差異化-動」(variations)をそのつどの「総態動」(ensemles)として現動化していく、その〈con-cipio〉(総態把握)の、所産というより、営為そのものである。……

　精確を期そうとして、言表煩雑になってしまった。あえてわれわれ(筆者)流の語彙で簡述してしまえば、「概念」(concept)とは、あるいは概念の名に値いする「概念」とは、出来合いの死せる言語凝結体ではなく、存在論的・生起-生成動の諸局面をそのつど〈con-cipio〉(総態把握)する、そのつど新たな生ける多元-協律態、あるいは動的な多律-協成態、である。「哲学」もそのような諸概念によって成る、あるいはそのようなコンセプトのもとに生起-生成-現働化するとき、多くの読者を「インスパイア」(既述)するものとなる。

第三節　生起・生成、創造と基準

先に『意味の論理学』における「意味」(sens) と『哲学とは何か』における「概念」(concept) を、むろん多少の違いはあるとしても、相通ずる境位のものであろうと推認したとき、いわゆる価値哲学における「価値」(Wert, valeur) にも通じうると付言しようとして、中断した。価値哲学における「価値」は「存在・事実」(Existenz) という三次元・現前態とは異次元のいわば第四次元とも見なしうる「妥当」(Werten) 領域を開礎するものゆえ、ドゥルーズ＝ガタリの「意味」にも通ずるが、他方、ドゥルーズ＝ガタリはたとえば「普遍妥当」流の発想を忌避し、創造活動における創造者に「固有」(propre) の「独異性」(singularité) の重要さ・不可欠を強調する。「普遍妥当」は科学・論理学には多少とも該当するであろうが、哲学や芸術は創造者の「固有名」(nom propre) を付すから、前者はすくなくとも相対化はされてしまう。だが、「真理」は伝統的哲学においてはおおむね「普遍妥当」的であり、ドゥルーズ＝ガタリが忌避しても不思議はないが、両人が尊重するあの「興味深さ」(intéressant)「刮目に値する」(remarquable)「重要な」(important) は、これすべてすぐれて「価値」(valeurs) ではないか。「真の」(vrai, véritable)「純粋な」(pur) なる言表の連発もあった。「生起の尊厳 (dignité) と価値的に同等になる (s'égaler)」(QPh. p. 151) とか「生の力はそれが創造する強度によって価値評価 (s'évalue) される」(QPh. p. 72) なる発想もあった。われわれは先ほど「概念」問題のみを挙例して「函数」「純感覚」問題を省略するかの記述をしてしまったが、これら三者は、おのおの各様に自己差異的に多様にしてかつそれなりにおのおのそれなりの総態性（ensembles, co-présents, con-）を構成しており、しかも、これら三者の「相互適合」（co-adaptation）を成さしめるカント判断力のいう「趣味」（goût.「協和センス」、とわれわれは訳す）なる価値論的能力への肯定論議（QPh. pp. 74~75）もあった。「哲学は生起‐生成を現働化・実働化する」「哲学は概念を創造する」「生起は抗いがたい力をもって自己定立（auto-position）してくる」ことは判ったが、その結果が、単なる現前態・延長態・形骸体、悪しき暴威・破壊体でないように有らしめるためには、どうしなければならないか、否定なき全面肯定を是とする実在論は最後にはやはりあらためて価値判断の「基準」と規範論の境位を確認されなければならないだろう。

予想されるところは、おそらくこうである。「内在平面」は「超越」なき人間・物象‐生起・生成‐世界ということだが、後者は無数・無尽・無限の構成要素連関（séries des éléments）の相互織成動から成り立っており、そのうちの独異連関（séries singulieres）のひとつもしくは複数があの（超越ならぬ、いわば）内在的超越ともいうべき「俯瞰態」（sur-vol）として「生起・生成」を構成する全・構成要素連関を俯瞰・鳥瞰しつつ、それらおのおのの、これまた相互織成動によって変容も可能だが、そのつど一定の、構成動の、現況を見分け、「生起・生成」動にとって勝義的に「適合」（s'adapter）的な構成動を主題的に推進していく。ここで忘れてならないのは、これらの動きは、たんなる生起・生成動の「自己定立」（auto-positions）的あるいは自動的・自生‐自成的・原為性において展開しているわけではなく、「内在平面」動としてのそれまでの無数の人為の介入と集積を含む、要するに人為と原為の相互織成において展開しているということであり、そこに自ずからすでに、程度の如何はともかく、「構成動の識別と推進」にかかわる人間・主体的‐価値判断も入り込んでいるということである。

ドゥルーズ＝ガタリは、しかし、やはり、生・生起‐生成の自己展開（auto-position）動の如何こそが中心問題であるかのように論じている。直接の関説箇所はふたつある。

「〔F・ジュリアンによれば中国思想においては「超越」は「内在の絶対化」であるにすぎない。われわれ（ドゥルーズ＝ガタリ）にとっても事柄の価値判断にあたって超越的価値（valeurs transcendantes）を前提する必要などない。〕価値基準（critères）は内在的なものしかない。〔……〕われわれの存在〔実存〕の様態が〈よい〉（bon）か〈よくない〉（mauvais）か、高尚か通俗か、充実しているか虚ろであるか、それは〈善〉（Bien）・〈悪〉（Mal）からも、どのような超越的価値からも、独立のものである。存在（実存）の濃度（teneur d'existence）以外の、生の強度化（intensification de la vie）以外の、価値判断基準（critère）はない」（QPh. p. 72）。

「哲学、科学、芸術、のいずれのひとつも他から導出されることはなく、三者が相互に共‐適合（co-adaptation）し合わなければならない。われわれはこの共‐適合という哲学的能力を〔カントにおけると同じく〕〈協和センス〉（*goût*.〔趣味〕）と呼ぶ。この〈協和センス〉が諸概念の創造を律（règle）する。〔……〕協和センスが三つの本質を異にする活動の相互照応の規則（règle）なのである。〔……〕哲学者は、概念を、決まった尺度（mesure）なしに、自らが開礎する内在平面を唯一の行為規準（seule règle）として、自らが産出する概念人物を唯一のコンパス（seul compass）として、決定していく。〔……〕協和センスは概念の〔いわば〕潜勢態（être-en-puissance）なのであり、ニーチェはこのセンスをほとんど動物的・本能的な〈味覚センス〉（« sapere ».〔cf. sapiens, savoir〕）といっていた」（QPh. pp. 74~76. 一部取意訳）。

「哲学は生起をその概念とともに現働化・実働化する」「哲学は概念を創造する」「生起・生成は抗いがたい力をもって自己定立・自己創造してくる」とは、こうして、たんなる（いわゆる没‐価値的な実在の）生起・生成ではなく、生起・生成の名に値いする、「強度・濃度」に充ちた、「自己定立的・自己創造的」な、「自己差異的・自己反覆的」で「無底の根源的生起動」において「絶対的・脱‐領土化から絶対的‐再領土化へと向かう」、「間‐時」的で「多種・多相的な総態化‐協和力を自証する」、生起‐生成動である。「成存性・存立性」が含む「共存性」ゆえに、弛緩態をも包摂していくが、たとえばその共存性を破壊するような動きは、はじめから考量されていない。この破壊素は、既述のストア的「運命愛」やカント的革命の「熱狂」のなかに解消されてしまうのか、逆にドゥルーズ＝ガタリ思想の未全さを示すものか、いずれにせよこの種のネガティヴ事態は「事物的事態」の水準のものにすぎず、無償の根源的・自己産出‐実在動にとっては副次的な問題にすぎないのかもしれない。

ここで、ひとつ、あるいはもうひとつ、われわれ（筆者）には直接的にはいささか解しかねるところがある。「人為」と「原為」が相互織成することは、上記もしたとおり、認めよう。しかし、たとえば、レオナルド・ダ・ヴィンチが創造した『モナ・リザ』は現実世界が創造（定立）したものである、ダ・ヴィンチによる創造によって現実世界は自らの創造（定立）能力・行為を満喫する、とは、ひとつの言いかたではあれ、それ以上のものではないだろう。ドゥルーズ＝ガタリは、こう記す。

「概念は、与えられる（donné）ものではなく、創造される（est créé）もの、創造すべき（a créer）ものである。概念は形成される（formé）ものでなく、己れ自身において己れを定立（se pose en lui-même）するもの、自己‐定立（auto-position）〔動〕である。両者は相互に織成しあう。真に創造されるもの（ce qui est véritablement crée）は、生命体から芸術作品まで、創造されることによって、自ら自身の自己‐定立（auto-proposition de soi）、あるいは、ひとがそれゆえにそのものを認知する自己創造的な性格（caractère autopoiétique）を、享受（jouit）する。概念は、創造されればされるだけ、自己定立しているのだ。自由な創造活動（une libre activité créatrice）に依拠するものは、同時にまた、自らにおいて、自律的かつ必然的に、自己定立するもの（ce qui se pose en soi-même, indépendantmant et nécessairement）なのである。もっとも主体的（le plus subjectif）なものは、もっとも客観的（le plus objectif）なものであろう」（QPh. p. 16）。

われわれ（筆者）はこの文章の論法にいささか躓くといった。しかし、ドゥルーズ＝ガタリ的にフォローすれば、それなりに有意味的である。両人は、たとえば、「モービー・ディック」と「船長エイハブ」が最後の死闘において一体化する、とは、物体的形象としてのエイハブがモービー・ディックに変貌する、もしくはその逆、ということではなく、おのおのが別々の独異・構成要素‐連関・総態（ensemble singulier des séries des éléments composants）としてそこから分岐・生成してきたその元のいわば豊饒無尽の全・構成要素‐連関・総態としての根源的‐生起・生成‐動にまで戻れば、一方から他方への、他方から一方への、それなりの自在な変換・生成が可能になる、われわれは実在・生起‐生成のそのレヴェルにまで戻って、万象の共‐生起・生成を成存・共立しなければならない（MP. p. 374）、ということであった。ここでも、問題は同じである。われわれ人間は根源的・生起‐生成動から一定の独異・構成要素‐連関・総態として分岐・派生してきた。しかし、それゆえに、根源的・生起‐生成・動の自己創成（autopoietique）動をなんらかのかたちで共有・分有している。われわれは自らにおける創造能力を発動することにおいて根源的・生起‐生成・動の自己創成動と共‐生成する。根源的・生起‐生成の自己創成動はわれわれ人間の創造能力を必要とし、われわれ人間の創造能力も根源的・生起‐生成の自己創成力を必要とする、……ということになる。

「哲学は生起を湧出させる、現働化・実働化させる」とは、かくて、価値判断・価値基準なき産出ではなく、価値判断・価値基準を「内在的‐基準」（上記、QPh. p. 72）においてクリアしている作動であり、それゆえ、「その（ses）概念（concepts.〔con-cipio des variations〕）とともに〔湧出・現働化・実働化させる〕」ということになるのであり、他方、哲学が湧出・現働化・実働化させるにいたらず、たんに「現前化」させるにとどまるか、さらには（湧出・現働化・実働化はむろん）現前化すらさせえない生起・生成動もあることになる。ドゥルーズ＝ガタリは資本主義という現前態、念のためにあえて繰り返せば、根源的・産出‐欲望（desir）・動としての実働態（réel）が強度（tension）空間スパティウムから延長態（ex-tension, détendu）レヴェルへと弛緩（ralentir）して現働化とともにたんなる社会的・充足‐欲求（besoin）・動としての惰性態・現前態へと偏成・閉塞化（dédifférer）[7] してしまった現実態（réal）、……までは処理したが、とくに最終項（現前化すらさせえない脆弱動）については語る語らないの素振りすら見せず、哲学が忘失・放置しがちな「悪」の問題はまったく扱えなかった。別言すれば、「生起の自己‐定立性」についても、要するに、論が十分でなかった。

　もうひとつ加えれば、先にも少しく触れたが、生起・生成動にもその自己定立動にも、たんに起源なしの現況（mi-lieu）を云々するだけでなく、それこそ〈sapere〉問題ではないが、人類発祥以来の無数の人為が混入していること、それ、そのことも、歴史を事物事象（états de choses）として生成の名において貶価することによって、放置した。ヨーロッパ哲学者には珍しく歴史概念に十全でなかったともいえる。

　とはいえ、ドゥルーズ＝ガタリの本領はやはり別のところに確認しなければならないだろう。『哲学とは何か』の末尾は最近の学術風潮に顕著な「脳」（cerveau）論である。われわれが生起・生成動と約言してきたものは、ここでは脳作動となる。「人間」は脳作動の「一結晶態」（seulement une cristallisation cérébrale）（QPh. p. 198）にすぎない。脳作動が生起・生成動であるといっても、地球大・宇宙大の脳が語られているわけではなく、生起・生成動が既述のように微分子の散開‐総態‐動であるとすれば、ここでの脳はその微分子の一つ一つに対応する「ミクロ脳」（micro-cerveaux）（QPh. p. 200）の謂いであり、「〔人間〕主体的審級」（instance subjective）（ibid.）はこの「非〔前?〕‐有機体的な生」（une vie inorganique）の「始原的な諸力」（forces primaires）（ibid.）に帰属する。このかぎりで、いう。

「哲学、科学、芸術、これら三つの平面の（統一 unité ではなく）総態化（jonction.〔un ensemble des trois ensembles. 引用者付記〕）が脳である」（QPh. p. 196）。

「哲学、芸術、科学は、客体化された〔身体的な〕脳の心的対象ではなく、脳がそれによって主体（sujet）となり、〈思考-脳〉（Pensée-cerveau）へと生成（devient）する、三つのアスペクトであり、脳が〔いわば〕それに乗ってカオスのなかに入り、カオスと対決する、三つの平面、三つの筏である。この二次的〔身体的〕な連結（connexions）と統合（intégrations）によってはもはや定義されない脳は、どのような性格（caracteres）をもつか。これは〔身体的な〕脳の背後の〔もうひとつの身体的な〕脳ではなく、まずは（d'abord）内在平面との距離なく同じ高さ（sans distance, à ras de terre）のひとつの俯瞰動態（un état de survol.〔既述〕）であり、いかなる深淵（gouffre）も、いかなる起伏（pli）も断絶（hiatus）もそれを避けることのできない自己-俯瞰動（auto-survol）である」（QPh. p. 198）。

「脳は、〔哲学というアスペクトにおいては〕、まさしく概念能力、すなわち諸概念を創造する能力として現れる。諸概念が位置づき、移動し、順序と相互関係を変え、自己刷新し、不断の自己創造をつづける、内在平面を開礎すると同時にである」（ibid.）。

「脳が主体（sujet）へと、あるいはホワイトヘッドの語に準ずれば〈上位-主体〉（superjet）へと生成する（devient）のと、概念が被-造態としての客体（objet comme crée）に成る（devient）のは、同時にである。生起（événement）もしくは創造そのもの（création même）、そして、哲学、脳が開礎し諸概念を担い運ぶ内在平面」（QPh. pp. 198~199）。

「〈私は〉（Je）というのは脳であり、しかし、〈私は〉（Je）は〔われわれの既述ランボーのいうように〕ひとりの他者なのである」（QPh. p. 199）。

「哲学」あるいは「人為」が「湧出・現働化・実働化」させるのは「内在的-〔価値〕基準」（既述）をクリ

アした「生起‐生成動」であり、それはまず哲学・人為が「意志的・創造的‐直観」（intuition volutive）をもって「飛び込み、対決」（plonge, affronté）」（QPh. p. 198）する、あるいは「行為的直観」（intuition en acte）において「マイム」（Mime）（QPh. p. 151）する、「非‐有機体的」（in-organique）（QPh. p. 200）な「原初的‐力」（forces primaires）（ibid.）という「原為」であり、そしてこの「原為」は「人為」にとっての「他者」（autre）である、ということになる。「哲学・人為」は、「原初的‐力、他者」に「飛び込み、対決し、マイムする」までのものなのであろうか、それともその「原初的‐力、他者」の発出・噴出（ドゥルーズ＝ガタリは〈cratère〉（噴火）（QPh. p. 96）ともいい、彼らが参照するアルトーを参照するデリダも〈Être〉（「存在」）ではなく〈Âtre〉（火床）といっていた[8]）から「到来、生起、生成」する「力、他者」をも、嚮導・方向づけ得るものなのであろうか、……そこまでの問いと応（こた）えは、ない。

結章　真理と創造——真理の創造的発見に向けて

哲学とは、常識的には窮極的な「真理」の探究であろうが、ドゥルーズ＝ガタリにとっては別の「カテゴリー」に属するものを世にもたらすことであった。「真理」でなくて（も）、ひとびとにとって「興味深いはずのもの」（intéressant）「注目に値するもの」（remarquable）「新しいもの」（nouveauté）「ユニークなもの」（unique）「独創的なもの」（original）「重要なもの」（important）、一言でいえば真理のように「知」（savoir）の領域に属するものではなく、「精神」（esprit）の領域、というより「精神の活性化」につながるようなもの、そのようなものの「概念」（concept）を「創造」（créer）することが、その「任務」（tâche）であった。この場合、「概念」（concept）とは、日本語の例でいえばあの漢字の連結から成る難解な語句のことではなく、活き活きとした生命（生起・生成）の流れを構成する諸要素をそのつどひとつの纏（まと）まり・総態（ensemble, con-jonction）へと新‐編成する〈con-cipio〉（一緒に総括する）の営みと、その成果、のことである。（概念の）「創造」とは、この新‐編成のことであるが、芸術作品の創作や、科学的真理の発見と、相似て相異なり、「概念の創造」としての哲学的創造においては、――芸術作品の創作においては芸術家に独自な様式（styles）による新‐編成が中心となり、科学的発見の場合にはその新たな原理の変数へとそれまでの諸‐構成要素を函数（fonctions）化していくことが中心となるに対し、――「（新）編成」を急ぐことなく、「生起・生成の無限運動」に向かって「構成‐諸要素の相互差異化」を可能なかぎり進めていくことのほうに重点をおく。われわれはこのことを示すために、ドゥルーズ＝ガタリが〈variation〉と言表するところを、取意訳の危険を冒すかたちで、「そのつどの多様・差異化‐動の総態化」と訳述した。

ここで主題化しなければならないのは、しかし、「真理」のほうである。「真理」だとて「重要なもの」「注目に値するもの」でありうるはずであるのに、また「精神」的な問題でもありうるはずであるのに、「精神の活性化」につながるものではないと、見なすのは、なぜか。「真理」は単に「知」の学問人の関心事、他の「精神のカテゴリー」は一般人・全人類の関心事、という社会的範域の区別以外に、考量すべき幾つかの問題がある。

（i）ドゥルーズ＝ガタリは真理問題を廃嫡しながら、真理観念そのものの定義を（われわれの知るかぎりでは、おそらく）おこなっていない。「真の」（vrai, veritablre）という形容語はけっこう用いるし、「真vs非‐真」の区別は〈réel〉と〈réal〉を区別（われわれはこれは「実在的、実働的」と「現実的」と訳し分けた）することからしても自ずからなされているはずであるが、とにかく定義なきままの廃嫡である。われわれは、しかし、これを用語上の混乱などではなく、もっと根源的な問題として捉えなおそう。こうだ。伝統的哲学はおおむね「同一律」を金科玉条として成り立っており、真理観念もその一である。思考・言表・命題と対象事象の一致・合致、思考・言表・命題の主・述‐整合性、思考・言表・命題の対象の永遠・不変性、それらすべての自己同一性ゆえの明証性、またそれらの普遍妥当性、……。これに対して、ドゥルーズ＝ガタリ思考は「差異と反復」、というより、「反復」の含意しうる「同一物の反復」をも避けて、「差異の差異」としての「差異と反覆」から出発した、多くの現代思想と相並行する、「差異律」の思考である。「差異律」とはわれわれ（筆者）の造語であるが、「律」とは「法」ではなく「律動」を含意するということも含めて、大過はあるまい。さて、「真理」はこの差異律の思考にまずまず耐えることができない。耐えうるためには「真理」そのものが自己差異化の動きであるのでなければならない。実のところ、ドゥルーズ＝ガタリが先述「生成・生起の内在的‐基準」を「自己創造性」(auto-poïétique)に指摘したとき、まさしく彼らに独自の真理観念が自己定位しかけていたともいえるのであるが、彼らの思考はそこまであるいはそれ以上には、進まずに、真理観念そのものの廃嫡として終わってしまった。いずれにせよ、彼らの真理問題の廃嫡の根本はこの思考様式・思惟律の転換ゆえのものである。

（ii）ちなみに、われわれはドゥルーズの「意味の論理学」を扱ったとき、「真理」論は「真偽・真誤」から「偽・誤」を排除することによって排他の同一律を展開するが、「意味」論は「偽・誤」のなかにも（例えば、心疾患者の虚言のなかに彼／彼女の隠された真を観取してケアするというような）「有意味性」を見ること可能であることによって、「共存」(co-présent)と「多様」性の（差異律による）思考に属するといった。目下の論著における「概念」も、既述のところでも触れたが、「意味」と同様の境位にあるといってよい。「意味」は三次元物象に対する「第四次元」として、「脱‐存在」(extra-être, non-existence)の「存立」(insistance, consistance)態であったが、「概念」も、「内在平面」におけるその〈consistence〉性がしばしば強調され、この語は財津理氏の邦訳ではおおむね「共立性」(con-sistance)と訳されているが、われわれが上記（本書一八三頁以下）に総括したところでは、「共立」性をも含むかなり多義的な「成存」態ともいえ、「多様・差異化-動の総態」（un ensemble des variations）を内包するR・ガシェも重視する[1]〈sur-vol〉（俯瞰-動）として「内在的-第四次元」を構成するということもできるだろう。いずれにせよ、「概念」（と「意味」）が前提する「差異律」においては、「真理」とは別の次元に思考が展開するといってよい。

（iii）フランス語の〈verité〉には、「真理」のみならず、「真実」も含まれる。「真理」が同一律の捕囚として、実在の生起・生成、多様性、差異性、自己差異性、独異性（singuralites）、自己創成性、……に反立するにしても、そして、フロイトの精神分析（psycho-analyse）が後者・人間的「真実」を探索しつつも自らの創設した精神分析を科学として学会に認知させるために旧来の科学の基礎前提としての同一律からの誘惑に屈服してしまったにしても、ニーチェ流の分裂分析（schizo-analyse）やサルトル流の実存分析（existence-analyse）は、すでに後者・差異律のなかにこそ「真実」・〈verité〉の「自己定立・自己創成」（auto-position, auto-poiétique）の場を見出していたといえるのではないか。そして、このかぎりでは、〈verité〉もドゥルーズ＝ガタリのものでもありうるといえるのではあるまいか。

（iv）われわれ（筆者）はここ三巻のドゥルーズ＝ガタリ論をもって彼らの思想・哲学の〈verité〉（真意、真髄）の探究・考察に努めてきた。「非-真理」としての「興味深さ、新しさ、ユニークさ、独創性、精神的活性化力」……等ゆえにではなく、世評上の彼らの「興味深さ、新しさ、ユニークさ、独創性、精神的活性化力」……等の、その〈verité〉を問い訊ねるためであった。研究者といえども、自らがその「興味深さ、……」等に傾倒する対象の研究に専念するケースも十分ありうるが、筆者の場合は、研究者としての出発前後には傾倒する思想・哲学があったとしても、研究者になってから取り組む個々の研究対象は、より大きな問題意識・主題にとっての、「重要」だが、むしろ「資料」的なレヴェルでの、つまりいわば窮極的な〈verité〉

への有力な手がかりでありうるそのつどひとつの〈verité〉としてのそれ、であった。それが研究者としての〈tâche〉であるとの自覚からであった。だが、いずれにしても、〈verité〉は〈verité〉だ。ドゥルーズ＝ガタリ思想は、歴史上・思想哲学史上の現代という現実的状況を踏まえて、われわれ人間と世界の存在・認識・実践にかかわるすくなくともひとつの〈verité〉を提示している。たんなる「興味深い、……」等の「カテゴリー」とは別の「真理のカテゴリー」に帰属するものの「重要さ」もあらためて確認せざるをえない。

（v）哲学思想史の良識によれば、われわれが重視してきた近代哲学の認識論的転回から現代哲学の存在論的転回に並行するかたちで、「真理」の何か（Was-sein）を問い詰める伝統的哲学思惟から「真理」の存在（Daß-sein）-正当性・意義を審問に付す「規範論的転回」（normative turn）(2)もなされつつあり、ニーチェからプラグマティズムへの展開過程に今日の真理論は定位する。われわれの論脈にこれを置き直せば、伝統的哲学の真理論は、近代カント流の「真理＝普遍妥当性」論から、その「妥当性」範域が現代世界・現代思惟の漸進的開展とともに多分化（人類範域、各文化・文明、各社会共同体、等）・多重化（理性・意識次元、前意識、無意識、等）してついに「独異性」（singularités）の絶対肯定にいたるとき、この種の真理論も失効し、ドゥルーズ＝ガタリの「反-真理論」も差異律とともにこの多様性・独異性-論議を先取りするところに成立するといってもよい。だが、そのドゥルーズ＝ガタリも多様性・差異性・独異性を視野の極点・消尽点（vanishing point）に想定しながらも、「無限運動＝カオス」に抗しては、そのつどの「総態性」（ensembles, jonction）・〈con-cipio〉への（諸要素・諸-独異態の）「相互適合」（co-adaptation）、「共立・協律・成存」（consistance）性、カント流-美的判断力の「趣味・協和センス」（goût）、利根川氏流の「テイスト」・〈sapere(味覚)-savoir（知）〉、の重要性を指摘・確認せざるをえなかった。あるいは、「同一律」に立脚する真理は失効しても、「差異律」に立脚する、というより両者の「間-境」（mi-lieu）「間-時」（entre-temps）に成立する「協成律」に則る真理は、世界の存立（consistance）とともに不可欠といわなければならないということかもしれない。

ところで、われわれは、ドゥルーズ＝ガタリと同じく「創造」問題を主題化しているわけだが、「真理」問題にはどう対応するのか。実のところ、他著では、現代という「真理」論にとっては難しい時代における「真理」論として、ハイデガーとバディウのそれは別の角度から扱ったが、[3]今回のこの連著ではフーコー論もバディウ再論もこれからのことなので本格的には対応していない。しかし、問題の位置は判っきりしている。「創造」問題を例えば焦点を絞るとすれば、カント流『判断力批判』から浮かび上がってくる「基準の創定」の問題であると、われわれは試行的に指摘した。現代世界のように事象万端にかかわる多様性がそのさらなる産出とともに認容・顕揚される時代にあって、抑圧・排除の体制としての秩序ではなく、協律・協成のシステムとしての秩序をどう創出・構成していくか、そのつど最適の「基準」の創定の問題である、と。「基準」とはもともと不変・永遠・超越的・普遍妥当的なものでなければならないはずであるが、多様性世界の展開とともに、であるからこそ不変であらなければならないと同時に、であるからこそ漸次・新たに修正・刷新・創造していかなければ、多様性世界の自己創成的-力動態を支えていくことができない。「真理・真実」についても、同様である。常識レヴェルでは「真理は一つ（ただ一つ）」といわれながら、哲学・思想という自らがそれである思考能作にもっとも自覚的・厳格であるはずの領域・次元においても、「真理」観念は、多分に上記の理由から、変化してきた、あるいはそのつど創り直され、新・再-創造されてきた。今日今後、上記の「規範論的転回」が押し進められいわゆる「真理デフレ主義」の遍在にいたるとしても、多様な、いやましに多様になっていく思考内容を整理・整序するためには、かつての「真・誤-判断」の「基準」に該当するなにものかがやはり創造されていくはずであり、われわれはそこまで見越す専断の危険を冒しながらも、「真理の創造」という、「基準の創造」と同様のパラドックスを、考量していかなければならない。「真理」ならぬ「真実」については、関連問題はさらに複雑であり、簡述はできないが、ただ、人間にとっては「真理」以上にこの「真実」性のほうが、不抜の要事であるようにも思われる。

確認しておけば、ドゥルーズ＝ガタリ思想は、一方では〈verité〉（真理）問題を廃嫡しながらも、他方では〈vrai, véritable〉（真の）と少なからぬ回数にわたって無頓着に言表し、「内在的‐基準」（critère d'immanence）を高唱して生起・生成‐実在の〈auto-position, auto-poiétique〉（自己呈示・自己創造）動を指摘し、さらにはそのような実在‐諸要素の間の〈co-adaptation〉（相互‐適合）を、自らの思考の〈mi-lieu〉（主・間‐境）である〈con-sistance〉（成存性）において論じ、伝統的哲学の同一律に則る諸真理に抗して、差異律に則る、というより、両者の〈mi-lieu〉（間‐境）に位置づくいわば協成律に則るかの、真理観を垣間見せた。ただし、それは、哲学、科学、芸術、とくに哲学、という「精神」レヴェルでの考察であり、それ以外の諸領域には及んでいない。今日・今後のわれわれには、それら未踏の諸領域をも配視しながら、さらに「真理」と「創造」にかかわる諸問題を検討していく必要があるだろう。われわれにとっては、「真理」は、ドゥルーズ＝ガタリにおけるように「創造」に反するものではなく、また旧来の哲学思惟におけるように単に「発見」すべきものでもなく、むしろ「創造的発見」の対象むしろ主題であり、人類にとって最も重要な営みである「創造」と「発見」がそこおいて一体化するひとつの極点であるようにも思われる。

（了）

注

序章

（1）　G. Deleuze, F. Guattari, *Qu'est-ce que la Philosophie?*, Ed. de Minuit, 1991.

（2）　こういう場合の〈image〉は、ドゥルーズ＝ガタリにおいては独自の意味内容を持つが、ここでは一般用語として扱うほうが佳いので、そのように邦訳しておく。

（3）　R. Gasche, *On Gilles Deleuze and Felix Guattari's What is Philosophy?*, 大久保歩訳『地理哲学――ドゥルーズ&ガタリ『哲学とは何か』について』、月曜社、二〇二一年、一九〇頁。

（4）　吉田謙二編『現代哲学の真理論――ポスト形而上学時代の真理問題』、世界思想社、二〇〇九年、参照。なお、われわれの周囲では同主旨で橋本康二氏が長年にわたって紀要論文を執筆しつづけている。筑波大学哲学思想学系『紀要』、参照。

（5）　『ドゥルーズ　魂の技術と時空・生起-動――〈意味〉を現働化する』、水声社、二〇一九年。この書は副題（第一副題）に「魂」などという語が出てくることもあって、一般読者には「古臭く」晦渋の印象を与えたかもしれない。しかし、これはカントの超越論的観念論とドゥルーズの超越論的経験論というより生成論的実在論の重相性を示したものであって、ドゥルーズの哲学史的位置を示すに必要であった。本文の該当章を見ればすぐ判るはずである。第二副題も現代哲学のみならずわれわれ人間活動の基本の基本である「意味・有意味性」の発生・成立を論じて、もっとも身近な問題のはずである。

（6）　「根源、根源的」という語は、あまりドゥルーズ＝ガタリ的ではない。筆者がこの語を用いるときはおおむね〈Ursprung, ursprunglich〉（英語の〈spring〉）の含む跳躍型の始原的-動態性が脳裡にあるが、ドゥルーズ＝ガタリの主題は実在の現時点における生動性・生成動であり、始原・起源でも終極・目的点でもなく、その中間（mi-lieu）の動的過程だからである。とはいえ、現時点における実在の生動性・生成動が鈍って惰性的・停滞的になることは当然ありうることであるから、その「真の、純粋な」（vrai, véritable, pur）有りようも考量せざるをえない。たとえば第一主要著作『差異と反覆』は、われわれの経験的現実の多くの事物事象は自己同一的であり、であるからわれわれも心安んじてそれらと一緒に生活していけるわけだが、ドゥルーズ的にはそれらももともと（ミクロ次元から見れば判るように）生動的、別言すれば自己差異化-動のうちにあり、しかも自己差異化の「反復」という自己同一化ではなく、自己差異化からの自己差異化としてのその「反覆」-動のうちにある、そこから一切を考え直すことを言っている。ドゥルーズはこの後者の事態を「真の、純粋の」というほか、ごく稀に〈primaire, originel〉（第一の、始原的な）などということもあるが、ごく稀にであり、ドゥルーズ語・概念としての言表ではない。要するに、超ミクロな次元の事象をかつての形而上学のように実体化する危険を避ける、ということであろう。しかし、われわれは追考にあたって一応は暫定的に言語化しなければならない。そのかぎりで、「根源」とか「根源的」とか言表することにする。ただし、可能なかぎり慎重に・試行的に言及し、たとえば、「根底」（fond）なき（sans fond）根源、といった言い回しも使用し、〈fond, fondamental, fondation, origine, original, originaire〉等の類似語の使用にも注意する。もっとも、〈origine〉は、通常は「起源」だが、ラテン語〈orior〉から、「起き上がり、方向を示す、根源動」としてわれわれ流に使用することもある。

（7）　「動」と「働」は、前者は或るものの単なる運動を意味し、後者は或るものの他のものへの作用・働きかけを意味するものとする。しかし、〈actualiser, s'actualiser〉は、煩雑を避けて、「現働化」に統一してしまうことにした。この語で重要なのは、本文中でも説明するように、むしろ「現実化・現前化」と「現実化・現働化」の区別である。

（8）　〈réal〉はおおむね通常の「現実」次元を意味し、〈réel〉はそのドゥルーズ的な「真の」存在論的内実として「実在」さらには「実働（態）」の訳語を当てる。存在論的（ontologique, ontologie）という語は、ドゥルーズ（＝ガタリ）はほとんどまったく使用しないが、われわれとしては論述上、哲学的常識として使用せざるをえない。

（9）　「潜勢、潜在」の日本語としての対語は「顕在、顕勢」であろうが、筆者は「顕」という語はプラトンの「イデア」の有りかたのような場合に使うので、ドゥルーズ＝ガタリの〈actuel, présent〉には「現勢、現実、現前」等の語を当てる。

(10) さらに〈idéal, idéel〉も含めて、前著『ドゥルーズ　魂の技術と時空・生起-動――〈意味〉を現働化する』『ドゥルーズ＝ガタリ――資本主義、開起せよ、幾千のプラトー』で基礎語として区別・説明し、本著本文中でも区別・説明し、かつドゥルーズ＝ガタリ・テクストから離れて濫用することなどしないが、とにかく常識的には煩雑になる単語がありうるのでそれなりに御注意御願いする。

(11) A. Badiou, *L'Être et l'Événement*, Ed. du Seuil, 1988, pp. 143~144, etc. 拙著『現代を哲学する：時代と意味と真理――A・バディウ、ハイデガー、ウィトゲンシュタイン』、理想社、二〇二〇年、第二部、第二章「真理の現前論と控除論――A・バディウのハイデガー批判を検討する」、参照。

(12) ゲルマン三神とは、オーディン、トール、ルーク（別説あり）、であるが、このうち諸名・諸説ある第三神（Lug, Licht, Light?　光・太陽の神?）が、古代ゲルマン精神風土に合わず、離脱・南下したのか。

(13) 上記R・ガシェ、大久保訳『地理哲学』、二一五頁。

第一章

(1) 拙著『意味と脱-意味――ソシュール、現代哲学、そして……』、水声社、二〇一八年、『ドゥルーズ　魂の技術と時空・生起-動――〈意味〉を現働化する』、水声社、二〇一九年、参照。

(2) 山内得立『意味の形而上学』、岩波書店、一九六七年。

(3) 植物にもこの「概念」作用を見ている。「習慣は創造的である。植物は、水、土、窒素、炭素、塩化物、硫酸塩を、〔自ら〕見極め（contemple.〔観照し〕）、それらを圧縮（contracte）して、自らに独自の概念（concept）〔〈con-cipio〉・総括方式〕を獲得し、それを享受（s'en remplir（enjoyment））する」（QPh. p. 101）。

(4) 拙著『創造力の論理：テクノ・プラクシオロジー序論――カント、ハイデガー、三木清、サルトル、……から、現代情報理論まで』、創文社、二〇一五年、講談社、二〇二〇年、第一章「基準の創定、世界の賦活――カント」、三九~四〇頁、参照。このカント語は「（全体-）調和」でもよいのだろうが、筆者は自分なりの観点から、ここに英語の〈stimulate〉（相互に刺激し合う）を読みこんだ。

(5) 上記拙著『ドゥルーズ』、二六六頁、九七頁以下、参照。

(6) 拙著『ドゥルーズ＝ガタリ――資本主義、開起せよ、幾千のプラトー』、水声社、二〇二一年、二七一頁以下、参照。

(7) 本著、第二章、「内在平面」論、参照。

（8） 上掲拙著『ドゥルーズ＝ガタリ』、第一部、第三章、4「欲望機械」、等、参照。

（9） G. Deleuze, F. Guattari, *Mille Plateaux*, pp. 374, 335~337, 上掲拙著『ドゥルーズ＝ガタリ』、第三章、二四九、三六六～三六九頁、参照。

（10） 上記「注・序章（6）」参照。なお、この種の根源的「力」概念は、本書末に〈forces primaires〉（QPh. p. 200）として、端的に語られる。しかし、それ以前から含意されていた。スピノザ言及はその一証左である。

（11） 原書であるG. Deleuze, *Spinoza: philosiohie pratique*, が手元にないので、邦訳版、鈴木訳『スピノザ――実践の哲学』、平凡社ライブラリー、二〇〇二年、を使用させていただく。

（12） ハイデガーは*Einfurlung in die Metaphysik*, M. Niemeter, 1966, p. 150, で、〈das erste Vermögende〉（可能にする第一の力）としている。

（13） カントについては、諸他例参照の上、*Kritik der Urteilskraft*, ed. K. Vorlander, F. Meiner, 1974, p. 359, から、〈der erste Beweger〉（第一起動態）、を採る。上掲拙著『創造力の論理：テクノ・プラクシオロジー序論』、第一章、四「産出的構想力」、三三頁、参照。

（14） 別掲拙著諸ハイデガー研究書、参照。右記、『創造力の論理』では、第二章「世‐開・リヒトゥングへと「構」え「想」う――ハイデガー」、参照。

（15） G. Delenze, *Le Pli, Leipniz et le barque*, 1988.

（16） Y. Belaval, *Leibniz Critique de Descartes*, 1960, 岡部他訳『ライプニッツのデカルト批判』、下、法政大学出版局、二〇一五年、五五八頁。

（17） あらためて邦訳版で調べてみると、河野与一氏の解説にこういう一文がある。「ライプニッツのいう物質もしくは質料の意味は一様でないばかりでなく、それを規定するには大きな困難がある」。『単子論』、岩波文庫、一九五一年、二七三頁、参照。要するに、「モナド」論的に規定し直さなければならないわけである。

（18） 上掲拙著『ドゥルーズ＝ガタリ』、第一部、第三章、3、4、5、参照。『単子論』第六四項、参照。

（19） われわれの周囲には、現代フランス思想とライプニッツ哲学を考察する清水氏の著が三巻もある。清水高志『ミシェル・セール――普遍学からアクター・ネットワークまで』、白水社、二〇一三年、『セール、創造のモナド――ライプニッツから西田まで』、冬弓舎、二〇〇四年、『来るべき思想史――情報／モナド／人文知』、冬弓舎、二〇〇九年。われわれのこのドゥルーズ論も、ドゥルーズとセールの双方のライプニッツ論を組み込む予定であったが、その余裕がなくなった。

（20） 上掲拙著『ドゥルーズ』、第一部、第四章、第九節「時間‐空間、〈時‐空〉力動と〈魂の技倆〉」、参照。

（21） シェリングについては学部時代にかなり勉強したが、その後、御無沙汰を余儀なくされていた。今回は同じ学会の茂牧人氏の関係論稿「ハイデガーの無底解釈をめぐって――シェリング演習（一九二七／二八年）をもとにして」、が手に入ったので、それを使用させていただいた。むろん、文責等は当方にある。

（22） F. W. J. Schelling, *Uber das Wesen der menschlichen Freiheit*, 渡邊二郎訳『人間的自由の本質』（『世界の名著9　フィヒテ・シェリング』、中央公論社、一九七四年、所収）、七「哲学の体系」、四八七～四九〇頁、参照。この渡邊訳では、〈Ungrund〉は「没根拠」となっている。「脱‐根拠」とも訳しうるかもしれない。

（23） F. W. J. Schelling, *Darstellung des philosophischen Empirismus*, 岩崎武雄訳『哲学的経験論の叙述』（右記巻、所収）、五六八～五七三頁、参照。

（24） 筆者はハイデガー哲学について大小四巻の研究書を上梓しており、ここにいう〈Es gibt Sein und Nichts〉という文言はハイデガーのE・ユンガー論のものだが、筆者自身が自分のどのハイデガー論で言及したか、目下、不明となった。なお、ここにいう〈Es〉は、ハイデガー的には、最終的には、（存在＝「無」というより）、〈Licht-ung〉であり、これがハイデガー思惟の究極点であるとするのが筆者の理解である。

（25） 上掲拙著『ドゥルーズ』、一三五頁以下、他、参照。

（26） 上掲R・ガシェ著、一六六頁、参照。下記に再引用。

（27） 上掲拙著『ドゥルーズ』、一二七、一五三、一九五、二八九、三〇二頁、他、参照。

（28） 同右、第一部、第四章、他、参照。

（29） 同右、第一部、第三章、第三節、（7）（8）、第二部、序章、第一節、（2）、他、参照。

（30） LS. p. 31, 125, 166. 右掲書、第二部、序章、第一節、（3）、他、参照。

（31） AOe. p. 47, 89, 130, 185. 拙著『ドゥルーズ＝ガタリ』、第一部、第三章、6、他、参照。

（32） J. P. Sartre, *Le Diable et le bon Dieu*, 末、参照。〈Sous ce ciel vide, il y a cette guerre à faire et je la ferai〉（この空っぽの空の下、為すべき闘いがあり、俺はそれを為そう）。〈cette guerre〉（この闘い）ではなく〈des guerres〉（さまざまの闘い）のほうが佳いかもしれない。ナポレオンは、佳かれ悪しかれ、「この一戦に勝て」がモットーであった。「悪しかれ」というのは、「この闘い、さまざまの闘い」の彼方に真っ当な「建設・創出‐理念・プラン」がなければ、「闘い」など大した意味はないからだ。そのかぎりで、サルトルのこの言は、神問題はともかく、真っ当な人間（男）にありうる至高の言の一である。下記『エチカ』の末尾と同じく、筆者の「座右の銘」の一といってもよい（笑）。

（33）上掲拙著『ドゥルーズ』、第二部、第二章「意味と生起」、二四四頁以下、等、参照。

（34）「観念」については、上記、邦訳『スピノザ——実践の哲学』、九六頁以下、参照。「理念」については、上掲拙著『ドゥルーズ』、八一頁以下、九一頁以下、等、参照。ただし、いずれも「概念」との対比考察にまではいたっていないので、ここでは深追いせずにおく。

（35）上掲ガシェ著、一二二～一二三頁。

（36）拙著『デリダ 脱-構築の創造力』、水声社、二〇一七年、一一一頁以下、一一五～一一六頁以下、参照。J. Derrida, *Forcerner le subjectile*, 松浦訳『基底材を狂わせる』、みすず書房、七四、九一～九三、一〇三頁、参照。

（37）「同異態」、とは、同一律と差異律の交錯・重相するところ、われわれのここでの試造語。上掲拙著『ドゥルーズ＝ガタリ』、第二部、第三章「同異態レヴェル」、参照。

（38）上掲拙著『ドゥルーズ＝ガタリ』、第二部、第三章、12、（4）「記号の体制、シニフィアンス、創造行為」、他、参照。

（39）上掲拙著『ドゥルーズ』、第二部「意味、生起、創造——『意味の論理学』をめぐって」、参照。

（40）上掲拙著『ドゥルーズ＝ガタリ』、第二部、第三章、12、（4）（i）「意味（sens）と意味（signifiance）」、および、結章、2「プラトーと創造」、三七七～三七九頁、参照。

（41）拙著『文化・文明——意味と構造』、創文社、一九九〇年、講談社、二〇二〇年。

第二章

（1）財津理訳『哲学とは何か』、河出書房新社、一九九七年、五三頁、訳者下注、参照。

（2）〈transascendance〉と〈transdescendance〉の区別が一か所（QPh. p. 47）でなされているが、ここでのわれわれの論と同主旨のものではなく、決定的に重要な概念ではないようなので、深入りせずにおく。

（3）研究者のE・アリエズがやや似た対応をしている。E. Alliez, *La Signature du Monde*, Ed. du Cerf. 1993, p. 85.

（4）上掲拙著『文化・文明——意味と構造』、参照。

（5）上掲拙著『ドゥルーズ＝ガタリ』、第二部、第三章、7「アジャンスマン」、参照。

（6）G. Deleuze, *Le Pli Leibniz et le baroque*, Ed. de Minuit, 1988.

（7）拙著『正義、法-権利、脱-構築——現代フランス実践思想研究』、創文社、二〇〇八年、講談社、二〇二〇年、第二部、

Ⅲ「理性の二つの顔：自同性&自異・自乗性――デリダと「実践」の思想」、参照。

（8）H. Bergson, *Les deux Sources de la Moral et de la Religion*, 1929, 平山高次訳『道徳と宗教の二源泉』、岩波文庫、一九七七年、参照。

（9）S. Weil, *L'Intuition pré-chrétienne*, Colommbe, 1951, 拙訳『前‐キリスト教的直観』（『シモーヌ・ヴェイユ著作集 第Ⅱ巻 ある文明の苦悶』、春秋社、一九六八年、所収、参照。

（10）上掲拙著『ドゥルーズ 魂の技術と時空・生起‐動』、第二部、序章、第二節、（2）「意味と理念」、一九六頁以下、第二章、第一節「生起の思想史」、二四四頁以下、等。

（11）同右、三〇四頁、他、参照。

（12）上掲拙著『ドゥルーズ』、第一部、第四章、第九節「時間‐空間、〈時‐空〉力動と〈魂の技術〉」、参照。

（13）同右、第一部、第四章、第六～十節、参照。

（14）ドゥルーズは何かのインタヴューで「人権」概念を冷笑している。フランス内部の裏事情があるのかもしれないが、一般論としては軽率であろう。

（15）ドゥルーズは、結局、宗教のみならず、政治とも、別問題として、哲学を扱っているらしい。同じであるはずはないが、異同と連接点を判っきりさせるべきだろう。この『哲学とは何か』には、それがない。

（16）上掲拙著『ドゥルーズ』、第二部、第一章、序章、第一節、（7）「フッサール、志向的相関項と「表現」」、他、参照。

（17）上掲拙著『ドゥルーズ＝ガタリ』、第一部、第三～四章、等、参照。ちなみに、筆者自身も、学生時代、フッサール後期の超越論的現象学には同調できず、離れた。

（18）このあたりの事態展開、意外にも、渡邊二郎氏の邦訳『存在と時間Ⅲ』、中公クラシックス、中央公論新社、二〇〇三年、の、「年譜」（三一一～三四一頁）が、かなり詳しく記している。

（19）拙著『政治と哲学――〈ハイデガーとナチズム〉論争史の一決算』上・下、岩波書店、二〇〇二年、『哲学とナショナリズム――ハイデガー結審』、水声社、二〇一四年、P・トラヴニーほか共編『ハイデガー哲学は反ユダヤ主義か――「黒ノート」をめぐる討議』、水声社、二〇一五年、等、参照。

（20）M. Heidegger, *Der Satz vom Grund*, Neske, 1971, 参照。

（21）筆者による上記の諸ハイデガー研究、および、『抗争と遊戯――ハイデガー論攷』、勁草書房、一九八七年、等、参照。

（22）拙著『現代を哲学する：時代と意味と真理――A・バディウ、ハイデガー、ウィトゲンシュタイン』、理想社、二〇〇八

年、第二章、一、一六一〜一六七頁、参照。A. Badiou, *L'Être et l'Événement*, pp. 143~144, 391, 等、参照。

（23） A. Badiou, *L'Être et l'Événement*, p. 144, 391, 参照。

（24） 上掲、『資本主義と分裂症』第二巻、参照。上掲拙著『ドゥルーズ＝ガタリ――資本主義、開起せよ、幾千のプラトー』、一八〇〜一八一頁、他、参照。

（25） 筆者のプラトン正義観念の理解については、右掲拙著、前書き、二七頁、他、参照。

（26） 最初の言及は、『意味の論理学』に則って、上掲拙著『ドゥルーズ』、二六六〜二七二頁以後、筆者のドゥルーズ＝ガタリ論では試行的にだが少なからぬ回数にわたって言及してきた。一見、あまりドゥルーズ（＝ガタリ）的-概念ではないにもかかわらず、結局、彼（ら）の認識論としては、初期の「推料」（présumer）・「地図作成」（cartographie）論議から後期の「了解」（compréhension）・「行為的-直観」（intuition en acte）・「マイム」（Mime）論まで、この発想が根本にあるように思われる。

（27） G. Deleuze, F. Guattari, *Mille Plateaux*, pp. 337~338, 374, *Qu'est-ce que la Philosophie*, p. 105, 他、参照。上掲拙著『ドゥルーズ＝ガタリ』、二四九、三六七〜三六九頁、参照。

第三章

（1） 拙著『意味と脱-意味――ソシュール、現代哲学、そして……』、水声社、二〇一八年、二七五頁以下、参照。

（2） 上掲拙著『ドゥルーズ』、二六一〜二六二頁。

（3） 上掲拙著『創造力の論理：テクノ・プラクシオロジー序論』、創文社、二〇〇八年、講談社、二〇二〇年、第一章「基準の創定、世界の賦活――カント」、参照。

第四章

（1） 「因果」という語は日本語ではどうしても仏教的なニュアンスが先に出るので使いにくいが、わざわざ「原因と結果」と記すのも煩雑なので、以下も「因果律」という語を使わせていただく。

（2） 〈actuel〉は、この場合のように、〈virtuel〉（潜在的、潜勢的）との対比で用いる場合には、おおむね「現勢的、現前的」と訳し、〈virtuel〉が延長態・惰性態レヴェルに「出起・湧出」（jet, jallir）して、知覚・表象の対象レヴェルの「現前」（présent, représent）態に堕さずに、その本来の（いわば心眼にこそ感得しうる――これはあまりドゥルーズ的な文言ではないが、不可能な禁句ではない）動態性（「実働」性、réel）を展開する場合は「現働的」と訳す。『モナ・リザ』や『白鯨』には、作者・画家の、あるいはむしろ彼らを超える、「潜勢」的な「力」(puissance) が、彼らを通じて「現働化」している。われわれが感動するのは、その「見えざる」しかし「実働的」な「力」に接するからである。この種のことは、この「注」の上記の諸所でも説明したが、いずれにしても一般読者には紛らわしいはずなので、ときどき説明を繰りかえす。

(3) 上掲、財津理訳『哲学とは何か』、二三二頁、訳者下注、参照。

(4) 上掲拙著『ドゥルーズ』、一八八頁、他、参照。G. Deleuze, *Logique du Sens*, p. 33, 参照。

(5) 上掲拙著『ドゥルーズ』、第一部、第四章、第七節、2「c/t (différenciation/différentiation)」、他、参照。

(6) 別記の筆者の諸ハイデガー研究書、参照。

(7) 拙著『差異と協成——B・スティグレールと新ヨーロッパ構想』、水声社、二〇一四年、参照。

(8) 一九七〇年前後、(筆者は) パリ大学で価値哲学の文献にもかかわっていたのだが、そのときたしかE. Dupéel の *La Précarité de la valeur*, という題名の研究書を文献表で目にした。直接関係のあるテーマではなかったので手にすることはなく、今日では記憶も記録も定かではなくなったが、とにかくこの〈précarité〉(あえかさ) は、価値論の重要なカテゴリーの一のはずである。ここでの〈consistance〉も、むろん、そうだが。

(9) 上掲拙著『ドゥルーズ゠ガタリ』、第二部、第三章、8「プランニング——認識問題補遺」、参照。

(10) 本文中に既述もしたはずだが、筆者はこだわる。こだわって自然だと思われる。ドゥルーズ的には、言語は、「内在平面」が、一定レヴェルで、自生的・自成的に、もしくは、「概念人物」によって、「分節化‐有意味化‐構造化」し・されつつ、そこに「有意味的‐分節‐構造態」として成立していくものであるはずであるが、その「レヴェル」とはどういうレヴェルなのか、その「分節化」は先行的な、というより、成立してくる言語体と「相互前提的」(既述) なはずの (とりあえず未全の)「全体・総態」との、どのような相関関係のなかでなされていくのか、等々、きわめてドゥルーズ的な問題でありうると思われる。なぜ、「意味」の成立、「概念」の成立は、「言語」の成立の問題と連動しないのか。

(11) 上掲拙著『ドゥルーズ゠ガタリ』、第一部、第八章、序「分裂から裂開へ」、等、参照。

(12) 上掲拙著『ドゥルーズ』、第二部、序章、第二節、(1)「意味と理念」、第二章、第一節「生起の思想史」、第二節「生起とは何か」、等、参照。

(13) 上掲拙著『ドゥルーズ゠ガタリ』、第二部、第二章、1「CsO」、他、参照。

(14) 私事ながら、筆者は、ドゥルーズらとは逆に、スピノザ哲学にはほとんど関心がなかったが、『エチカ』の末尾のこの一行のみは、「座右の銘」の一つであった。いまも同様である。

第五章

（1）　バディウの前期代表作の題名 *L'Être et l'Événement* を見よ。筆者も、ハイデガー哲学にほぼ見切り（見極め）がついたころ、この題名に関心をもってバディウ研究に入った。上掲拙著『現代を哲学する：時代と意味と真理――A・バディウ、ハイデガー、ウィトゲンシュタイン』、参照。ただし、バディウ自身は、自分の哲学のキー・コンセプトは、〈événement〉よりも、〈générique〉だともいっている。筆者は別書で詳説する。

（2）　別記の筆者の諸ハイデガー研究書、参照。この件で最も判りやすいのは、『ハイデガー哲学は反ユダヤ主義か』所収の拙論「ハイデガーとナチズム〈論騒〉への一対応」、か。本「注」、上記、第一章（24）、他、も、参照。

（3）　上掲拙著『ドゥルーズ』、第一部、第四章、第八節「現働化-動」、他、参照。

（4）　上掲拙著『ドゥルーズ＝ガタリ』、エピグラフ、参照。

（5）　E. Alliez, *La Signature du Monde*, Ed. du Cerf, 1993, p. 37.

（6）　本「注」、上記、序章、（8）、他、参照

（7）　たしか『差異と反覆』に一度だけ見かけた単語だが、該当頁を確認できなくなった。あるいは、〈dédifférencier〉の見間違えだったかもしれない。ただし、ドゥルーズ自身が重視するように〈différenciation〉（c動態）と〈différentiation〉（t動態）を分けるとすれば、〈dédifférencier〉は前者の否定、後者の肯定にもなりかねず、文脈上（DR. pp. 320~323）、おかしい。したがって、常識的に解して、「c動態」と「t動態」の区別とは別に、単なる〈différence〉レヴェルでのその動詞・否定型としての〈dédifférer〉と〈dédifférencier〉の違いと解し、前者が筆者（当方）の見間違えであるとすれば、後者、とすることにする。〈différer〉にこだわっている様子が見えるとすれば、デリダの〈différance〉が、デリダ自身の強調するように、〈différer〉を含んでいるからである。デリダとドゥルーズは別だ、という異論もあるかもしれないが、当方にはやはりひとつの同時代的思惟、一言でいえば、旧来の同一律に対する、差異律の思惟、の二例であるように思われる。

（8）　上掲拙著『デリダ　脱-構築の創造力――メタポリアを裁ち起こす』、一一五～一一六頁、参照。本「注」、上記、第一章、（37）、参照。

結章

（1）　上掲R・ガシェ、大久保訳『地理哲学』、一二六頁。

（2）上掲、吉田謙二編『現代哲学の真理論』、参照。
（3）ハイデガーについては、別記の諸ハイデガー研究書、バディウについては上掲拙著『現代を哲学する：時代と意味と真理——A・バディウ、ハイデガー、ウィトゲンシュタイン』、参照。

あとがき　「眞理」の語源と未来＆追記

「眞理」「眞実」という日本語には、いくつかの解釈がある。「理」とは、珠を磨く、石を磨く、魂を磨く、そこに浮かび上がってくる「筋道」であり、「実」は、いうまでもなく、事象の究極的な内容の豊かさ・堅牢さの謂いである。だが、磨きに磨いてそこから「理」と「実」を浮かび上がらせるべき「眞」とはなにか。

とりあえず、解釈を三つ、挙げる。

一　「ヒ」とは「人」の歪んだ変形であり、白川静氏によれば「横死」を意味し、その忌まわしい事態を「眞」として崇高化したのは荘子であると、そこに優れた思想家による哲学的・形而上学的-転換の妙を見ながら記している。今日のわれわれにとっては、これはあの十字架の惨死に神の愛を見たパウロの所為を思い起こせば、それなりに納得がいくだろう。あるいは、キリスト教嫌いのニーチェのいう「ルサンチマン」思考による価値反転作為を見る読者もいるかもしれない。筆者は実はニーチェ流の「真相暴露」解釈はすくなくとも形式上は「下衆の勘繰り」のようなものがあって、受け容れられない。ただ、「分裂症」に「人間的閉域からの裂開」を見るドゥルーズ＝ガタリの「逆説」（パラドクス）思考には、それなりの功を認めてよい。なお、白川氏は、「目」と「L」と「𠆢」には特別な解釈はほどこしていない。

二　もうひとつはポジティヴな解釈で、昔の修身の授業に字源学があったかどうか知らないが、とにかく修身の授業向きの解釈である。いわく、「ヒ」は人が「心眼」（「目」）をもって「仙人」へと「変身」することを意味し、「L」とは、それが世間の目からは「隠された」（「L」）次元でなされるとともに、「龍」（「L」）に「乗って」（「𠆢」）、「天へと赴く」（「L」）ことを含意する。「眞」とはその行程を含意していた。ちなみに、先年物故してしまった世界童話比較研究の畏友鈴木満の最終講義によると、昔の中国では「仙界」の人物たちが自然にこの世の人間たちの間でも生活しているとされていたようで、彼の語り口の上手さゆえか、それらの人物たちの存在感が妙になまなましく感じられて、ある種の感興をおぼえた。「人」から「仙人」への「変身」は、ドゥルーズ＝ガタリのたとえば「エイハブ」と「モービー・ディック」の間の分子レヴェルへの帰還を介しての「変身」や、「イジチュール」の死を介しての偶有性の肯定の思想、哲学には珍しい「変身」生成論にも通ずる。一見修身用の健全・平凡な解釈にもある種の不思議な異次元交錯が含まれていることになるだろう。

三　もうひとつは、筆者が比較文化概論の最初の数回で世界の古代諸文明のことを説明しながら、先学の多くの研究から仮説的に発想したもので、こうである。中国古代文明は「殷」時代とされるが、いわゆる漢族の登場以前で、そのころユーラシア大陸北部はそれなりの東西交流のうちにあった。殷文明は中国にはない一種の都市国家群からはじまったが、これはシュメール文明、インダス文明、ギリシャ文明のように、異民族のあいだに別の異民族が入ってきた場合に見られる傾向である。このころの大陸の西方には古代ケルト社会を想定できる。そして両者の関係を諸側面から考察した後で、筆者は、古代ケルトが、巨大な器に酒を煮沸して神にささげ、人身御供としてなんらかの人物や動物をそこに放り込むという儀式をおこなっていたことに注目した。さて、殷文明においても、同様である。巨大な銅鐸の器に酒を入れ、煮沸し、その香りを神にささげ、なんらかの人物（初期には貴人の娘ら）を人身御供として、そこに投げ入れる。末期近くには都市国家の外側の原野に羊群を追って生活している恙族の牧人たちを、彼らは単独もしくは少人数で行動するゆえ捕えやすいことから、この人身御供に供していた。いわゆる殷周革命には、周族とともにこの恙族の怒りと怨念が強くはたらいていたといわれる。本題に戻れば、「眞」とは、この神に捧げる酒を煮沸する巨大な銅鐸の「鼎」に、人身御供の「人」を投げ込む、その投げ込まれる「人」のひんまがった「ヒ」形、両者の組み合わせを示すものと解しうる。しかも、これはたんなる野蛮な古代儀式を表現するものではない。人間存在、その社会の命運を賭けて、自らに最も重要なものを神に捧げて祈願する、そのギリギリの境地を示すもののように思われる。そのような極限的事態（の「理」と「実」）を可解化すること、それが「眞理」「眞実」というものの原-本質ではなかったか。筆者はそう解して、この仮説を提示した。

　筆者の「真理」概念は、この逸話にのみ立脚するものではない。ただ、ドゥルーズ＝ガタリのように「真理」をたんなる知的な問題、「オリジナリティにも、ユニークさにも、魅惑度にも、見栄えにも、重要さにも、欠けた、凡庸・退屈な問題」とする、今日、彼ら以外にも少なからず存在するはずのかたがたには、「真理」問題はたんなる綺麗ごとの知的問題などではなく、人間存在、その社会と世界、その底知れぬ深みと、ドゥルーズ＝ガタリが徹底的に嫌う超越の高み、双方に関わる深甚・無尽の問題であることを指摘すべく、この逸話を提示しておく。筆者は若年期、少年期から抱懐していた万能の神の子がなぜあのように死ななければならなかったのかという疑問と、青年期に気づきはじめたスターリンの死、ベリヤの暗殺（正史では公式裁判による処断とされている）、ハンガリア動乱、……あたりから始まる世界と世界史に広がる政治抗争への関心、両者の狭間（はざま）で自らのつましい所為を反省しながら、「〈神のもの〉と〈カイザルのもの〉の間にのたうちまわる宿命の二律背反」は文化・文明の問題を究めることによってこそ解決に近づきうると、学生誌に記し、その後のある研究論文の末尾には、こう記した。

〈真理とは何か〉とピラトは問い、イエスは黙したまま十字架を背負うことによって、それに応えた。ピラトが政治的実践者としての知恵をそこから汲み出す内なる薄明の泉と、イエスが人知の言説を断念してそれに向かって自らの存在を分開させる世界の真理の輝く深淵は、われわれの識らぬどこかで、どのようにか、結びついている。われわれの哲学と常識が飽くことなく繰り返すのは、その結節点の人間世界への奪回の企てである。

（『現代を哲学する：時代と意味と真理――A・バディウ、ハイデガー、ウィトゲンシュタイン』、理想社、二〇〇八年、一六〇頁）

本書もその「奪回」のひとつの企てである。真理の創造的発見の問題も、むろんその論脈上にある。

［追記］

本稿は前著刊行時にすでに成立していたが出版実務上の事情で刊行がいまとなった。このことはとやかくいう筋合いのものではないが、問題意識のうえで多少のずれが生じた。本考のメイン・テクストは一九九一年刊行の『哲学とは何か』で、その後クローズアップされてくる北阿・東欧‐移民問題への適否をはかりながら考察したが（なにしろ、例えばフランスの宗教人口は、カトリックが中心であることにかわりはないが、二番目はプロテスタントではなく、すでにイスラム教となっている）、その後、今日ではさらに、もう一つの問題に向かい合わざるをえなくなってきた。一点にのみ絞る。NATOやアメリカや他の諸国が核戦争への肥大化を懸念して介入を控えることには理があるが、ウクライナからの要請にも応じて、すでに欧米約五十二か国から二万余のボランティア義勇兵たちが参集し、韓国軍の元大尉も「チーム編成は私がおこなった。専門的な技術と展望をもつものたちにとって座視しうる状況ではない。生きて帰国できれば私が全責任を負う」と違法を承知で同志とともに出撃していった。わが国でも約七十名が対応したが、国家指針で自粛を余儀なくされた。国家システムは、今日・今後も相当の長期間にわたって不可欠である。人類レヴェルの理念への志を制止しても、国民を生死の危険に晒すまいとする国家意志も、本来の理に適っている。しかし、今日、国家システムを超えるボランティアたちの活動は素晴らしい。人類の未来は彼らが代表するものだともいえる。自己を超え、我を忘れて、苦難する他者たちのために奔走する人類最高の志のための、もうひとつ別の実践システムを創出しなければならない。いまさら喋々することではない、誰もが知っている、というのであれば、すでに実効化されているのでなければならない。両極の是非の対比考察よりも、両極の間の創造的緊張こそが未来を生む。

水声社、編集部の小泉直哉氏、装幀デザイナーの宗利淳一氏に、今回も御世話になった。毎回、無粋な謝意・謝辞を記すことしかできないが、とにかく革（あらた）めて厚く御礼申し上げます。

著者識

著者について——

中田光雄（なかたみつお）　一九三九年、東京・小石川生まれ。一九四四年より、群馬県。東京大学教養学部教養学科（フランス科）卒。同大学大学院人文科学研究科（比較文化）博士課程中退。パリ大学大学院（仏国政府給費招聘留学）哲学科博士課程修了。仏国文学博士（哲学）（Doc. es Lettres）。筑波大学名誉教授。仏国学術勲章。

主な著書に、『現代を哲学する：時代と意味と真理——A・バディウ、ハイデガー、ウィトゲンシュタイン』（理想社、二〇〇八年）、『政治と哲学——〈ハイデガーとナチズム〉論争史（一九三〇～一九九八）の一決算』（上下、岩波書店、二〇〇二年）、『哲学とナショナリズム——ハイデガー結審』（水声社、二〇一四年）、『抗争と遊戯——ハイデガー論攷』（勁草書房、一九八七年）、『ハイデガー哲学は反ユダヤ主義か——「黒ノート」をめぐる討議』（共編著、水声社、二〇一五年）、『ベルクソン哲学——実在と価値』（東京大学出版会、一九七七年）、『ベルクソン読本』（共著、法政大学出版局、二〇〇五年）、『文化・文明——意味と構造』（創文社、一九九〇年、講談社、二〇二〇年）、『正義、法-権利、脱-構築——現代フランス実践思想研究』（創文社、二〇〇八年、講談社、二〇二〇年）、『現代思想と〈幾何学の起源〉——超越論的主観から超越論的客観へ』（水声社、二〇一四年）、『差異と協成——B・スティグレールと新ヨーロッパ構想』（水声社、二〇一四年）、『創造力の論理：テクノ・プラクシオロジー序論——カント、ハイデガー、三木清、サルトル、……から、現代情報理論まで』（創文社、二〇一五年、講談社、二〇二〇年）、『デリダ脱-構築の創造力——メタポリアを裁ち起こす』（水声社、二〇一七年）、『二十一世紀のソシュール』（共著、水声社、二〇一八年）、『意味と脱-意味——ソシュール、現代哲学、そして……』（水声社、二〇一八年）、『ドゥルーズ　魂の技術と時空・生起-動——〈意味〉を現働化する』（水声社、二〇一九年）、『ドゥルーズ＝ガタリ——資本主義、開起せよ、幾千のプラトー』（水声社、二〇二一年）などがある。

装幀――宗利淳一

ドゥルーズ＝ガタリ　哲学、真理か、創造か

二〇二二年五月二〇日第一版第一刷印刷　二〇二二年五月三〇日第一版第一刷発行

著者——中田光雄

発行者——鈴木宏

発行所——株式会社水声社

東京都文京区小石川二—七—五　郵便番号一一二—〇〇〇二
電話〇三—三八一八—六〇四〇　ＦＡＸ〇三—三八一八—二四三七
［**編集部**］横浜市港北区新吉田東一—七七—一七　郵便番号二二三—〇〇五八
電話〇四五—七一七—五三五六　ＦＡＸ〇四五—七一七—五三五七
郵便振替〇〇一八〇—四—六五四一〇〇
URL : http://www.suiseisha.net

印刷・製本——モリモト印刷

ISBN978-4-8010-0644-7
乱丁・落丁本はお取り替えいたします。